新潮文庫

リプレイ

ケン・グリムウッド
杉山高之訳

新潮社版

4506

リプレイ

母と父に

主要登場人物

ジェフ・ウィンストン……ニューヨークのラジオ局ニュース・ディレクター
リンダ・ウィンストン……ジェフの妻
マーティン・ベイリー……学生時代のジェフのルームメイト
ジュディ・ゴードン………学生時代のジェフの女友達
フランク・マッドック……ジェフの上級生
シャーラ・ベイカー………ジェフがカジノで知り合った女友達
パメラ・フィリプス………画家・映画プロデューサー

1

ジェフ・ウィンストンが死んだのは、妻と電話をしている時だった。

「私たちに必要なのは――」彼女はいっていた。だが、何が必要なのか、ついに聞かなかった。なぜなら、何か重い物が胸にどかんとぶつかった感じがして、息ができなくなったからである。受話器が手から落ち、机上のガラスの文鎮が割れた。

ちょうど先週も彼女は同じようなことをいっていた。「私たちに何が必要か、わかっているの、ジェフ？」と。それから、間があった――この死にいたる間のように、無限でもなく最終的でもないが、とにかく明白な間が。あの時には、キッチンのテーブルについていた。そこは、妻のリンダが〝朝食コーナー〟と好んで呼んでいる場所だった。といっても、実際は独立したスペースではなくて、冷蔵庫の左側と、洗濯物《せんたくもの》乾燥機の正面との中間に、小さなフォーマイカのテーブルと二脚の椅子《いす》を、ぎごちなく置いた場所にすぎなかったけれども。そう言った時、リンダはカウンターに向かって玉葱《たまねぎ》を刻んでいた。そして、たぶん彼女の目尻《めじり》の涙が彼を考えこませ、その質問に本人の意図以上の重要な意味を与えてしまったのだろう。

「何が必要か、わかっているの、ジェフ？」

そして普通なら、彼は言うはずだった。「何のことだい？」と。それも、『タイム』にのっている大統領職についてのヒュー・サイディの論評を読みながら、無関心に上の空でいうはずだった。だが、ジェフは上の空ではなかった。サイディのたわごとなど問題でなかった。彼は実際に妻の質問に関心を持ち、意識を集中してしまったのである。こんなことはもう何年もないことだった。だからこそ、何秒間か完全に沈黙してしまったのだ。そして、リンダの目の偽りの涙をじっと見つめて、自分と彼女にとって、何が必要かを考えてしまったのである。

先《ま》ず第一に、抜け出すことが必要だった。飛行機に乗って、どこか気候温暖で草木が青々と茂った場所に――ジャマイカか、あるいは、バルバドスあたりに――行くことが必要だった。五年前に長い時間をかけて計画したヨーロッパ旅行は、何となく期待外れに終わってしまったが、あれ以来、本当の休暇を取っていなかった。二人は毎年、オーランドにいるジェフの両親と、ボカ・ラトーンにいるリンダの親族に会うためにフロリダに旅行するが、これは勘定に入らない。これは日々に疎《うと》くなる過去への訪問であって、それ以上の意味はない。そんなのではなくて、二人に必要なのは、どこか頽廃的《たいはいてき》な外国の島で一週間あるいは一月《ひとつき》過ごすことであった。見渡す限り人気《ひとけ》のない浜辺でセックスをし、夜は、レゲエの音楽が、真っ赤な花の香りのように空中に漂っている場所で。

それから、ちゃんとした家も必要だ。物足りない日曜日に、何度も車で通り過ぎたモントクレアのアッパー・マウンテン・ロードに立ち並ぶ豪壮な古い邸宅の一軒ぐらい、持ってもいい。あるいは、ホワイト・プレインズの別荘とか、ゴルフコースのそばのリッジウェイ・アベニューの十二部屋もあるチューダー様式の屋敷などもいい。べつにゴルフを始めたいわけではないが、メイプル・ムーアとかウェストチェスター・ヒルズとかいう名前のついた、のっぺりした芝生の広がりのほうが、ブルックリン・クィンズ高速道路に通じる斜道や、ラガーディア空港への滑降進路沿いの地域よりも、環境としてはずっと快適だと思われるから。

また、彼らには子供も必要だった。おそらくリンダのほうが彼よりももっと痛切にその必要を感じているだろう。ジェフは、自分たちの決して生まれてこない子供のことを、いつも八歳ぐらいの子供として想像していた。つまり、非常に手のかかる幼児期をとびこし、しかも、思春期の悩みの始まらない年齢の子供を思い描いていた。良い子供で、しかもあまり可愛《かわい》すぎたり、ませていないやつがいい。男女は問題でない。ただの子供。彼女の子供であり、自分の子供でもある。おかしな質問をし、テレビにぴたりとくっついて坐《すわ》り、発達しつつある独自の個性がきらりと光るような子供。

だが、子供は生まれないだろう。何年も前から、どちらも不可能だと知っている。なぜなら、一九七五年にリンダは子宮外妊娠をしているからだ。また、モントクレアであろうと、ホワイト・プレインズであろうと、家は持てないだろう。ニューヨークのニュース専門ラジオ局WFYIのニュース・ディレクターというジェフの地位は、名声があり、実入りもいいと思われているが、実際はそうでもない。まだ、テレビに移るかもしれないが、四十三歳ともなれば、その可能性はますます遠のいていく。

俺《おれ》たちに必要なのは、必要なのは……話し合うことだ、と彼は思った。互いにしっかりと目を見据《みす》えて、はっきり物をいうこと。だが、これがうまくいかない。ぜんぜん駄《だ》目《め》だ。ロマンスも、熱情も、輝かしい計画も駄目。全部ぺしゃんこだ。そして、だれを恨むこともできない。とにかく、そのようになってしまったのだ。

だが、もちろん、彼らは決して話し合いなどしないだろう。それが失敗の主な部分だ。より深い要求についてめったに話さないということ。二人の間に常に立ちはだかっている疼痛《とうつう》のような不完成感について、決して切り出すことがないということが。

リンダは玉葱で出た無意味な涙を、手の甲で拭《ぬぐ》った。「聞いているの、ジェフ?」

「ああ、聞いてるよ」

「私たちに必要なのはね」彼女は彼の方向を見たが、必ずしも目を合わせずにいった。

「新しいシャワーカーテンなのよ」

彼が死に始める前に彼女が電話で言いかけた〝必要〟なものは、十中八九このレベルのものだろう。彼女の言葉の終わりはおそらく、「――卵一ダース」とか「コーヒーフィルター一箱」だったろう。

しかし、俺は何故《なぜ》こんなことを考えているのだろう？　と彼は思った。俺は死にかけているんだぞ、ちくしょうめ。人間最後の思考はもっと深遠なこと、もっと哲学的なことではないのだろうか？　あるいは、生涯《しょうがい》のハイライトの高速再生《リプレイ》。ベータスキャンで見る四十年。溺死《できし》する人は、そういう体験をするのではなかったか？

これはまさに溺死の感覚だ。拡大された秒が経過する間に、彼は思った。恐ろしい圧力、呼吸をしようとする絶望的な努力、塩辛い汗が額を流れ落ちて目にしみ、体じゅうがべとべとに濡《ぬ》れる。

溺《おぼ》れるとか。死ぬとか。とんでもない。こんなのは非現実の言葉だ。花やペットや他人にあてはまる言葉だ。老人に、病人に、不運な人々に。

顔が机に落ち、リンダが電話を掛けてきた時に調べようとしていた紙挟《かみばさ》みに、右の頰《ほお》がぴったりとくっついた。開いた片目の前の文鎮の割れ目が、洞穴《ほらあな》のように見える。世界そのものの割れ目。引き裂かれるような体内の激痛を映す、ぎざぎざの鏡。割れたガラスを通して、本棚《ほんだな》の上のデジタル時計の真っ赤に燃えるような数字が見える。

1：06 PM.　88.10.18.

それから、もう、そういう考えたくない事柄もなくなった。なぜなら、思考作用が停止してしまったから。

ジェフは息ができなかった。

もちろん、息はできなかった。死んだのだから。

しかし、死んだのなら、なぜ呼吸できないということを意識しているのだろうか？

いや、それをいうなら、なぜ何かを意識しているのだろうか？

彼は丸まった毛布から顔をそむけて息をした。腐ったような湿った空気。自分の汗の臭《にお》いに満ちている。

では、死ななかったのだ。そうと分かっても、どういうわけか感激しなかった。ちょうど、さっきの死の仮定に、恐怖のショックを受けなかったのと同様に。

もしかしたら、命の終わりをひそかに歓迎していたのかもしれない。しかしこうなると、また前と同じように続くだけだろう。不満足が。擦《す》り減って無くなってしまった野心と希望が。それらは結婚に失敗した原因だったのか、それとも結果だったのか、もはや分からなくなってしまっている。

彼は顔から毛布を押し退《の》け、しわになったシーツを蹴《け》りつけた。暗くした部屋のどこかで、聞こえるか聞こえない程度に音楽が鳴っている。なつメロだ。あのフィル・スペクターのガールグループのどれかが歌っている『デイ・ドゥー・ロン・ロン』だ。

ジェフは見当識を完全に失って、ランプのスイッチを手探りした。病院のベッドで、オフィスでの発作から回復しかけているか、または、家にいて、とりわけ酷《ひど》い悪夢から醒《さ》めかけているかの、どちらかだ。手がベッドサイド・ランプを探り当て、明かりをつけた。むさくるしい小部屋だ。衣服や本が床に散らかり、また、二つ並べた机と椅子の上にも乱雑に積み上げられている。病院でも、リンダの寝室でもないが、どこか見覚えがある。

壁に貼《は》った大きな写真から、裸の女がこちらに微笑《ほほえ》みかけている。『プレイボーイ』の折り込み見開きページ。古いやつだ。胸の豊かなブルネットの女が、船の後甲板のエアマットの上に、澄まして腹ばいになっている。赤白の水玉模様のビキニが手すりに結びつけてある。粋《いき》な丸いセーラー帽、注意深くセットしてスプレイした黒い髪。若い頃《ころ》のジャッキー・ケネディにそっくりだ。

見ると、その他《ほか》の壁も、その時代の若者のスタイルで飾られている。闘牛のポスター、赤いジャガーXK・Eの大きな写真、デイブ・ブルーベックの古いアルバムのカバー。片方の机の上の方に、赤白青の旗が貼ってあり、〝共産主義をやっつけろ〟と星と縞《しま》を組み合わせて作った文字で書いてある。ジェフはこれを見てにやりとした。彼自身これと同じものを、当時はショッキングだったポール・クライスナーの三流誌『ザ・リアリスト』に注文したことがあるのだ。あれは大学時代だった、あれは――

彼はぱっと上半身を起こした。耳の中に脈拍の音が聞こえた。思い出した――あれは、動かすといつも根元から抜けてきたやつだ。そして、マーティンのベッドの横の敷物には血のように赤いしみがある――ほうら、あそこだ――俺がジュディ・ゴードンをこっそり階下から連れてきた時、彼女はドリフターズの曲に合わせて部屋中を踊り回り、キャンティのボトルをひっくり返してしまったのだった。

気がついてすぐに感じた漠然《ばくぜん》とした混乱は、純粋な当惑に変わった。ジェフは掛《か》け布団《ぶとん》をはねのけ、ベッドから出て、ふらふらしながら机の一つに歩み寄った。自分の机だ。のっている本を見渡す。『文化の形態』『サモアで育って』『統計人口論』。社会学一〇一。ドクター……何だって？　ダンフォース、サンボーン？　キャンパスの反対側の大きな黴臭《かびくさ》い古いホールだな。午前八時か。いつも講義の後で朝飯を食ったっけ。ジェフはベネディクトの本を拾い上げ、ぱらぱらとページをめくった。あちこちに太いアンダーラインが引いてあり、彼自身の筆跡で書き込みがある。

「……WQXIが選んで送る今週のヒット、クリスタルズでした！　さて、次の曲はキャロルとポーラから、マリエッタのボビーにプレゼントです。この可愛いお嬢さんたちは、このシフォンズの曲のように、ボビーを『イカシタ彼《ヒズ・ソー・ファイン》』と思っていると伝えたいそうです……」

ジェフはラジオを切り、じっとりと額に浮いた汗を拭った。そして、完全に勃起《ぼっき》しているのに気づいて、落ち着かない気分になった。セックスのことが頭にないのに、こんなにぴんと立つなんて、いったい何年ぶりだろう？

よし、このおかしな現象を徹底的に解明すべき時だ。だれかが、ひどく念入りに俺をかついでいるにちがいない。だが、仕掛け人に心当たりがない。たとえ、そういう奴《やつ》がいたとしても、ここまで念入りにやるだろうか？ 俺自身の書き込みのあるこれらの本は、ずっと昔に捨ててしまったものだ。それをこれだけ精密に再現することができる奴など、いるはずがない。

机の上に『ニューズ・ウィーク』が一冊あった。カバーストーリーは、西独の蔵相コンラッド・アデナウアー辞任に関する記事だ。一九六三年五月六日号。ジェフは何か合理的な説明が浮かんでこないかと思いながら、それらの数字に見入った。

何も浮かばなかった。

ドアがぱっと開き、内側のノブが本箱にがちゃんと当たった。いつも通りだ。

「おい、何をぐずぐずしている？ 十一時十五分前だぞ。十時に米文学のテストがあったんじゃないか」

マーティンが戸口に立っていた。片手にコークの瓶《びん》を持ち、もう一方に一山の教科書をかかえている。マーティン・ベイリー。一年生時代のルームメイトだ。在学中も、その後何年間も、一番親しい友人だった。マーティンは一九八一年に自殺した。離婚し、引き続いて破産した直後に。

「どうするんだよ」マーティンが尋ねた。「不可を取るつもりか？」

ジェフは驚いて口もきけずに、ずっと昔に死んだ友人を見つめた。まだ後退し始めていない濃い黒い頭髪。しわのない顔。まだ苦労というほどの苦労を経験していない明るい若々しい目。

「おい、どうした？　大丈夫か、ジェフ？」

「俺……ひどく気分が悪い」

マーティンは笑って、持っていた教科書をベッドの上に放《ほう》り出した。「白状しろよ！　スコッチとバーボンをちゃんぽんに飲むなとおやじがいってたが、これで理由がわかったぞ。お前、昨夜マニュエルの店で、可愛いのを口説いていたが、あの子のことだな。ジュディが居合わせたら、殺されるところだったぞ。あの子の名前、なんてったっけ？」

「えーと……」

「しっかりしろよ。それほど飲んだわけでもないのに。これから電話するか？」

ジェフはパニックが盛り上がるのを感じて、顔をそむけた。マーティンには言いたいことが五万とあった。だが、そのどれ一つを取っても、この狂った状況そのものと同様に、無意味だった。

「どうしたんだよ？　情けない顔しやがって」

「あ、あのう、外にいって、風に当たってくるよ」

マーティンは面食らって眉《まゆ》をしかめた。「ああ、それがいいかもな」

ジェフは自分の机のそばの椅子に無造作に放ってあったチノ・パンツをひっつかみ、ベッドの横の戸棚を開け、マドラスシャツとコーデュロイのジャケットを見つけた。

「診療所に寄っていけよ」マーティンがいった。「風邪を引いたというんだ。ギャレットは追試をやってくれるかもしれないぞ」

「ああ、そうだな」ジェフはいそいで衣服を着て、コードバンのロウファーをつっかけた。呼吸亢進《こうしん》が始まる寸前だ。彼は努力してゆっくりと息をするようにした。

「今夜は『鳥』という映画を見にいくのを忘れるなよ。いいな？　七時にドゥーリーの店で、ポーラやジュディと落ち合うことになっている。先に飯を食うことにしよう」

「わかった。じゃあな」ジェフは廊下に出て、ドアを閉めた。階段を見つけて、三階分を駆け降りた。途中ですれちがった学生に名を呼ばれて、機械的に「よう！」と怒鳴り返した。

ロビーは記憶通りだった。右手にテレビルーム。今は空っぽだが、いつもはぎゅうぎゅう詰めでスポーツや宇宙関連の番組を見ている。一かたまりの女子学生が、女人禁制の階段の下でくすくす笑いながら、ボーイフレンドが降りてくるのを待っている。掲示板の向かい側にはコークの販売機。掲示板には、車や本やアパートを求むとか売りたしとか、メイコンやサバナやフロリダにドライブに行きましょうとかいう、学生の広告が貼られている。

外に出るとドッグウッドの花が満開で、キャンパスを埋め尽くすピンクと白の光が、グレコ・ローマン様式の荘厳《そうごん》な建物の真っ白な大理石に照り映えて見える。エモリー大学だ。間違いない。古典的なアイビーリーグ風の大学を創造したいという、南部の人々の熱意と努力の結晶であり、土地の人々が我等《ら》の大学と呼ぶことのできる学校だ。故意に時代を超越して造られたその建物は、見る人の感覚を狂わせる。ジェフは中庭を抜け、図書館と法学部の建物の前を通ってジョギングしていきながら、これでは一九六三年といっても、一九八八年といっても変わりがないと思った。広い芝生の上に憩《いこ》い、散歩している学生たちの服装や、ショートカットの頭髪にさえも、確かな手がかりは得られなかった。超末世的なパンクルックは別として、八〇年代の若者のファッションは、彼自身の学生時代のファッションと、事実上、変わりがなかった。

ああ、このキャンパスで過ごした日々。ここで芽生え、けっして成就することのなかった夢……日曜学校のほうに通じるあの小さな橋がある。あそこを、ジュディ・ゴード

ン と何度そぞろ歩きをしたことだろう？　そして、あそこ、心理学科の建物の下手。あそこは三年生時代にほとんど毎日、昼飯に行くためにゲイル・ベンソンと落ち合った場所だ。あれは最初で最後の、女性との真に親しいプラトニックな付き合いだった。ゲイルを知ったことから、なぜ、もっと多くを学ばなかったのだろう？　この心休まる静かな緑の芝生や、これらの高貴な建物から生まれたいろいろの計画や抱負から、どんなに遠く、どんなにさまざまなやりかたで、逸《そ》れてきてしまったことか？

キャンパスの正門までやってきた時には、ジェフは一マイル以上も走っていた。そして、息切れがするかと思ったが、そんなことはなかった。彼はグレン記念教会の下の小高い岡《おか》に立って、ノース・ディケイター・ロードと、このキャンパスに付随する小さなビジネス街であるエモリー・ビレッジを見下ろした。

並んでいる衣料店や本屋は何となく見覚えがあるように思われた。特に一カ所、ホートンのドラッグストアは記憶の波を呼び戻《もど》した。その店のマガジンラックや、長く白いソーダファウンテンや、それぞれにステレオのジュークボックスがついている赤いレザーのブースが心に浮かび、その一つのテーブルの向こうにジュディ・ゴードンの若々しい顔が浮かび、その清潔な金髪の匂いが蘇《よみがえ》った。

彼は首を振って、眼前の景色に心を集中させた。やはり、今が何年なのか正確に知るすべはなかった。一九八三年のAP通信の『テロリズムとマスコミ』についての協議会以来、アトランタにはきていなかった。そして、エモリー大のキャンパスに戻ったのは……えーと、たぶん卒業してから一、二年後以降は絶えてない。目の下の商店のすべてが元のままに残っているのか、それとも高層建築かモールに取って代わられたか、まったく分からない。

車は一つの手掛かりになる。そう思って注意して見ると、下の街路にはニッサンもトヨタも走っていないことがわかった。もっと古い年式の車ばかりだ。大部分は大型で、ガソリンを撒《ま》き散らして走るようなデトロイト製の車だ。そして「古い」というのは、この場合、必ずしも六〇年代初期のデザインを指すだけではないとわかった。五〇年代にさかのぼる巨大な鰭《ひれ》のついた怪物のような車がたくさん走っている。しかし、もちろん一九八八年と同様に、一九六三年の街路にも、六年から八年くらい前の古い車がたくさん走っていてもおかしくない。

決定的なことはやはりわからない。さっき寮の部屋でマーティンをちょっと見掛けたのは、結局、異常に生々しい夢に過ぎなかったのではないか。その最中に目が覚めたのではないかと、彼は考え始めた。今はぱっちりと目覚めており、そしてアトランタにいるという事実には疑問の余地はない。ひょっとしたら、めちゃめちゃになってしまった自分の生活を忘れようとして、ついに発狂し、ノスタルジアという時のはずみの夜行便に乗って、ここまで飛んできてしまったのではないだろうか。古い車が多いという現象も、ほんの偶然かもしれない。何時《いつ》なんどき、もうどこでも見慣れているあの小さい日本車に乗って走ってくる人がいるかもしれない。

これにきっぱりと決着をつける簡単な方法があった。彼はディケイター・ロードのタクシー乗り場にむかって、軽《かろ》やかな足取りで岡を駆け下り、そこに三台並んでいる青と白に塗ったタクシーの最初の車に乗り込んだ。運転手は若かった。たぶん大学院生だろう。

「どこまで？」

「ピーチツリー・プラザ・ホテル」ジェフはいった。

「え、どこ？」

「ピーチツリー・プラザ。下町の」

「そいつは知らないなあ。所番地わかる？」

ちくしょう、最近のタクシーときたら。町の地図や目印を暗記したりして、試験みたいなものを受けるだろうに。

「リージェンシイの場所は知ってるだろ？　ハイアット・ハウスだよ？」

「あ、そうか、そうか。あそこにいきたいんだね？」

「その、すぐそばにね」

「わかったよ、お客さん」

運転手は南に向かって数ブロック走り、ポンス・デ・レオン街を右折した。ジェフは尻《しり》のポケットに手を伸ばした。その時ふと、このはき慣れないズボンには金が入っていないのではないかと思った。だが、ポケットには古びた茶色の札入れが入っていた。自分のではない。

少なくともその中には金があった——二十ドルが二枚、五ドルが一枚、そして、一ドルが数枚——とすると、タクシー代を心配する必要はなさそうだ。着てきてしまったこれらの古着と札入れを返す時に、持ち主に弁償しよう……ところで、これらは何処《どこ》から持ってきたのだろう？　そして、だれから？

彼は答えを見つけようとして、札入れの小さな仕切りの一つを開いた。そこには、ジェフリー・L・ウィンストン名義のエモリー大学の学生証があった。それから、エモリー大学図書館の閲覧カード。やはり同じ名前だ。ディケイターのドライクリーニングの領収書。シンディという女の名前と電話番号が書いてある、折り畳んだカクテル・ナプキン。オーランドの昔の家の外に立っている両親の写真。これは父が重病にかかる前に住んでいた家だ。笑いながら雪玉を投げているジュディ・ゴードンのカラーのスナップ写真。寒さを防ぐために立てた白い毛皮の襟《えり》に囲まれたその顔が、胸が痛くなるほど若く、喜びに満ちている。そしてジェフリー・ラマー・ウィンストンのためのフロリダ州運転免許証。有効期限は一九六五年二月二十七日まで。

ジェフはハイアット・リージェンシイ・ホテルのてっぺんのＵＦＯ型のポラリス・バーに入り、二人用の席に一人で腰を下ろし、さえぎる物のない、四十五分ごとに目の前を一回転するアトランタのスカイラインに見入った。結局、タクシーの運転手が無知なのではなかった。七十階建ての円筒形のピーチツリー・プラザは存在しなかったのだ。それどころか、オムニ・インターナショナルの塔も、ジョージア・パシフィック・ビルの灰色の石の巨体も、エクィタブルの巨大な黒い箱のような建物も消えていた。アトランタの下町全体で最も見晴らしの良いのは、古代ローマのアトリウムをそっくり真似《まね》たロビーのあるこの建物だった。そして、ウェートレスとちょっと話をした結果、このホテルは新しくて、今までのところ、これに肩を並べる建物はないということがはっきりした。

最もショッキングな瞬間は、バーの後ろの鏡を見た時にやってきた。この時までには、どんな姿を見ることになるか充分にわかっていたので、ジェフは覚悟を決めて覗《のぞ》きこんだのだった。それでも、自分自身の青白く、ひょろ長い、十八歳の映像に対面すると、ショックを受けた。

客観的にいって、鏡に写ったその若者は、十八歳よりも幾分年がいっているように見えた。今のウェートレスもそうだが、彼はこの年齢の頃に、酒を注文してもほとんど文句を言われたことがなかった。しかしそれは、背が高くて、目がくぼんでいることからくる錯覚にすぎないと、ジェフは承知していた。彼自身の心には、鏡に写ったその像は、まだ世の荒波に揉《も》まれない無傷の若者の姿に見えた。そして、その若者が自分自身だった。記憶にあるのではなく、今、ここにいるのだ。俺が飲み物をつかんでいる、あの皺《しわ》のない手。俺がそれを通して見ている、あの鋭く焦点を結んだ目。

「お代わりは、お客さん？」

ウェートレスが美しく笑いかけた。真っ赤な唇《くちびる》、濃くマスカラを塗った目、そして、古風な蜂《はち》の巣型《すがた》の髪型。〝未来派ふうの〟衣装、つまり、虹色《にじいろ》の光沢のある青いミニドレスを着ているが、これは今後二、三年間、全国の若い女性が着ることになるだろう。今後、二、三年？　六〇年代の初期。

なんてこった。

何が起こったか、もはや否定することはできず、合理的に解釈する望みもない。自分は心臓発作で死にかけていた。だが、生き延びた。自分のオフィスにいた。一九八八年に。そして今は……ここにいる。アトランタ。一九六三年。

ジェフは説明を求めて、どんなに曖昧《あいまい》でもいいから、何とか筋の通った解釈ができないかと心を砕いた。だが、だめだった。青年時代にたくさんのサイエンス・フィクションを読んだが、今の自分の状況は、これまでに出会ったどんなタイム・トラベルのシナリオにも似ていない。タイムマシンもなければ、科学者もいない——狂っているのも、正気なのもだ。そして、あれほど熱心に読んだ物語の登場人物とちがって、自分自身の肉体は若者の状態に再生されている。まるで、精神だけが年月を飛び越えて、自分自身の十八歳の体の脳に、元の意識を抹消《まっしょう》して、住み込んだみたいだ。

では、死を免《まぬか》れたのだろうか？　いや、たんに傍《わき》に避けただけなのだろうか？　未来の時間の、別の流れの中で、生命のない自分の肉体がニューヨークの死体仮置場に横たわっていて、病理学者の解剖用のメスで切り刻まれているのだろうか？

もしかしたら、昏睡《こんすい》状態にあるのかもしれない。損傷を受けて死にかけている脳のたってての頼みによって、想像上の新しい生命の中に捻《ね》じこまれた絶望的な状態に。しかも、しかも——

「お客さん？」ウェートレスが尋ねた。「お代わりをするんですか、しないんですか？」

「あのう、もしよかったら、その代わりにコーヒーをもらいたいんだが」

「いいですとも。アイリッシュ・コーヒーでも？」

「いや、普通のやつでいい。クリームをちょっと入れて、砂糖は抜きで」

過去からやってきた女が、コーヒーを持ってきた。ジェフは建設途中の都市にちりばめられた灯火が、暮れていく空の下に光り出すのをじっと見つめた。太陽はアラバマ方面に広がる赤土の丘陵の向こうに、そして、広範で無秩序に変化する歳月の向こうに、悲劇と夢の歳月の向こうに、沈んでしまった。

湯気の立つコーヒーが唇を焼いた。彼は氷水を一口飲んで、それを冷やした。窓の外の世界は夢ではない。それは無心であると同時に実質的であり、とてつもなく楽天的であると同時に、現実的でもある。

一九六三年春。

選ぶべき道はあまりにも多い。

2

ジェフはその晩の残りの時間を、再生された過去のニュアンスの一つ一つに目と耳を同調させながら、アトランタの下町をさまよって過ごした。公衆トイレの〝白人〟〝有色人種〟の標識。帽子をかぶり手袋をはめている婦人。旅行社のウィンドーの〝クィンメリー号でヨーロッパへ〟という広告。すれちがうほとんどすべての男性が手にしているシガレット。ジェフは十一時過ぎまで腹が減らなかった。それから、ファイブ・ポインツのそばの小さな食堂で、ハンバーガーとビールをとった。彼はその特徴のないバーとグリルを、二十五年前から何となく知っているように思った。映画の後で、時々ジュディと軽食を取るために立ち寄った場所のように感じられたのである。しかし今は、洪《こう》水《ずい》のように際限もなく目に入ってくる、新しいような古いような光景と場所のおかげで、混乱し、疲れ切ったので、もはや確信が持てなくなってしまった。目に入るものすべてに記憶があるなどということはありえないのに、一つ一つの店の正面や、すれちがう通行人の顔に、びっくりするほど見覚えがあるような感じがし始めた。疑いない真実の記憶と、偽りの記憶を区別する能力がなくなってしまったのだ。

　目が覚めたら万々が一にも元の世界に戻《もど》っているように、しばらくの間これらのすべてを閉め出して眠ることがどうしても必要だった。とりわけ望ましいのは、変更されたスカイラインが見えず、起こったことを思い出させるようなラジオもテレビもなく、個性がなくて時間を超越したホテルの部屋だった。だが、金が足りなかったし、もちろんクレジットカードもなかった。ピエモント・パークで野宿するわけにもいかないので、エモリー大学の寮の部屋に帰るしかなかった。たぶん、マーティンは眠っているだろう。

　だが彼は眠っていなかった。このルームメイトはぱっちり目を開けて、机の前に坐《すわ》り『ハイ・フィデリティ』誌をめくっていた。ジェフが部屋に入ると、彼は冷たく目を上げて、雑誌を下ろした。

「おい」マーティンはいった。「いったい、どこへいってたんだ?」

「下町をほっつき歩いていた」

「ドゥーリーの店の前をぶらつく時間はなかったのか？　いや、フォックス劇場の前をさ？　お前を待っていたばかりに、あの映画の最初を見逃すところだったぞ」

「ごめん……その気にならなかったんだ、今夜は」

「少なくとも、書き置きぐらいはできたはずだぞ。驚いたことに、お前ジュディに電話さえしなかったんだな。彼女は心配して、気も狂わんばかりだったぞ」

「なあ、俺《おれ》ほんとにくたくたなんだ。口をきく力もないんだよ」

マーティンは面白くもなさそうに笑った。「もう一度ジュディに会うつもりなら、明日は口をきく用意をしていったほうがいいぞ。お前が死んでないと分かったら、かんかんに怒るだろうからな」


ジェフは死ぬ夢を見た。そして、目が覚めたら、やはり大学の寮の部屋にいた。何も変わっていなかった。マーティンはいなかった。たぶん授業にいったのだろう。だが、今は土曜日の朝だと、思い出した。土曜日に授業があったかな？　わからない。

いずれにせよ、ジェフは部屋に一人きりだった。彼はこのプライバシーを利用して、机や戸棚《とだな》を手当たりしだいに突つきまわした。本はみな覚えのあるものばかりだった。『未確認原爆投下指令－フェイル・セイフ』『大統領選キャンペーン一九六〇』『チャーリーとの旅』。新しくて色褪《いろあ》せておらず、反り返ってもいないカバーに入っているレコードアルバムは、その音楽を聞いて過ごした日と夜の、さまざまな官能的イメージを魔法のように呼び起こした。スタンゲッツとジョアン・ジルベルト、キングストン・トリオ、ジミー・ウィザースプーン。まだほかに何十枚もある。それらの大部分は、ずっと昔になくしたか、擦《す》り切れてしまったものだ。

ジェフはある年のクリスマスに両親から贈られたハーマン・カードンのステレオをつけ、『デサフィナード』に針を下ろした。そして自分の若い頃《ころ》の持ち物を掻《か》き回し続けた。ハンガーには折り返しのあるihsのスラックスと、ボタニー五〇〇のスポーツジャケットが掛かっている。エモリー大学にくる前に通っていたリッチモンド郊外の寄宿学校からもらったテニスのトロフィー。ニューオルリンズのパット・オブライエンの店で買ったハリケーン・グラスのコレクションがティッシュに包んである。順番にきちんと並べた『プレイボーイ』と『ロウグ』。

手紙と写真の入った箱を見つけたので、引き出して、ベッドに坐って中身を調べた。子供の頃の自分の写真。名前を思い出せない少女たちのスナップ。無人写真スタンドで撮ったふざけた組写真が二つ……そして、家族の写真がいっぱい入った小さなアルバム。母、父、妹。ピクニックの時のや、海岸のや、クリスマスツリーを囲んでいるのもある。

彼は衝動的にポケットから小銭を探り出し、ホールの公衆電話にいった。そして、オーランド局の案内係から、ずっと昔に忘れてしまった古い両親の家の電話番号を聞き出した。

「もしもし？」母親がいった——年を経るにつれてその傾向が強くなるばかりだった、あの上《うわ》の空《そら》で喋《しゃべ》っているような口調で。

「お母さん？」彼はおずおずといった。

「ジェフ！」彼女の声がちょっとくぐもった。受話器から顔をそむけたのだ。「あなた、キッチンの電話を取って。ジェフからよ！」

それから、はっきりした声に戻った。「その、〝お母さん〟というよそよそしい口調は何よ？　ははあ、そろそろ〝かあちゃん〟と呼ぶのが恥ずかしい年頃になったのね？」

彼は二十代の初め頃から、母親をそう呼ばなくなっていた。

「どう——家のほうは？」彼は尋ねた。

「あなたが行ってからね、変わったわよ。でも、忙しいのは変わりないけど。先週は夕イタスヴィルに釣《つ》りに出掛けたわ。お父さんが三十ポンドものポンパノーを釣り上げてねえ。あなたのところに送れるものなら、送ってあげたいわ。そりゃもう美味《おい》しい魚でね。あなたのために冷蔵庫にたくさんとってあるわ。でも、新鮮なのとは違うでしょうね」

彼女の言葉を聞くと、いろいろな記憶がどっと戻ってきた。すべて、ほとんど関連はなかったけれども。何度か伯父のボートで大西洋に出掛けた夏の週末。ぴかぴかに磨《みが》いたデッキに映える明るい日差しと、水平線にかかる入道雲の黒い線……タイタスヴィルのがたがたの小さな町、そして、NASAが大々的に侵入してくる前のココビーチ……肉と魚でいっぱいになっている家のガレージの大きな白い冷蔵庫、その上の棚には、古いコミックブックとハインラインの小説が全部つまっている箱がいくつも載っている……

「ジェフ？　もしもーし？」

「は、はい……聞いてるよ、お母さん。何で電話したか、ちょっと忘れちまったんでね」

「あらまあ、家に電話するのに理由はいらないでしょ――」

受話器にかちりという音がして、父親の声が聞こえた。「噂《うわさ》をすれば影だな！　たった今お前のことを話していたんだぞ、なあ、母さん？」

「そうよ」ジェフの母親が答えた。「まだ五分も経《た》っていないわよ。あなたがこの前電話をよこしたのは何時《いつ》だったかしら、と話していたところなの」

それが一週間前のことなのか、あるいは一月前《ひとつきまえ》のことなのか、ジェフには見当もつかなかった。だが、尋ねる気にはならなかった。「やあ、お父さん」彼はあわてていった。「特大のポンパノーを釣ったんだってね」

「ああ、お前もくればよかった」父親は笑った。

「バッドのやつは一日やって、ぴくりとも当たりがなかった。そして、ジャネットときたら日焼けが唯一《ゆいいつ》の収穫さ。まだ皮が剝《む》けてる――まるで、茹《ゆ》ですぎた海老《えび》みたいだ！」

これらの名前は両親が親しくしていたある夫婦の名前だったと、ジェフはぼんやり思い出した。だが、顔は浮かんでこなかった。彼は父母の声があまりに生き生きとして、エネルギーに満ちているのに衝撃を受けた。父親は一九八二年に肺気腫《はいきしゅ》にかかり、それ以後はめったに家を出ることはなかった。その父親が海に出掛けて、ポールモールを口の端にくわえ、波しぶきにぐしょ濡《ぬ》れになって、力の強い深海魚をやっつけているのは、ちょっと想像に難《かた》かった。実は今、両親と自分はほとんど同じ年齢なのだ――いや、昨日の自分の年齢と同じくらいなのだと、ジェフは痺《しび》れるような気持ちで考えた。

「あ、そうそう」母親がいった。「この前、ぱったりバーバラに出会ったわよ。ロリンズで元気にやっているって。そして、キャピイがあの問題を完全に解決したから、あなたにそう伝えてくれといってたわ」

バーバラとは高校時代にデートしていた娘だったと、ジェフはぼんやり思い出した。だが、キャピイという名前は今の彼には全く心当たりがなかった。

「わかった」ジェフはいった。「今度バーバラに会ったら、僕《ぼく》がそう聞いて喜んでいたと伝えといて」

「まだ、あの可愛《かわい》いジュディと出掛けているの？」母親が尋ねた。「送ってくれたあの子の写真、とても素敵だったわよ。私たちも早く会いたいわ。彼女は元気？」

「元気だよ」彼は逃げ腰で答え、電話したことを後悔し始めた。

「シェビーの具合はどうだ？」父親が口をはさんだ。「まだ、前のようにオイルが焼けるか？」

なんと、あの古いシボレーのことだ。ジェフはここ何年間もその車を思い出したことがなかった。

「調子いいよ、お父さん」これは推測である。今どこに駐車してあるかさえ、知らないのだ。その煙を立てるポンコツ車は、高校の卒業祝いとして両親から贈られたものだった。そして、彼はそれを酷使して、エモリー大学の二年の時に乗りつぶしてしまったのだった。

「成績はどうだ？　ぶつぶつ言っていたレポートがあったじゃないか、ほら、あのう……うまく書けないと、先週言ってたやつさ。とにかく、あれは何だったかなあ？」

「先週？　あ、ああ……歴史のレポートだな。あれは書き上げたよ。まだ成績はもらってないけど」

「いや、いや、歴史じゃなかったぞ。お前、英文学とか何とか言ってなかったか？」

突然、興奮してべちゃべちゃ喋っている子供の声が、受話器に飛び込んできた。その子供が自分の妹だと――二度も離婚を経験し、産んだ娘が高校を卒業しようとしている女だと――知って、ジェフはショックを受けた。九歳の彼女の生き生きした声は、ジェフの胸を打った。その妹の声は、失われた無邪気さの化身であり、急激に後戻りした時間の化身でもあった。

家族との会話は息苦しく、落ち着かない、不愉快なものになってしまった。彼は数日後にまた電話するといって、だしぬけに電話を切った。受話器を置くと、額は冷汗で濡れ、喉《のど》が渇《かわ》いていた。階段を降りてロビーにいき、一クオーター出してコークを買い、三口で飲み干した。テレビ室でだれかが『空の王者スカイ・キング』を見ていた。

ジェフは別のポケットを探って、キーをつまみ出した。六個のキーのうち一つは寮の部屋のキーで、これは昨夜、帰ってきた時に使った。他《ほか》の三つは見当がつかない。そして、残る二つは明らかにジェネラル・モーターズのイグニションとトランクのキーだ。

外に歩み出て、明るいジョージアの日光に目を瞬《しばたた》いた。学内は週末気分だ。ジェフにはすぐにわかるはっきりした物憂《ものう》い静けさが漂っている。男子学生のクラブハウスの並びでは、捕まって入会の約束をさせられた連中が、それぞれのハウスをモップで掃除し、張り子の飾りをぶらさげて、土曜の夜のパーティの準備をしているはずだ。そして、ハリス・ホールと、もう一つの名前のない新しい女子寮の女子学生たちは、バミューダ・ショーツにサンダル姿でぶらぶらして、午後のデートの相手が、ソープ・クリークかストーン・マウンテンへドライブするために、呼びにくるのを待っているだろう。ずっと左の方から、空軍の予備将校訓練隊の掛け声が聞こえる。皮肉もいわず、抗議もせずに、やっているらしい。芝生でフリスビーを飛ばしている者は一人もいない。空中にマリファナの匂《にお》いは漂っていない。ここの学生たちは、これから世間が耐え忍ぶことになる変化を、想像することさえできないのだ。

彼はロングストリート・ホールの前の駐車場を見渡して、自分の青と白の五八年型シェビーを探した。それはどこにも見えなかった。ピアス・ドライブを歩いて下っていき、それからアークライトを大きく回って、ドップズ・ホールのところを通り過ぎ、もう一つの男子学生寮の建物群の裏に出た。そこにも車はなかった。

クリフトン・ロードに向かっていくと、また予備将校訓練隊の練兵場から大声の号令や、機械的な応答が聞こえてきた。それを聞くと、ジェフの心の中で何かがかちりと鳴った。彼は左に折れて、郵便局のところから小さな橋を渡り、ΦX《ファイカイ》医学部友愛会館のところを抜ける道路を歩いていった。そこで大学の敷地は終わり、その一ブロック先に自分の車を見つけた。彼は一年生だから翌年の秋まで駐車ステッカーがもらえないのである。だから、新入生だったこの年には、キャンパスの外に駐車しなければならなかったのだ。それはそれとして、フロントガラスに駐車違反のキップが貼《は》られていた。上の道路標識に示されている時間によれば、その日の朝に車を動かさなければならなかったのだ。

　運転席に坐った。すると、車の触感や匂いが、めくるめくような種々雑多な反応を呼び起こした。このぼろぼろのシートの上で、何百時間も、いや、何千時間も過ごしたはずだ。ドライブインの映画やレストランで、ジュディといっしょに。マーティンや、そのほかの友達と、あるいは自分一人でいった自動車旅行——シカゴへ、フロリダへ、そして一度ははるばるメキシコ・シティまで。彼は寮の部屋とかアパートとか町で成人したというより、むしろ、この車の中で未成年者から成人になったのだった。この中でセックスもしたし、酔っぱらいもしたし、好きだった叔父の早すぎる葬式に運転していき、この気紛《きまぐ》れだが強力なV8エンジンを使って、憤怒《ふんぬ》、歓喜、消沈、退屈、後悔などを表現してきたのだった。彼はこの車に名前をつけることはしなかった。なぜなら、それは子供っぽい行為だと思ったからである。しかし、今にして思えば、自分自身の全人格が、この古いシェビーの気紛れな個性といかに密接に絡《から》み合っていたかが分かる。

　ジェフはキーをイグニションにさしこんだ。エンジンは一度バックファイアを起こしてから、ぶるんぶるんと回り出した。彼は車をぐるりとターンさせて、クリフトン・ロードで右折し、工事中の大きな伝染病センター《CDC》のところを通り過ぎた。これは八〇年代に入ってもまだCDCと呼ばれるが、その頃には、この頭文字は疫病《えきびょう》コントロール・センターを表すようになり、この場所は在郷軍人病やエイズなどの、未来のパニックを引き起こすような疫病の研究で世界的に有名になるはずである。

未来――恐ろしい伝染病、成功しそれから覆《くつがえ》される性の意識革命、宇宙での勝利と悲劇、革と鎖とを身にまとい、毬《まり》のようなピンクの頭髪に、虚《うつ》ろな目をしたパンクどもがうろつく街路、汚染され窒息しかかった地球の軌道を回る殺人光線兵器……なんと、このように見ると、自分の世界はまるでサイエンス・フィクションの最もおどろおどろしい悪夢のように思われるではないか。ジェフはそう思って身震いした。いろいろな点で、彼が慣れっこになってしまった現実は、一九六三年初期の明るい純真な現実よりも、むしろ、『ブレード・ランナー』のような映画と共通点が多かった。

ラジオをつけた。かりかりと雑音が入るモノラルのＡＭで、ダイヤルにはＦＭバンドが全然ない。『アワ・デイ・ウィル・カム』ルビィとロマンティクスが小声で歌い掛けたので、ジェフは大笑いしてしまった。

ブライアークリフ・ロードに左折し、木陰の多い住宅街を当てもなく運転していき、キャンパスの西に向かった。しばらく行くと、通りはモアランド街になった。さらに走っていき、インマン・パークを過ぎ、アル・カポネが刑期を務めた連邦刑務所を通り過ぎた。街路の標識がなくなり、車はメイコン・ハイウェイに乗り、南に進んだ。

ラジオはビートルズ以前のヒット曲を際限もなく流して、道連れになってくれた。『サーフィン・ＵＳＡ』『アイ・ウィル・フォロー・ヒム』『パフ』。ジェフはなつメロ局を聞いているつもりで、これらのすべてに声を合わせて歌った。そして、他のボタンを押しさえすれば、スプリングスティーンやプリンスが聞けるだろうし、ジャズ専門局はパット・メセニイの新曲をコンパクト・ディスクで流しているだろう、と自分に言い聞かせた。ついに電波が薄れて消え、幻想も消え失《う》せた。ダイヤルのどこに合わせても、同じような古めかしい音楽しか聞けなかった。カントリーの局でさえも、ウィリーやウエイロンを全然流していないのだ。すべておとなしいアーネスト・タッブズやハンク・ウィリアムズばかりで、荒くれ者《アウトローズ》は仲間に入っていない。

マクドナルドの外で、桃や西瓜《すいか》を売っている露店のところを通りかかった。彼とマーティンはフロリダに何度かドライブをしたが、その途中に、これとそっくりの露店のところで止まったことがあった。主な理由は果物を売っている農家の娘の脚が長くて、白いショーツをはいていたからだった。その娘は大きなドイツ・シェパードを連れていた。町の若者と田舎の娘がよくやるような、意味のないひやかし合いをちょっとしてから、彼とマーティンは娘から、桃がいっぱい入った一ブッシェルの籠《かご》をそっくり買ってしまった。そんなものは欲しくなかったのに。三十マイルも走ると、その匂いで反吐《へど》が出そうになってきた。そこで道標を目掛けて石投げの練習を始めた。〝ピシャッ――コツン！〟と、うまく当たると、二人は無意味な歓声を上げたものだった。

あれは、えーと、六四年か六五年の夏だったろうか？　今から一、二年先のことだ。

今日のところは、彼とマーティンはその旅行はしなかったし、あの桃を買いもしなかったし、それらの桃で、ここからヴァルドスタまでの速度制限標識の半数を、汚しも凹《へこ》ませもしなかった。とすると、今日のこの不一致にどんな意味があるだろう？　あの六月の日が再びやってきた時に、もしジェフがこの説明不可能な再建された過去の中にまだいたら、彼は同じ旅に出るのだろうか、マーティンと同じ冗談を言い合うのだろうか、これらの同じ熟した桃を同じ道標に投げつけるのだろうか？　そして、もしそうしないで、その週にアトランタにいることに決めたら、あるいは、あの脚が長くて、桃を売っている娘の前をただ通過したとしたら……そうしたら、このエピソードの記憶は一体どういうことになるのだろう？　その記憶はどこからきたのか、そして、その記憶はどうなるのか？

　ある意味で、どうやら自分の人生を再び生きているように見える。あたかもビデオテープのようにそれを再生《リプレイ》しているみたいに。しかし、以前に起こった事柄《ことがら》によって、完全に束縛されているようには思われなかった。彼に分かるかぎりでは、彼は人生のこの時点に逆戻りしてしまった。それも、エモリー大学に入っていることも、マーティンと同室であることも、四半世紀前に取ったのと同じ教科を取っていることも――あらゆる状況が損なわれずに。しかし、ここに目覚めて以来二十四時間で、すでに最初に通った道筋から微妙に逸《そ》れ始めている。

昨夜はジュディとのデートをすっぽかした――これは最大の、そしてもっとも明らかな変化だ。しかし、長い目で見れば、これは何かに何らかの影響を必ずしも与えることはないだろう。思い出せば、二人は次のクリスマス前後まで、これから六カ月か、八カ月間、デートをするだけだ。そして彼女は〝年上の男性〟を求めて去っていくことになる。その男性とは、トゥーレインの医学校に進もうとしている細身の四年生だったと、ジェフは微笑《ほほえ》みながら思い出した。彼は数週間、傷つき、落ち込んでいた。それから、別の娘たちと次々に付き合い始めた。しばらくの間は、マーガレットという名の痩《や》せたブルネットと、それから、やはり黒い髪の、名前がDかVで始まる別の女と、それから、さくらんぼの柄《え》を舌の先で結ぶことのできるブロンド娘と。結婚することになる女性のリンダとは、彼が大学を出て、ウェスト・パーム・ビーチの放送局で働くようになるまで出会わなかった。その頃、彼女はフロリダ・アトランティック大学の学生だった。二人はボカ・ラトーンの浜辺で出会ったのだった……

ところで、今リンダはどこにいるのだろうか？　二歳年下だから、まだ高校生で、両親のところで暮らしているはずだ。突然、彼は電話をしたい衝動に駆られた。いや、このまま南に向かってボカ・ラトーンまで運転していき、彼女を見たい、彼女に会いたい……いいや、そんなことは何の役にも立たないだろう。あまりにも奇妙なことだ。常軌を逸していて危険でさえある。恐ろしいパラドックスを生ずるかもしれない。

いや、そうだろうか？　本当にパラドックスを心配しなければならないのだろうか？　あの〝自分の祖父を殺したら〟という古めかしい仮説を？　それは全く適切な関心事ではないだろう。自分はこの時間の中をさまよい歩きながら、若い頃の自分自身と出会うことを恐れているアウトサイダーではない。実際に、その若い自分自身であり、この世界という織物の重要部分である。精神だけが未来のもので——未来は彼の心の中だけにある。ジェフは車を路肩に寄せて、しばらく停車し、頭を抱えてこの意味を吸収しなければならなかった。前には、自分が幻覚を起こして、この過去の実存を見ているのではないかと考えた。しかし、もしその逆が正しいとしたら。もし、これからの二十五年間の複雑なパターン全体が——サイゴン陥落から、ニュー・ウェイブのロックミュージックや、パソコンまでの、ありとあらゆる事柄が——一九六三年の、この現実の世界のここで、どういうわけか、この頭の中に全部そろって、一夜にして飛び込んできたフィクションだとしたら？　そして、この一九六三年から自分は出たことがないとしたら？　そのほうが、タイム・トラベルや死後の生活や次元の大変動などを含む、代わりの説明と同じくらい、もしかしたらそれよりもずっと、筋が通っているように思われる。

　ジェフはまたシェビーのエンジンを掛けて、二車線のUS二三号道路に戻った。ローカスト・グローブ、ジェンキンズバーグ、ジャクソン……後進地ジョージアの荒廃した物憂い小さな町々が、不況時代の映画のシーンのように流れ去った。たぶん、この風景が、このあてどないドライブに、自分を引き寄せたのだろうと、彼は思った。アトランタの先の田舎の、時間が止まったような風景。何年か、いやどの十年代か、完全に手掛かりが欠けている。

「イエスは救いたまう」と大書されたぼろぼろの納屋《なや》、道端に取り残されたバーマ・シェイブの広告のぎくしゃくした宣伝文句、騾馬《らば》を引く年老いた黒人……一九六三年のアトランタさえも、これに較《くら》べれば未来的に見える。

メイコンのすぐ北のポープス・フェリーで、雑貨屋を兼業しているみすぼらしいガソリン・スタンドに寄った。セルフサービスのポンプもないし、無鉛ガソリンもない。ガルフ・プレミアムが一ガロン三十三セント、レギュラーが二十七セント。彼は出てきた少年に、プレミアムを満タンにし、オイルを調べて、足りなければ二クォーツ注《つ》ぎ足してくれと頼んだ。

そして店に入り、スリム・ジムズを二つと、パブストを一缶《ひとかん》買い、そのビールの缶をしばらく爪《つめ》で引っ掻《か》いてみた後、やっと引き輪つきでないことに気づいた。

「あんた、よっぽど喉が渇いているのね」カウンターの後ろの年寄りの女がくすくす笑った。

「素手でそれをこじ開けようとするんだから！」

ジェフは弱々しく笑った。女はレジスターのそばに紐《ひも》でぶら下がっている三角形の穴明け道具を指さした。それでジェフは缶のてっぺんに二つのV字型の穴を開けた。少年がガソリン・ポンプのところから、店の見すぼらしい網戸越しに叫んだ。「オイルは三クォーツぐらい入りそうですよ！」

「よし、必要なだけ入れてくれ。それから、ファン・ベルトも点検してくれないか？」

ジェフはビールをごくごく飲み、マガジンラックから雑誌を取った。新しいポップアートの大流行の記事が載っている。リヒテンシュタインの漫画のパネルの引き伸ばし写真、オルデンバーグの大きいへなへなのビニール製ハンバーガー。おかしい、これらはすべてもっと後の六五年か六六年に現れたものだと思っていたのに。食い違いが生じたのだろうか？　この世界はすでに、自分が知っていると思っていた世界と微妙に変化しているのだろうか？

だれかと話し合う必要を感じた。マーティンだったら、このすべてを大きな冗談にしてしまうだろう。そして、両親なら彼の正気を心配するだろう。そうだ、精神科医のところに行くべきだろう。少なくとも医者なら耳を傾けてくれるだろうし、話の内容を秘密にしてくれるだろう。だが、そのような面接は、精神障害を暗黙のうちに前提とすることになるし、何かを〝治療〟してもらう願望があることを示すことになる。

だめだ、実際にはこの事を話し合うべき人はいない。公式には、いない。だが、この事実がばれるのを恐れて、あらゆる人間を避けていることはできない。そんな態度を取れば、うっかり時代錯誤のことを喋るよりも、たぶん奇妙に映るだろう。そして、いまいましいことに、次第に淋《さび》しくなってきた。たとえ真実を、いや、真実だと知っている事を、話すことができなくても、これだけの経験をした後には、友人の慰めが欲しかった。

「電話を掛けるので、小銭を少しもらえないだろうか？」ジェフはレジスターの女にいって、五ドル札を渡した。

「一ドル分でいいでしょ？」

「アトランタに電話したいんだ」

彼女はうなずき、ノーセイル・キーを叩《たた》いて、引出しからコインをすくい出した。

「一ドル分あれば充分だよ、お客さん」

3

ハリス・ホールのフロントデスクの女子学生は、土曜の夜の受付の役目を引き当ててしまったことを明らかに嫌《いや》がっていたが、それでも、仲間の儀式的行事を観察するというありあわせの週末の楽しみを味わっていた。ジェフが歩み入ると、彼女は冷たい品定めの視線を投げ、それから、皮肉な楽しみの響きが伴った声で、階上のジュディ・ゴードンにデートの相手が迎えにきたと知らせた。もしかしたら彼女は、ジュディが前の晩に待ちぼうけを食わされたことを知っているのかもしれない。もしかしたら、今日の午後にメイコンのそばのガソリン・スタンドからジェフが電話した時に、その会話を聞いてさえいたのかもしれない。

その女の謎《なぞ》めいた薄笑いがちょっと不愉快だったので、彼は隣のラウンジに入り、坐《すわ》り心地の悪いソファに腰を下ろした。暖炉のそばの古いスタインウェイのピアノで、ポニーテイルのブルネット娘とそのデートの相手が『ハート・アンド・ソウル』を弾いていた。彼がそちらに入った時、その娘はにっこり笑って手を振った。彼には心当たりがなかったが、たぶん、ずっと昔に忘れてしまったジュディの友達か何かだったのだろう。彼はとりあえず、うなずいて微笑を返した。その風通しのよいラウンジには、ほかにも八人か九人の若者が、互いに遠慮し合うようにして、離ればなれに坐っていた。そのうち二人は切り花の束を抱え、一人はホワイトマンのキャンディのハート型の箱を持っていた。みんな禁欲的な表情をしていたが、それでも、熱心でもあり不安そうでもある期待の気持ちを隠すことはほとんどできなかった。みんな、アフロディテの神殿の門にたたずむ求婚者か、この砦《とりで》の奥の乙女たちへの、まだ試されていない求愛者、といった風《ふ》情《ぜい》だった。一九六三年のデートの夜である。

この感じを、ジェフはあまりにもよく覚えていた。事実、今でさえも緊張のために掌《てのひら》が湿っているのに気づいて、顔をしかめた。

階段吹抜けからソプラノの笑い声が聞こえ、ロビーに流れ込んだ。若者たちはそれぞれネクタイを直したり、時計を見たり、髪の房の位置をたたいて直したりした。二人の娘が同伴者を見つけ、ドアから神秘的な夜の闇《やみ》に連れ出した。

ジュディが現れるまでに二十分かかった。彼女は明らかに冷厳な決心を固めているように見せるつもりで、固い表情をしていた。だが、ジェフにとっては、彼女がまだ十代だという事実を超えて、その信じられないほどの若さ、春のようにはつらつとした優しさしか、目に入らなかった。八〇年代のこの年頃《としごろ》の娘たち——女たち——は、このようには見えない、と彼は思った。とにかく、彼女らはこんなに若くないし、こんなに純真ではない。ジャニス・ジョプリンの時代以来そうでなくなったし、また、マドンナ以後は確かにそうではない。

「あら」ジュディはいった。「今夜はこられてよかったわねえ」

ジェフはおずおずと立ち上がり、謝るように笑顔を向けた。「昨夜はほんとうにすまなかった」彼はいった。「き、気分が悪かったんだよ。奇妙な気分だった。あれでは、たとえ会っても、きみを不愉快にしただろう」

「電話くらいしてくれてもいいのに」彼女はすねたようにいい、乳房の下に腕組みをして、ピーターパン・ブラウスの下で異議申し立てをしているその膨らみを強調した。腕にベージュのカシミアのセーターを掛け、マドラス・スカートをはき、ローヒールのアンクルストラップの靴《くつ》をはいていた。ジェフはランバンの香水と花の香りのするシャンプーの入り混じった匂《にお》いを嗅《か》ぎ、大きな青い目の上に踊る金髪の前髪に心を奪われた。

「そうだね」彼はいった。「できれば電話したかった」

彼女の表情が和らいだ。対決は始まらないうちに終わってしまった。彼女はいつまでも怒っていることができない性分《しょうぶん》だと、ジェフは思い出した。

「昨夜は、あなた本当に良い映画を見逃したわよ」彼女は不機嫌《ふきげん》の痕跡《こんせき》も残さずにいった。

「ある娘がペットショップで小鳥を買っている場面から始まるの。すると、ロッド・テイラーがそこの店員の振りをして……」

外に出て、ジェフのシェビーに乗り込むまでの間に、彼女は筋書きの大部分を話した。ジェフは物語の曲折を知らない風を装った。だが、最近、HBOの有線テレビがヒッチコック回顧番組を定期的にやっており、この映画を見たばかりだった。そしてもちろん、最初に封切りされた時にジュディと見ていた——人生の別の流れで、二十五年前の昨夜、ジュディと見たのだった。

「……それから、男がガソリン・スタンドで葉巻に火をつけようとして——あら、それから後の事は話さないでおくわ。あなたの興をそぐからね。本当に不気味な映画なのよ。もしよかったら、もう一度見にいってもいいわ。それとも、『バイ・バイ・バーディ』を見にいこうかしら。どう？」

「むしろ坐ってお喋《しゃべ》りをしたいな」彼はいった。「どこかでビールを飲んで、食事でもしないか？」

「いいわ」彼女は微笑《ほほえ》んだ。「モウズ・アンド・ジョウズにする？」

「よし。あの店は……ポンス・デ・レオン街だったね？」

ジュディは眉《まゆ》をひそめた。「違うわ。あれはマニュエルじゃない。まさか忘れたんじゃないでしょうね——そら、ここを左折して！」彼女は座席の上で向き直り、不審そうに彼を見た。「ねえ、あなた本当に素振りがおかしいわよ。どうかしたの？」

「大したことじゃない。前にもいったが、ちょっと調子が狂ったんだ」彼は昔の大学生の溜《た》まり場《ば》の入り口を見つけ、角を回って停車した。

内部は必ずしもジェフの記憶どおりではなかった。ドアを入ると、右手ではなく、左手にバーがあると思っていた。そして、ブースもより高く、より暗く、何となく違った感じだった。彼はジュディの前に立って奥のブースに向かった。そして、目指すブースに近づいていくと、自分と同じくらいの年齢の男——いや、四十代初期の男、つまり、年上の男だ、と彼は自分で訂正した——が、愛想《あいそ》よくジェフの肩をたたいた。

「ジェフ、調子はどうかね？　その可愛《かわい》らしい若い友達はだれだね？」

ジェフはその男の顔をぽかんと見つめた。眼鏡、胡麻塩《ごましお》の顎《あご》ひげ、顔いっぱいの笑み。漠然《ばくぜん》と見覚えがあったが、それ以上はわからなかった。

「ジュディ・ゴードンです。ジュディ、紹介しよう。あのう、この方は……」

「サミュエルズ教授」彼女はいった。「ルームメイトが先生の中世文学を取っています」

「で、その人の名前は――？」

「ポーラ・ホーキンズです」

男の笑みがさらに広がり、彼は二度うなずいた。「優秀な学生だ。とても頭の良い娘さんだよ、ポーラは。きっと、わたしのクラスは評判が良いんだろうね？」

「ええ、そうですとも」ジュディはいった。「先生のことはポーラから全部聞いてます」

「では、たぶん秋には、君自身の御出席を仰ぐことができるだろうね」

「まだはっきりしたことが言えないんです、サミュエルズ先生。来年のスケジュールがまだちゃんと決まっていないんです」

「研究室に寄りたまえ。相談しよう。それから、きみ、ジェフ。チョーサーのレポートは良く書けていたよ。だが引用が不完全だから〝良〟しかやれなかった。この次から注意するんだよ」

「わかりました。覚えておきます」

「よし、よし。ではクラスで会おう」彼は手を振って彼らを去らせ、またビールを飲み始めた。

ブースにいくと、ジュディはジェフの隣に滑り込み、くすくす笑い出した。

「何がそんなにおかしい？」

「彼のこと知らないの？　サミュエルズ博士のことよ？」

ジェフはその教授の名前を思い出すことさえできなかった。

「ああ、彼がどうなんだい？」

「嫌らしい、すけべじじいよ。クラスの女子学生をだれでも追い回すのよ——とにかく、可愛い子をね。ポーラがいってたけど、一度、放課後に、股《もも》を触られたんだって——こうやって」

彼女は子供っぽい指をジェフの脚に置き、こすり、それからぎゅっと握った。

「ねえ、想像できる？」彼女は陰謀を企《たくら》んでいるような口調でいった。「あの人ったら、私のお父さんよりも年寄りなのに。〝研究室に寄りたまえ〟ですって——ふーんだ！　何の相談をしたいか、分かっているわ。あんな年寄りが、こんなことをするなんて、胸がむかつかない？」

彼女の手はまだジェフの股にのっていた。勃起《ぼっき》しつつある場所から、わずか一インチぐらいしか離れていないところに。彼はその無邪気な丸い目を、可愛い赤い唇《くちびる》を見た。

そして突然、まさにこのブースの中で彼女がオーラルを始める幻想を抱いた。すけべじじいか、彼はそう思って、笑った。

「何がそんなにおかしいの？」彼女は尋ねた。

「べつに」

「サミュエルズ博士のこと、信じないのね？」

「信じるよ。いや、ただ――きみも、ぼくも、何もかもおかしくて。それだけさ。何を飲む？」

「いつものを」

「トリプル・ゾンビーだな？」

彼女の顔から心配そうな表情が消えた。そして、彼と声をそろえて笑った。「ばかね。いつものように赤ワインのグラスにするわ。あなた今夜は何も思い出せないの？」

彼の唇に当てた彼女の唇は、想像どおり、記憶どおり、柔らかかった。彼女の髪の新鮮な匂い、肌《はだ》の若々しい滑らかさは、彼をいたく興奮させた。こんな興奮は、結婚前にリンダと交際を始めた時以来、感じたことがなかった。車の窓ガラスを下げ、ジュディはクッションのある窓枠《まどわく》に後頭部をのせて、ジェフのキスを受けた。ラジオでアンディ・ウィリアムズが『酒とバラの日々』を歌っていた。そして、ドッグウッドの花の香りと、ジュディの柔らかい清潔な肌の匂いが混ざり合った。彼らはキャンパスから一マイルほど離れた並木路《なみきみち》に車を停《と》めたのだった。バーを出た後、ジュディがここに導いたのである。

今夜の会話は、ジェフの予想以上にうまくできた。基本的には、お喋りをジュディに任せて、固有名詞や場所や出来事を彼女の方から言い出すように仕向けたのである。そして彼は、記憶と、彼女の表情や口調を手掛かりにして反応したのだった。時代錯誤の失敗は一つだけだった。来年、学外に引っ越す計画でいる知り合いの学生たちのことを話していた時、ジェフは〝コンドウ〟を転借すればいいと、いってしまったのである。彼女はこの言葉を全く知らなかった。それで、彼はあわてて、これは新聞で読んだのだが、カリフォルニアで始まった新しい分譲アパートの呼び方で、間もなくアトランタにも建つだろうといって、ごまかした。

夜が更《ふ》けるにつれて彼はリラックスし、楽しい気分になりはじめた。ビールのおかげもあるが、この現象が起きて以来初めて心を休ませてくれたのは、主にジュディのそばにいるという事実だった。気がつくと、自分の〝未来過去〟のことを考えない瞬間さえもあった。彼は生きていた。それが重大だった。非常に生き生きしていることが。

彼はジュディの長い金髪を顔から払いのけて、その頰《ほお》と鼻にキスし、また唇にキスした。彼女は喜びの低い唸《うな》り声《ごえ》を洩《も》らした。彼は指を、彼女の胸からブラウスの一番上のボタンに滑らせた。彼女はその手を移動させて、覆われている胸の上に戻《もど》した。彼らはさらにしばらくキスを続けていた。やがて彼女はさっきバーのブースでやったように、手を彼の股に置いた。だが、今度は目的ありげにその手が這《は》い上がってきて、ついにそのデリケートな指で彼の固いペニスを愛撫《あいぶ》し、こねた。彼は彼女のナイロン靴下をはいたふくらはぎを撫《な》で、ストッキングの上の柔らかい肌に触ろうとしてスカートの下に手を伸ばした。

ジュディは抱擁を解き、不意に体を起こした。「ハンカチを貸して」彼女はささやいた。

「え？　なに——」

彼女はジェフの服のポケットから白いハンカチを引き抜いた。それは今夕もっと早くに、この流行遅れの服を着る時に、彼が無意識に突っこんでおいたものだった。ジェフはまた手を伸ばして彼女を引き寄せようとした。だが彼女は抵抗した。

「シーッ」彼女はささやき、それから優しく微笑した。「さあ、後ろによりかかって、目をつぶって」

彼は眉をしかめたが、言われた通りにした。突然、彼女は彼のズボンのジッパーを外し、物慣れた確かな動作で勃起したペニスを引き出した。ジェフはびっくりして目を開けた。彼女は窓の外を見ながら、ペニスを握った指を一定のリズムで動かした。彼はその手を抑えた。「ジュディ――やめて」

彼女は心配そうに彼を見返した。「今夜は嫌なの？」

「こういうのは嫌だ」彼は彼女の手をそっと払いのけて、身なりを直し、ジッパーを閉じた。

「君が欲しい。君と一緒にいたい。でも、こんなのは嫌だ。どこかへいって、ホテルを見つけるか、それとも――」

彼女は身を引き、車のドアによりかかり、憤慨した様子で睨《にら》みつけた。「何いってるの？　私がそんな女でないことは知っているでしょ！」

「僕《ぼく》はただ、一緒になりたいといっているだけだ。愛し合えるやりかたでね。きみに与えたいんだ――」

「何にもくれなくたっていい！」彼女は顔にしわをよせた。ジェフは彼女が泣き出すのではないかと思った。「前にやったように、抜いて上げようとしただけよ。それなのに、いきなり見当違いのことを言い出すんだもの。安ホテルか何かに引っ張りこんで、ば、ば、売春婦みたいに扱いたいなんて言い出すんだもの」

「ジュディ、聞いてくれ、そんなんじゃないんだ。分からないのかい？　君も幸福にしてあげようと思っただけなのに」

彼女はバッグから口紅を取り出し、唇に塗ろうとして、腹立たしげにバックミラーをぐいとひねった。「ありがたいことに、今までどおりで、完全に幸福だったわよ。いや、少なくとも、今夜まではね」

「ねえ、気に触るようなことを言ったのなら、許しておくれよ。僕はただ――」

「自分の気持ちは自分の胸にしまっておきなさいよ。そして、その手もね」彼女は天井《てんじょう》のライトをぱちんとつけて薄い金の腕時計を見た。

「君を不愉快にさせるつもりはなかった。この事は明日、話し合おう」

「嫌よ。たった今、寮に帰りたいだけよ。といっても、あなたが帰り道を思い出すことができれば、の話だけれど」


彼はジュディを寮の所で降ろした後、新しいレノックス広場ショッピングセンターのそばの北ドルーイド・ヒルズ通りで一軒のバーを見つけた。そこはエモリー大学の関係者とは出遇《あ》いそうもない場所だった。これは本当の酒飲みのバーであって、抵当の話とか、気の抜けた結婚生活からほんの一時間ほど逃避したいと願っている、もっと年配の物静かな人たちが集まる場所だった。ジェフはとても寛《くつろ》いだ気分になったが、自分がこの常連には見えないことに気づいていた。バーテンは身分証明書の呈示を求めさえした。ジェフはこのような稀《まれ》な場合に備えて、昔、札入れの奥に隠しておいた変造の身分証明書を、なんとか取り出すことができた。バーテンは疑わしそうな唸り声を出すと、ダブルのジャック・ダニエルズを持ってきて、それからバーの上の白黒テレビの水平同調のつまみをいじりにいった。

ジェフは酒を大きくあおって、ニュースをぼんやり見つめた。バーミンガムにはまた騒ぎがあり、ナッシュビルではジミイ・ホッファが陪審員買収の容疑で起訴され、テルスター二号がこれから打ち上げられる。ジェフは思い出した――マーチン・ルーサー・キングがメンフィスで死ぬこと、ホッファが謎《なぞ》の失踪《しっそう》をとげること、空いっぱいの放送衛星が音楽放送テレビでこの惑星を飽和状態にすること、『マイアミ・バイス』が再上映されること。そして、おお、素晴らしい新世界よ、と思った。

ジュディとの夜はとても快く始まった。だが、あの車の中の最終場面は彼をがっくりさせた。昔はいかに疑似セックスが行われていたか忘れていたのだった。いや、忘れたのではない。決して完全に理解していなかったのだ――あれらのことが自分の身に最初に起こった時には。新しく発見した感情の輝きに、そして素朴《そぼく》ではあるが抗《あらが》い難《がた》い性の飢餓の輝きに、その嘘《うそ》は覆い隠されていた。かつてはすばらしくエロチックに見えたことの、根本的な安っぽさが、いま暴《あば》き出され、時間の経過によって明らかにされたのだ。ひどい背景音楽を聞きながら、シェビーの運転席でそそくさと手淫《しゅいん》をするなんて。

では、これからどうすればいい。ただ遊んであるくのか？　ピルのことを全く知らない別の時間のみずみずしい小柄《こがら》なブロンド娘と、もっと重いペッティング行為に耽《ふけ》るのか？　すべてが新しい体験であるかのような顔をして、大学のクラスに、青臭い議論に、春の舞踏会に戻るのか？　社会学一〇一に合格するために、とうの昔に忘れてしまい、何の役にも立たないとわかっている統計表を暗記するのか？

もし、この奇妙きてれつな時間の転換が恒久的なものとわかったら、残念ながら、選択の余地はないかもしれない。もしかしたら、予言可能な苦痛の多い年月を重ねて、本当にすべてをもう一度やり直さなければならないのかもしれない。今では、このもう一つの現実はより具体的により固定的になりつつある。そして、あのもう一つの人生は、今では虚偽になってしまった。自分は大学一年生であり、十八歳であり、完全に両親に依存し、今は軽蔑《けいべつ》と完全な退屈しか感じさせない何十もの大学の教科を、うまく反復する能力に依存しているという事実を、受け入れねばならなかった。

テレビのニュースが終わり、スポーツのアナウンサーがAAリーグの野球のスコアを淡々と読み上げていた。ジェフは酒をもう一杯注文した。そして、バーテンが新しいグラスを持ってきた時、突然、彼の注意は、古いシルバニアの町からの一語一語に、レーザーのように鋭く集中した。

「……無敗でチャーチル・ダウンズにやってきます。このカリフォルニアの栗毛《くりげ》に激しい競走を挑《いど》む東部の四、五歳馬がまだ二頭います。ウッディ・スティーブンズ調教師は、ステッピング・ストーンの試走で見事な勝利をおさめたばかりの、六三年度で無傷の成績を誇るネバーベンドをダービーに連れてきます。スティーブンズは優勝するとまではいいませんが……」

ケンタッキー・ダービーだ。当然じゃないか？　もし次の二十五年間を、想像したとか夢見たとかいうのでなくて、実際に生きてきたとしたら、一つだけ明らかなことがある。ジェフには非常に役に立つ情報の莫大《ばくだい》な蓄えがあるということだ。技術的なことではだめだ――コンピューターを設計するとかいうことでは――しかし、今から八〇年代中期までの、社会に影響をおよぼすような時の流れや出来事について、実用的な知識なら、ジャーナリストとしての知識なら、確かに持っている。スポーツや大統領選挙で賭《か》けをすれば、大金を稼《かせ》ぐことができるだろう。もちろんこれは、今後四半世紀に起こる事柄について、具体的かつ正確な知識を実際に持っていると仮定しての話である。だが、もっと早くに彼が認識したように、これは必ずしも確実な仮定ではなかった。

「……〝先頭からそれほど遅れているわけではない〟のです。先頭を切る馬はグリーンツリー厩舎《きゅうしゃ》のノーラバリーかもしれません。この馬は、ニューヨークで三歳馬が走った最も速い一マイルレコード、一分三十四秒の記録を持っています……しかも、この馬はこの記録をたてた一週間後にウッド・メモリアルで優勝しています……」

ちくしょう、この年にダービーで勝ったのはどの馬だっけ？　ジェフは必死に思い出そうとした。ネバーベンドの名は、ノーラバリーと違って、少なくともかすかな記憶があった。だが、こいつだという確信はなかった。

「……どちらも、ウィリー・シューメイカーと西部の驚異キャンディスポッツのチームと、苦しい闘いを強いられます。この騎手と馬の組み合わせは強敵ですよ、皆さん。そして、これらの三頭の競走馬のあいだで激烈な優勝争いが行われる見込みですが、衆目の一致するところは――それも、かなり確実な線で――キャンディスポッツが今度の土曜日に花輪を受けることになりそうです」

これも当たっていないように思われた。どの馬だっけ？　ノーザンダンサー？　それとも、ひょっとしてカウアイキング？　ジェフはこの二頭がどちらもダービーに勝ったことを確かに覚えていた。だが、どの年に？

「ちょっと、バーテンさん！」

「同じものを？」

「いや、今はいい。ペーパーはあるかい？」

「ペーパー？」

「新聞さ。今日のでも昨日のでもいいんだけど」

「ジャーナルがいい？　それともコンスティテューション？」

「何でもいい。スポーツ欄はあるかね？」

「ちょっと印がついているけどね。来年はブレーブスが町にやってくる。あの球団のアベレッジをずっとたどっているんだ」

「ちょっと見せてくれないかな？」

「いいとも」バーテンは料理の取り合わせが置いてある場所の下に手をつっこみ、きちんと折り畳んだスポーツ欄を取り出した。

ジェフは野球の欄を飛ばして、ルイスビル競馬のこれから行われるレースの予想を見つけ、出走馬のリストを見渡した。アナウンサーがいっていた人気馬が並んでいた。キャンディスポッツ、ネバーベンド、ノーラバリー。それから、ロイヤルタワー、レモンツイスト……ちがう、ちがう……グレイペット、デビルイットイズ……どちらも聞いたことがないぞ……ワイルドカード、ラジャーヌーア……ふむ、ふむ……ボンジュール、オンマイオーナー……

シャトーゲイ。

シャトーゲイ、比率十一対一。

彼はシェビーをブライアークリフ・ロードの中古車屋に六百ドルで売り払った。本、ステレオ、レコードのコレクションを下町の古道具屋に売り払って、さらに二百六十ドル手に入れた。寮の机の中から、学校のそばの銀行の小切手帳と貯金通帳を見つけ出し、すぐに、二つの口座に二十ドルずつ残して、全部引き出した。これでさらに八百三十ドルが加わった。

両親に電話するのが、最も辛《つら》い仕事だった。突然の緊急融資のお願いがどんなに両親を心配させるか、よくわかっていた。そして、ジェフが詳しい説明を拒否したので、父親は明らかに怒っていた。それでも、ジェフはまんまと二百ドルせしめた。さらに、母親が自分のへそくりからもう四百ドル送ってくれた。

さて、彼は賭けなければならなかった。それも大きな賭けを。しかし、どうやって？ルイスビルにいって、その金を直接、競馬場で払うことをちょっと考えたが、旅行社に電話してみると、案の定、ダービーの入場券は何週間も前に売り切れていた。

また、年齢の問題があった。バーで酒を注文することができるほどには老《ふ》けて見えるとしても、これだけの金額の賭けをするとなると、きっとうるさく詮索《せんさく》されるだろう。だれか身代わりになる人物が必要だ。

「私設馬券屋だって？　どうして、馬券屋のことなんか知りたがるんだい、坊や？」

ジェフの目には、二十二歳のフランク・マッドック自身が〝坊や〟だった。だが、この場面では、この四年生で法学部入学準備中の学生は年上であり、世慣れた大人であり、明らかにこの役割を演じるのを心から楽しんでいた。

「賭けたいのさ」ジェフはいった。マッドックは寛大に微笑して、細葉巻に火をつけ、手を振ってビールのお代わりを注文した。

「なにに？」

「ケンタッキー・ダービーに」

「自分の寮の周囲で、賭けのグループを募ったらどうだ？　きっと、参加したいやつは大勢いるよ。だが、こっそりやらなくちゃだめだぜ」

この四年生はジェフを愛想良く丁寧な態度で扱った。この若者の分不相応ではあるが、世慣れた態度は微笑ましかった。

「かなりの大金を賭けたいと思っているんだよ」

「へーえ？　いくらぐらい？」

木曜日の午後のマヌエルの店は半ば空っぽで、この声が聞こえる範囲にはだれもいなかった。「二千三百ドル」ジェフはいった。

マッドックは眉をしかめた。「すごい大金じゃないか。キャンディスポッツがかなり確実だということは知っているが、それにしても……」

「キャンディスポッツじゃない。別の馬だ」

年上の青年は笑った。ウェイターが新しいビールの容器を持ってきて、すり切れた樫《かし》のテーブルに置いた。「夢だよ、坊や。ノーラバリーはそれほどの危険を冒す価値はない。ネバーベンドだってそうだ。このレースではな」

「僕の金だぜ、フランク。賞金を七三に分けようと思っているんだ。当たれば、君は一ダイムの危険も冒さずに、濡《ぬ》れ手に粟《あわ》だよ」

マッドックは泡《あわ》が立たないようにグラスを傾けて、それぞれに新しいビールを注《つ》いだ。

「この話に乗れば、俺《おれ》は大きなトラブルに巻き込まれる可能性があるんだぞ。法学部がおじゃんになるようなことは、したくないんだ。お前のような若造が、そんな大金を賭けるなんて。もしすったら、お前ウォード学生部長に泣きついたりするんじゃないか？」

ジェフは肩をすくめた。「どうやら、それがお宅の賭けになりそうだね。しかし、僕はそんな男じゃないし、損するつもりもない」

「だれだって、そうさ」

ジュークボックスでけたたましい曲が始まった。ジミイ・ソウルが『イフ・ユー・ウォンナ・ビー・ハピィ』をやっている。ジェフは音楽に負けないように声を張り上げた。

「で、馬券屋を知っているのか、いないのか？」

マッドックは奇妙な目付きでじっとジェフを見つめた。「七三といったな？」

「そうだよ」

四年生は首を振り、参ったというように溜《た》め息《いき》をついた。「それだけの現金を持っているんだな？」

その土曜日の午後は、北ドルーイド・ヒルズ通りのバーは満員だった。ジェフが入っていくと、レース前のコマーシャルだらけのショーがテレビから鳴り響いていた。ウィルキンソン・ソード社が、ステンレスの剃刀《かみそり》の刃の新製品についてがなり立てていた。

ジェフは予想以上に神経質になった。これは計画としては完全だと思われた。だが、もしうまくいかなかったら、どうしよう？　彼が言えるかぎりでは、先週の世界の出来事は、記憶している過去の事件の複製だった。それにしても、彼の記憶力は人並みに誤りを免《まぬか》れることはできないし、二十五年たった今、一九六三年に起こる何百万、何千万もの様々な事件が、最初の回とは違ったものにならないという確信はなかった。すでに気づいているように、二、三の小さな物事はわずかに正常な状態から逸《そ》れている。そして、もちろん、彼自身の行動は激変してしまった。このレースが新しい結果を生むことも容易にあり得るのだ。

もしそうなれば、すってんてんだ。しかも、今週は中間試験をネグり、学生としての身分を重大な危機に陥《おとしい》れてしまった。ここまできたら、本腰を入れて大学生活を繰り返すという選択はありえないかもしれない。ひょっとしたら、大学から追い出されて路頭に迷うかもしれない。

しかも、地平線にはベトナムの影がさしている。

「おい、チャーリー」だれかがわめいた。「馬がゲートから出ないうちに、店内の皆さんにもう一杯ずつ差し上げてくんな、ダブルでな！」

歓声と笑い声がいっせいに起こった。その男の連れの一人がいった。「金を使うのが、ちょっと早すぎぎゃしねえか？」

「だいじょぶだって」気前の良い男がいった。「絶対にだいじょぶだって！」

テレビのスクリーンでは、馬がゲートに入りかけていた。馬たちは落ち着きがなく、閉じこめられるのを嫌《きら》い、早く走りたがった。そのように育てられているのだから。

「さあ、何が起こるかわからんぞ、ジンボ。それが競馬ってもんだ」

バーテンは、その見知らぬ男が全員におごったダブルの酒を配った。ジェフがそのグラスをつかまないうちに、馬たちはゲートを出た。ネバーベンドはまるで感電したように飛び出し、ノーラバリーもほとんどそれに並んだ。ウィリー・シューメイカーが冷静に騎乗しているキャンディスポッツは、最初のターンでわずか三馬身しか遅れていなかった。

シャトーゲイは六番手につけた。これから一マイルの走りだ。十馬身遅れ。

ジェフは酒を一気にあおった。ほとんどストレートのウィスキーでむせそうになった。

先頭の集団が半マイルのポールをすごいスピードで通過した。シャトーゲイは一インチも前に出ていなかった。

もっと小さな学校へ行こうか、とジェフは思った。たとえエモリー大学を中退しても、どこかの地域短大がたぶん受け入れてくれるだろう。パートタイムで小さな放送局に勤めてもいい。経験年数は書類の上には表れないが、仕事上は大いに役立つはずだ。

バーの群衆はスクリーンに向かって、四百マイル遠方の馬とジョッキーに声が聞こえるかのように、大歓声を上げた。ジェフは黙っていた。シャトーゲイはバックストレッチの終わり頃で少し間をつめていた。だが、もう終わったも同然だった。賭け率の設定者たちがいっていたように、三頭の勝負だった。

全出走馬がホームストレッチに向かってターンする時、シューメイカーはキャンディスポッツを内側の柵《さく》よりに寄せ、それからストレッチでまた外に出した。シャトーゲイは四番手で、三馬身遅れていた。前方にこのような激烈な競走があるとすると、この馬はとても——

四分の一マイルのポールで、ノーラバリーは急に疲れて、せり合いをする気力を失ったように見えた。彼は後退し、ネバーベンドとキャンディスポッツが先陣争いをすることになった。ところが、シューメイカーはそのカリフォルニアの栗毛から、必要なラストスパートを引き出すことができなかった。

シャトーゲイはその人気馬を追い越し、着実に、ぐいぐいとネバーベンドに肉薄した。バーの中は耳もろうせんばかりの騒ぎになった。ジェフは黙って、じっとしていた。冷たいグラスをつかんでいる手が凍りつきそうになっているのも気づかなかった。シャトーゲイはネバーベンドに一馬身四分の一の差をつけて勝ち、キャンディスポッツはきわどいところで三位に落ちた。ノーラバリーは疲れ切って、後ろの集団に呑《の》まれ、五位か六位に終わった。

ジェフはやった。勝ったのだ。

バーのほかの人々は今見たばかりの競走を、声高に、いまいましそうに分析し始めた。彼らの怒りの大部分は、最後の半マイルのウィリー・シューメイカーの戦術に向けられた。彼らの言葉の一語も、ジェフの耳には入らなかった。彼は電光掲示板に数字が現れるのを待った。

シャトーゲイの配当は二十ドル八十セントになった。ジェフは反射的にカシオの計算機つき腕時計を探り、それから、そんな物が現れるのはまだずっと先のことだと気づいて、吹き出した。そして、バーからカクテル・ナプキンをひったくり、ボールペンで数字を走り書きした。

二三〇〇の半分、掛ける二〇・八、引く、賭けをしてくれたフランク・マッドックの取り分三〇パーセント……ジェフの儲《もう》けは一万七千ドルに近かった。

もっと重要なことは、競馬が彼の記憶通りに終わったことだった。彼は十八歳だった。そして、今後二十年ほどの間に起こる重大事件をすべて知っていた。

4

　ジェフはホリデイ・インの暗緑色のベッドカバーの上に、トランプを一枚ずつ上向きにして、叩《たた》きつけた。彼はだんだん減っていくトランプの山から、指をできるだけ早く動かして札を弾《はじ》き落としていった。それに合わせてフランクは、もう馴染《なじ》みになった催眠的な低い声で唱えていった。「プラス四、プラス五、プラス四、プラス三、プラス三、プラス三、プラス四、プラス三、プラス四、プラス五――ストップ！伏せた札《ホールカード》はエースだ」

　ジェフはダイヤのエースをゆっくりとひっくり返した。そして、二人ともにやりとした。

「こいつはすげえや！」フランクは嬉《うれ》しそうに笑って、ベッドカバーをぴしゃりと叩き、カードを飛び散らせた。「俺《おれ》たちはチームだぞ、それも強力なチームだ！」

「ビールを飲むかい？」

「あたりきよ！」

ジェフはあぐらを解き、部屋を横切って、テーブルに載っているクーラーのところにいった。この一階の部屋のカーテンは開いていた。彼は二本のクアーズの瓶《びん》の蓋《ふた》をこじ開けながら、トゥーカムケアリ・モーテルの駐車場の縁石のところで、ライトを浴びて光り輝いている、ステュードベイカー・アバンティの灰色の新車をいとおしそうに眺《なが》めた。


この車はアトランタからやってくる途中ずっと、好奇の視線といろいろな評言を引きつけてきた。そして、ラスベガスまでのドライブの残りの道中も、たぶんずっと同じようになるだろう。ジェフはこの車に乗るととても心が安らぎ、その〝未来的〟なデザインと装備に一種の慰めさえも見出《みいだ》した。このロングノーズで、尻尾《しっぽ》がすとんと切り落とされている車は、一九八八年になっても魅力的な当世風の車に見えただろう。実際、ある独立工場が八〇年代にもまだアバンティの限定版を作っているのを、彼は覚えているような気がした。一九六三年のここにいる彼にとって、この車は時間の旅の道連れのようなものだった。いわば、これは彼自身の時代のイメージを織り込んだ豪華な繭なのだった。あの古いシェビーにも郷愁を感じたが、このマシーンはそれよりももっと強い逆の郷愁を呼び起こした。

「おい、ビールはまだか？」

「今もってく」

彼はフランクに冷たいビールを渡し、自分もぐーっと飲んだ。彼らはマッドックが五月の末に卒業するとすぐに出掛けてきたのだった。ジェフはずっと前から教室に行くのを止《や》めてしまい、退学しかかっていたが、もはや気にならなかった。フランクは南部のルートを通って、ニューオルリンズに二、三日泊まり、お祝いをしたいといったが、ジェフはバーミンガムやメンフィスやリトル・ロックを迂回《うかい》するもっと直接的な道をいくことを主張した。これらの都市の外側には数百マイルごとに、州間ハイウェイの新たに開通した区間があり、速度制限は七十か七十五マイルだった。そしてジェフはアバンティの最高速度である時速百六十マイル近くのスピードを出すために、これらの滑らかな、車線の幅の広い、空《す》いた道路を使ったのである。

ジュディ・ゴードンとの夜のデートに失敗した後の、落ちこんで混乱した気分は、ダービーの勝利のお蔭《かげ》でほとんど消え去っていた。あの夜以来、道で擦《す》れ違ったり、学内で見掛ける以外には、彼女に会わなかった。そして、彼は自分の苦境について、何とか説明をつけようとする努力を止めてしまった。ただし、夜明け方に目覚めた場合は別で、脳は見つかるはずのない答えを探し求めた。真実はどうあろうとも、少なくとも今は、自分の未来についての知識は、単なる幻想以上のものだという証拠を握ったのだ。

これまでのところジェフは、どうしてこんなに素晴らしい勝利を収めることができたのかというマッドックの質問を、何とか逸《そ》らすことに成功していた。マッドックは今ではジェフを、何か秘密の方法を持つ天才的予想屋と推測していた。そして、このイメージは、ダービーの二週間後のプリークネス競馬に再び賭《か》けることをジェフが拒否したために、かえって強まった。ジェフはこの年の三冠レースのうち二つにシャトーゲイが必ず勝つことを知っていたが、ダービーに続くレースのうち、その馬がどちらを落とすか思い出すことができなかった。それで、フランクの抗議にもかかわらず、プリークネスには参加しないと言い張ったのである。結局、プリークネスでは、キャンディスポッツが三馬身半の差で勝った。今や、ジェフはきたるべきベルモント・ステイクスでの勝利を確信した。それればかりか、キャンディスポッツが復活したために、シャトーゲイの比率がはね上がった。

賭博《とばく》は、自分の状況への解答が埋もれている形而上学《けいじじょうがく》や哲学の絶望的な泥沼《どろぬま》から、気分を逸らせてくれ、新しい目的感覚を与えてくれた。たとえ、今はまだ気が狂っていないとしても、あと一カ月もそれらの不可量物をくよくよ考えていれば、かならず狂気の域に追いやられるだろう。それに較《くら》べて、賭博はきわめて明快かつ単刀直入で気分がすっきりした。勝ちか負けか、借方か貸方か、正しいか間違ったか、ただそれきりだった。曖昧《あいまい》さもなければ、後知恵でとやかく言うこともない。結果があらかじめ分かっている場合には、特にそうである。

フランクは散らばったカードを集め、積み重ねて切りながら、いった。「おい、二組《ダブルデック》でやってみよう！」

「いいとも」ジェフはベッドのそばの椅子《いす》に逆向きにまたいで坐《すわ》り、カードを取り上げ、切り直し、分配し始めた。

「プラス一、プラス一、ゼロ、プラス一、ゼロ、マイナス一、マイナス二、マイナス二、マイナス三、マイナス二……」

ジェフはおなじみの朗誦《ろうしょう》——配られたエースと十以上の札の継続勘定《ランニングカウント》——に満足げに聞き入った。フランクは『ディーラーを負かせ』という新しい本の図表をむさぼるように暗記してしまっていた。これはコンピューターを使って編み出したブラックジャックの必勝法を解説した本である。ジェフ自身もその本を読んで、そのカード勘定メソッドが実際に有効であることを知っていた。七〇年代の中頃までには、これらのテクニックを使う客を、カジノは閉め出してしまう。しかし、この時代には、ディーラーやディーラーを統括するピット・ボスは、どんな必勝法を使うプレーヤーも良いかもと見て歓迎したのである。フランクは少なくとも自分の立場を堅持して、理論通りに賭けなければならない。彼がブラックジャックのテーブルで勝つのに夢中になっていてくれたほうが、ジェフにとって都合が良かった。そうすれば、これからベルモント競馬でつかむ予定のさらに素晴らしい勝利から、フランクの注意が多少とも逸れるからである。

「……マイナス一、ゼロ、プラス一――ストップ！　伏せた札《ホールカード》は十以上の札だ」

ジェフは彼にクラブのジャックを見せた。二人は、やったとばかり、手を打ち合わせた。フランクはビールを飲み干し、その瓶をナイトスタンドの上に半ダースほど立ち並んでいる空瓶の隣に置いた。

「おい」フランクはいった。「町に入ってくる途中で通ったドライブインの映画館の一つで『007　ドクター・ノオ』をやっていたぞ。行って見るか？」

「おいおい、フランク、何回見れば気がすむんだい？」

「もう三回か四回見たが、見るたびに良くなるのさ」

「僕《ぼく》はもうたくさんだ。ジェームズ・ボンドは飽き飽きした」

フランクは面食らったように彼を見た。「何だって？」

「何でもない。ただ行きたくないということさ。車を使っていいよ。キーはテレビの上にある」

「どうしたんだ、ローマ法王の喪にでも服しているのかい？　お前がカトリックだとは知らなかったなあ」

ジェフは笑って靴《くつ》に手を伸ばした。「まあ、いいや。少なくともあれはロジャー・ムーアじゃないから」

「ロジャー・ムーアって一体だれだ？」

「いずれ聖人になるやつさ」

フランクは首を振り、眉《まゆ》をひそめた。「ローマ法王の話をしているのか、それともジェームズ・ボンドの話をしているのか、それとも何の話をしているのか？　おい、相棒、時々お前が何の話をしているのか分からなくなるぜ」

「僕もだ、フランク。自分でも分からなくなる。さあ、映画にいこう。現実からのささやかな逃避だ。それが必要なんだ」

彼らは翌日、アバンティを交代で運転しながらラスベガスに直行した。ジェフはネバダ州には一度もきたことがなかった。そして、ネオンのともったラスベガスの大通り《ザ・ストリップ》は、八〇年代の映画やテレビで記憶しているのよりも、もっと空疎《くうそ》でけばけばしさに欠けていた。これはハワード・ヒューズ以前のラスベガスだと、彼は覚《さと》った。ヒルトンやMGMの金が流入して、巨大な〝見苦しくない〟カジノ・ホテルが建設される前のラスベガスだと。ネバダ州道六〇四号線の今のこの現実離れした小さな区間に君臨しているのは、戦後のギャング時代の遺産であって、独特の低めに建てられたデューンズ、トロピカーナ、サンズなどの建物である。隠語と指を鳴らす音がサウンドトラックに満ちている昔のギャング映画から抜け出たような、〝犯罪者仲間の〟ベガスなのだ。その暑い乾燥した空気には、まだ挑発的《ちょうはつてき》な悪の気配が漂っていた。

彼らはフラミンゴに投宿し、そのホテルのカジノに一万六千ドルの現金を預けた。副支配人は満面に笑みを浮かべ、もったいぶって、三部屋続きのスィートルームと滞在中の飲食代をすべて無料にすると約束した。

フランクはその晩はブラックジャックのテーブルを観察して、使用するトランプの組数、ペアの札の分割《スプリット》や賭け金倍増《ダブルダウン》のルール、いろいろなディーラーのスピードや個性などを確認した。ジェフはしばらく彼と一緒に眺めていたが、やがて退屈したので、カジノの周辺を歩き回って、そのあたりの風変わりな雰囲気《ふんいき》を味わうことにした。ここは何もかも架空のものであるように見えた。莫大《ばくだい》な金額を表す鮮やかな色彩のチップ、けばけばしい服装の男女……性的な虚勢の必死の仮面、いくら使ってもかまわない莫大な財産があるような素振り。

ジェフは早めに部屋に戻《もど》りジャック・パー・ショウを見ながら眠った。翌朝、目を覚ますと、フランクが、間に合わせに作った暗記用のカードを時々見てぶつぶつ言いながら、スィートの居間をぐるぐる歩き回っていた。

「朝飯を食いにいくかい？」

フランクは首を振った。「念のために、こいつをもう一度復習したいんだ。そして、正午前にテーブルにつく。午前の勤務時間の終わりのディーラーを捕まえるのさ。その頃《ころ》には、やつらは気が遠くなりかけているからな」

「なるほど。うまくやれよ。僕はたぶんプールサイドにいる。結果を知らせてくれよ」

ジェフはホテルのレストランの六人用の食卓に一人でついて、『レーシング・フォーム』紙を読みながら食事をした。ベルモント競馬のシャトーゲイの比率がまだ上昇しているのを、喜ばしい気分で見た。しかし、その新聞に書いてある他《ほか》の何十ものレースは、すべてちんぷんかんぷんだった。彼は二人前のスクランブルエッグと、厚切りのカントリーハムをがつがつ食い、それから山のように大きなパンケーキを食べ、三杯目のミルクを飲んだ。ここ数年間というもの、彼は職場に行く途中に、デーニッシュを一個と、一日に何杯も飲むコーヒーの、最初の一杯を飲むくらいで、完全に朝飯を抜く習慣におちいっていた。だが、この新しい若い肉体はそれ自身の食欲を持っていた。

ジェフが水着に着替えるために部屋に戻った時には、フランクはもうカジノに降りてしまっていた。ジェフは特大のタオルとSF小説『V』を一冊持って部屋を出た。そして、ホテル内のギフトショップに立ち寄ってコパートーンを一瓶買い（パラアミノ安息香酸の比率が書いてないなと思い）、プールサイドの寝椅子に落ち着いた。

すぐにあの女が目に入った。濡《ぬ》れた黒い頭髪に、立体的な頬骨《ほおぼね》。胸は豊かだが固い、腹は引き締まっている、脚は優雅で格好が良い。彼女はプールから上がり、にこにこ笑い、砂漠《さばく》の日光を浴びてきらきら輝き、それからジェフの方に歩いてきた。

「ハーイ」彼女はいった。「そちらの椅子、だれか使っている?」

ジェフは首を振り、隣に坐るように招いた。彼女は上向きに横たわり、濡れた髪を乾かすためにカンバスの寝椅子の背に、髪を打ちつけるようにした。

「何か飲み物を持ってこようか?」彼は水滴のしたたる彼女の肉体を、長く見過ぎないように、あまりあからさまに見ないように、我が目に命じながら、尋ねた。

「いいえ、結構」彼女は拒絶の刃《やいば》を和らげるために、微笑してじっと彼の顔を見た。「さっきブラディ・マリーを飲んだばかりなの。そしたら、この暑さでくらくらしてきちゃった」

「飲みつけないと、そうなるだろうね」彼は認めた。「どこからきたの?」

「イリノイ州、シカゴのすぐ外よ。でも、二カ月前からきているの。しばらく滞在しようと思っているの。あなたは?」

「今はアトランタに住んでいる」彼はいった。「でも、育ったのはフロリダだ」

「そう、じゃ、きっと日光には慣れっこになっているわね?」

「そうだな」彼は肩をすくめた。

「マイアミには二、三度いったわ。良いところだけれど、ギャンブルができるともっと良いのにねえ」

「育った町はオーランドだよ」

「それ、どこにあるの？」彼女は尋ねた。

「それは――」彼は「ディズニー・ワールドのそば」と言いそうになり、はっと口をつぐんで、今度は「ケープ・ケネディ」と言いかけた。だが、一九八八年でさえも、それはあそこの正式の名前ではないと知っていた。「……ケープ・カナベラルのそばだよ」彼はやっと言い終えた。彼が言いよどんだので、彼女は不思議に思ったようだったが、とにかくぎごちない瞬間が過ぎ去った。

「ロケットの打ち上げを見たことある？」彼女は尋ねた。

「あるとも」彼は言い、一九六九年にアポロ一一号の打ち上げを見に、リンダとケープにいったことを思い出した。

「月に行くって言ってるけれど、本当に行けるのかしら？」

「たぶんね」彼は微笑した。「おっと、僕の名前はジェフ。ジェフ・ウィンストンだ」彼女は指輪をはめていない細っそりした手を差し出し、ジェフはその指をちょっと握った。

「私はシャーラ・ベイカーよ」彼女は手をひっこめると、濡れた真っ直《ま》ぐな髪を梳《す》き、その手を首に降ろした。「アトランタではどんな仕事をしているの？」

「いや……実はまだ大学生なんだ。ジャーナリズムに入ろうと思っているんだけど」

彼女は人が良さそうに、にっこり笑った。「大学生なの？　御両親は大変なお金持ちにちがいないわ。あなたを大学とラスベガスの両方に通わせているとは」

「とんでもない」彼は面白《おもしろ》がっていった。彼女自身は二十二歳か二十三歳を超えているはずはなかった。そして、彼は無意識に年齢差を逆の角度から考えていたのだった。

「ここの費用は自腹だよ。ケンタッキー・ダービーで儲《もう》けたのでね」

彼女は感心し、デリケートな眉を上げた。「そうなの？　ねえ、ここに車を持ってきてある？」

「あるよ。なぜ？」

彼女は長い日焼けした腕を頭の上にゆるく組んだ。すると、控え目なスタイルの、古風な水着のナイロンの生地《きじ》の下で胸が盛り上がった。ジェフにとってその姿は、彼女が八〇年代のあの物凄《ものすご》いフレンチカットの水着を着ているか、または一糸まとわぬ体でいるのに等しい、エロチックなものに見えた。

「ちょっと日向《ひなた》から抜け出そうかなと思っただけよ」彼女はいった。「ミード湖までドライブなんてどうかしら。その気ある？」

シャーラはパラダイスとトロピカーナの近くのこぢんまりした二世帯用住宅に、ベッキーという女と共同で住んでいた。ベッキーは空港の案内デスクで午後四時から真夜中まで勤務していた。シャーラは夜はカジノで、昼はホテルのプールサイドでぶらぶらしている以外には、特に何かをしているようには見えなかった。

彼女は本物の売春婦ではなく、楽しい思いをするのが好きで、時たまささやかな贈り物や、一握りのチップをもらっても気を悪くしない、あのベガス・ガールの一人だった。ジェフはそれから四日間の大部分を彼女とともに過ごし、銀のアンクレットとか、彼女のお気に入りのドレスに合う染めの革の財布とか、いくつかの小さな贈り物をした。だが、彼女は金のことは決して口にしなかった。湖にヨットに乗りにいき、ボールダー・ダムまでドライブし、デザート・インでシナトラのショーを見た。

たいていはセックスをしていた——しばしば、そして、思い出に残るようなやりかたで、彼女のアパートか、フラミンゴ・ホテルのジェフのスィートで。シャーラは、この現象が起こって以来初めてベッドを共にした女性であり、結婚以来、リンダ以外にベッドを共にした女性としても最初の人だった。シャーラのセックスへの熱情は、彼自身のものをしのいだ。ジュディが遠慮がちだったとすれば、シャーラは奔放であり、ジェフは彼女の抑制のないエロチシズムの熱気の中に非常な喜びを見出《みいだ》した。

フランク・マッドックは、あらゆるラウンジやカジノに付き物の即金即決の女たちを時々利用したが、たいていはブラックジャックのテーブルで自分の時間を過ごした。そして勝った。ベルモント競馬の日までに、彼は元手に九千ドルを加えており、この投機の資金を最初に提供してくれたお礼に、気前良くその三分の一をジェフに差し出した。

二人だけで、今では二万五千ドル近い大金をホテルに預けていた。そしてフランクは、そのすべてを一つのレースに賭けるというジェフの強い主張に、少し控え目ながら、喜んで同調した。

その土曜日の出走予定時刻には、ジェフはフラミンゴのプールにシャーラといっしょにいた。

「テレビで見る気もないの？」彼女は尋ねた。彼は籐《とう》のマットの上で身動きする気配さえ見せなかったのである。

「その必要はない。結果を知っているんだから」

「よく言うわ！」彼女は笑って彼の尻《しり》を叩いた。「金持ちの大学生が。全部わかっているつもりなんだから」

「間違っていれば、金持ちにはならないだろう」

「その時が楽しみだわ」彼女は言って、コパートーンの瓶に手を伸ばした。

「どの時？　僕が間違う時か、それとも貧乏になる時か？」

「ばか、知らない。ねえ、私のパトロンになって」

ジェフがシャーラの裸の股《もも》に手をのせて、日向でうつらうつらしていると、フランクが顔にショックの色を浮かべて、ホテルから出てきた。ジェフは友人の表情を見て、ぱっと立ち上がった。しまった、全部賭けるべきではなかったかもしれない。

「どうした、フランク？」彼は緊張して尋ねた。

「あり金のこらず」フランクはしわがれ声でいった。「あの金ぜんぶ」

ジェフは彼の肩をつかんだ。「どうなった？　どうなったか教えてくれ！」

フランクは唇《くちびる》を後ろに引いて、相好《そうごう》を崩した。「勝ったぞ」彼はささやいた。

「いくら？」

「十三万七千ドル」

ジェフは安心し、フランクの腕を放した。

「どうやって、やるんだ？」マッドックはジェフの目をじっと覗《のぞ》きこんで尋ねた。「一体どうやるんだ？　これで、たて続けに三度、当てたんだぞ」

「まぐれさ」

「まぐれだなんて。お前はダービーのシャトーゲイに賭けるために、家族の宝石を質に入れた以外には何もしなかった。何か知っていて、黙っていることがあるな？」

シャーラは下唇を嚙《か》み、思案しながらジェフを見上げた。「結果を知ってるって、あなた確かにいったわよ」

ジェフはこの会話の成り行きが気に入らなかった。「なあに」彼は笑っていった。「次にはたぶん、すっからかんになる」

フランクはまたにやりとした。どうやら彼の好奇心は消えたようだった。「これだけの実績があるんだから、俺《おれ》はどこにでもついていくぞ。今度はどこで大山を張るんだ？何か良い虫の知らせは入っているかい？」

「ああ」ジェフはいった。「シャーラのルームメイトが仮病を使って職場を休み、俺たち四人で盛大にお祝いをするという、虫の知らせがある。さしあたり、賭けるのはそれだけだな」

フランクは笑って、シャンペンを取りにプールサイドのバーの方にいき、シャーラはガールフレンドに電話をしにいった。ジェフはマットにまた沈みこんだ。ぺらぺら喋《しゃべ》った自分が腹立たしく、また、フランクとの賭博のパートナーシップは——少なくともこの夏は——もう終わったということを、どうして告げようかと思案した。

今年は、記憶がないので、もうこれ以上レースに賭けることはできないとは、絶対に認めるわけにはいかなかった。

ジェフは熱いクロワッサンにマーマレードを薄く伸ばし、そのぱりぱりした先端を噛み取った。フォーシュ通りを見下ろすバルコニーから、凱旋門《がいせんもん》と、広大な緑のブーローニュの森の両方が眺められた。どちらもこのアパートから簡単に歩いて行ける距離にあった。

シャーラはテーブルクロスの掛かった朝の食卓越しに、彼にむかって微笑《ほほえ》みかけた。

彼女は皿《さら》から大きな赤い苺《いちご》を取って、先《ま》ずクリームのボウルに漬《つ》け、それから粉砂糖に入れ、それから、目をまだジェフにじっと据《す》えたまま、唇を丸くしてその熟《う》れた果物をくわえて、ゆっくりと吸い始めた。

彼は『インターナショナル・ヘラルド・トリビューン』紙を傍《わき》に置き、彼女の、苺を使った即興演技を眺めた。とにかく、ニュースは気が滅入《めい》るほどよく知ったものだった。ケネディはここから東方にあたるあの分割された町で、例の「私はベルリン市民だ《イッヒ・ビン・アイン・ベルリナー》」という演説をした。そして、ベトナムでは仏教の僧侶《そうりょ》たちが、ゴ・ディン・ジェム政権に抗議するために街角で焼身自殺を始めた。

シャーラは苺をまた濃いクリームに漬け、それを開けた口の上に吊《つ》るして、滴《したた》る白いクリームを舌の先でなめた。着ているシルクのガウンが朝日を受けて半透明になり、その薄い布地にこすれて乳首が立つのが見えた。

ジェフはこのパリのヌイリ地区にある二寝室のアパートを、夏一杯借りていた。そして、ベルサイユかフォンテンブローに時々日帰り旅行に出掛ける以外には、ほとんど市中から出なかった。これはシャーラには初めてのヨーロッパ旅行だった。そしてジェフは、リンダと一緒にいった慌《あわ》ただしいパック旅行とは別のやりかたで、パリを経験したかったのだった。これは確かに成功だった。シャーラの華麗な官能主義はこの町のロマンチックな雰囲気に完全に調和した。晴れた日には横町や大通りを散歩し、気に入ったビストロやカフェがあれば、そこに入って昼食を取った。そして雨が降れば――この年の夏は雨が多かった――彼らは快適なアパートに引《ひ》き籠《こも》り、火と肉欲の、長い物憂《ものう》い日々を過ごした。窓の外の、季節はずれの霧のかかった肌寒《はだざむ》いパリの風景は、彼らの熱情の完全な背景となった。ジェフはシャーラの艶《つや》やかな黒髪に自分の恐怖を包み、彼女の芳香を放つ柔らかな肉体の襞《ひだ》に、いっこうに消えない困惑を隠した。

彼女は小鬼のように目をきらきらさせてテーブル越しに彼を見つめながら、肉感的な口でその大きな苺をぱくりと食べた。鮮やかな赤いジュースが彼女の唇を薄く染めた。そして、彼女は爪《つめ》を伸ばした一本の細い指で、それをゆっくりと拭《ぬぐ》った。

「今夜はダンスにいきたい」彼女がいった。「下着なしで、あの新しい黒いドレスを着て、あなたとダンスにいきたいわ」

ジェフは、白いシルクの寛衣《かんい》から輪郭が浮きだして見える、女体の下の方に視線をさまよわせた。「下着なしで？」

「靴下《くつした》ははいてもいいわ」彼女は低い声でいった。「そして、あなたが教えてくれたダンスをするの」

ジェフはにっこり笑って、寛衣の割れ目から覗いている股の肌を、軽くなでた。三週前のある晩、この町に最近現れた新しい〝ディスコ〟の一つで、彼らは踊っていた。その時、ジェフは無意識に、今後十年かかって進化することになる入り組んだフリースタイルのダンスのステップでシャーラをリードし始めたのだった。彼女はすぐにそのスタイルが気に入り、自発的にいくつものエロチックな派手な動作をつけくわえた。トウィストかワトゥーシしか踊らない他のカップルはみんな次々に退いて、ジェフとシャーラの踊りを眺めた。やがて、最初はおずおずと、それから次第に熱狂的に、彼らは同様に不統一な、あからさまにセクシーなダンスをおどり始めた。

今では彼とシャーラはほとんど一晩おきにニュー・ジミーの店かル・スロー・クラブに出掛けた。そして彼女は、ダンスフロアでいかに誘惑的に肌の上を動くかを基準にして、ドレスを選ぶようになった。ジェフは彼女を眺めて楽しみ、また、他のダンサーが彼女のダンスを真似《まね》し、また、彼女の衣服を次第に真似るようになるのを見て、大きな喜びを味わった。自分は心ならずも、シャーラとともに一夜にしてポピュラーダンスの形態史を変え、そして、六〇年代の中期と後期を特徴づける婦人ファッションの煽情的《せんじょうてき》な革命を促進したかもしれないと思うと愉快だった。

彼女は彼の手を取り、寛衣の下の太股の間にはさんだ。テーブルの上では、彼のクロワッサンとカフェオレが、春にあれほど心を悩ませた時間の謎《なぞ》とともに忘れ去られて、冷えるままに置かれた。

「ここに帰ってきても」彼女はささやいた。「靴下ははいたままでいるわね」

「それで」フランクは尋ねた。「パリはどうだった？」

「とても良かった」ジェフは言い、プラザホテルのオークルームのゆったりしたアームチェアに沈みこんだ。「これで気がすんだ。コロンビア大学はどうだね？」

元のパートナーは肩をすくめ、ウェイターに合図をした。「予想にまさる、すごいガリ勉をやらされそうだ。お前まだジャック・ダニエルズを飲んでるかい？」

「あればね。フランス人はサワーマッシュを全然知らないぜ」

フランクは彼のためにバーボンを、そして自分のためにもう一杯グレンリベットを、注文した。バーの開いた扉《とびら》を通して、この優雅な古いニューヨークのホテルの、ロビーの先のパームコートから、か細いバイオリンの音楽が聞こえてきた。その静かな背景音の上に、時たまグラスの触れ合う音と、あたりのくぐもった話し声が聞こえてくるが、言葉そのものは、部屋の分厚い掛け布や豪華なめし革に吸収されて聞き取れない。

「法学部の一年で、こんなバーに入りびたるとは思っていなかったよ」フランクはにっこり笑った。

「モウズ・アンド・ジョウズに較べれば、一段階上だな」ジェフは認めた。

「シャーラを連れてきたかい？」

「『ビヨンド・ザ・フリンジ』を見ている。今夜は商談だといったんでね」

「お前たち、うまくやっているんだろ？」

「気楽にやれる女だ。面白いよ」

フランクはうなずき、ウェイターが置いていった新しい飲み物をかきまわした。「じゃ、前にいってた、エモリー大のあの小柄《こがら》な女子学生とは、あまり会っていないんだな？」

「ジュディか？　ああ、あれは、ラスベガスへ行く前に終わっちまった。良い子で、可愛《かわい》かったが……世間知らずで、すごく幼かった」

「お前と同い年じゃないか？」

ジェフは鋭く彼を見た。「また兄貴風を吹かせるつもりか、フランク？　僕とシャーラじゃ不釣《ふつ》り合《あ》いだとでもいいたいのか？」

「いや、いや、ただ――お前には恐れ入るばかりだ。それだけさ。初対面の時には、お前という男は、特に競馬についていろいろ知りたがっている、うぶな坊やだと思った。ところが、お前のほうから、俺に一つ二つ教えてくれた。いや、つまり、あれだけの金を賭けて稼《かせ》ぎ、アバンティを乗り回し、そしてシャーラのような女を連れてヨーロッパに出掛けるんだからさ……時々、お前は見掛け以上に年がいっているように思われることがあるよ」

「話題を変える潮時だな」ジェフはそっけなくいった。

「おい、おい、侮辱するつもりはなかったんだ。シャーラはめっけものだ。うらやましいよ。ただね……何といったらいいか、お前みたいに成長の早いやつはない、といった感じなんだ。価値判断は抜きでね。あのなあ、これはお世辞と取ってもらっていいんだぜ。ただ何となく不思議だというだけさ」

ジェフは肩の力を抜き、グラスを持って椅子の背によりかかった。「たぶん、人生への欲求が大きいんだろう」彼はいった。「たくさんの事をしたい。それも早くしたい」

「なあ、お前は世間の見習い連中に大きな差をつけてスタートした。もっと力がついて、今後もこれまでと同様に、すべてうまくいくといいなあ」

「ありがとう。そのために乾杯」彼らはそろってグラスを上げ、二人の間を通過した緊張の瞬間を無視することに、暗黙のうちに同意した。

「これは商談だとシャーラにいったそうだが」フランクがいった。

「そうだよ」

フランクはスコッチをなめた。「そうなのかい？」

「事と次第によりけりだ」ジェフは肩をすくめた。

「どんな次第に？」

「今度の提案に、君が関心を持つかどうかさ」

「この夏にあれほど勝ったのにかい？　またまた突飛な提案をすると、俺が聞き入れないとでも思うのか？」

「今度のは、想像を絶するほど突飛なやつだぞ」

「いってみな」

「ワールド・シリーズだ。後二週間で始まる」

フランクは片方の眉をぴくりと上げた。「お前のことだから、たぶんドジャースに賭けるというんだろうな？」

ジェフはちょっと間を置いた。「その通り」

「おい、冗談じゃないぜ。お前はたしかにダービーとベルモントで当てて、たんまり儲《もう》けた。だが、今度は話がちがうぜ！　マントルとマリスが復帰したし、最初の二ゲームはこのニューヨークでやるんだぞ？　とんでもない。絶対にだめだ」

ジェフは身を乗り出して、低いが、しっかりした声でいった。「こうなる。シャットアウトだ。ドジャースがストレートで四勝する」

フランクは不思議そうに眉をしかめて彼を見た。「お前、本当におかしいよ」

「いいや。そうなる。一―二―三―四とね。一生楽に暮らせるぜ」

「モウズ・アンド・ジョウズに帰って飲めばいいってことだろ」

ジェフは酒の残りをぐいと飲み干し、椅子の背によりかかり、首を振った。フランクは彼を見つめ続けた。あたかも、ジェフの狂気の源を探すかのように。

「少しの賭けなら付き合うよ」フランクが譲歩した。「二、三千ドルか、五千ドルくらい。お前がその虫の知らせにこだわるならな」

「全部だ」ジェフは言明した。

フランクはジェフの顔から目をはなさずに、タレイトンに火を付けた。「とにかく、どうしたんだ？　破産する決心でもしたのかい？　つきには限界ってものがあるぜ」

「これは間違いない、フランク。僕は全財産を賭ける。そして、前と同じ条件にする。つまり、金は僕が出し、君が賭けをし、七三に分ける。君は危険を冒したくなければ、冒さなくていい」

「その賭けがどのくらいの比率になるか、知ってるのかい？」

「よくは知らない。君は？」

「でたらめをいうわけではないが――かもの比率になるぜ。そんな賭けはかもしかしないからな」

「電話して、確かめたらどうだ？」

「そうしてもいいな。好奇心から」

「やれよ。僕はここで待ってる。酒のお代わりを注文しているよ。いいかい、ただの勝ちじゃないぞ。ドジャースの全勝だぞ」

フランクは十分足らずテーブルを離れていた。

「いつもの胴元が笑っていたぜ」彼は腰を下ろして、新しいスコッチに手を伸ばしながらいった。「あいつ電話で、実際に笑いやがった」

「比率は？」ジェフは静かに聞いた。「百対一」

フランクは酒の半分をあおった。

「僕の代わりに賭けてくれるか？」

「本当にやるつもりだな？　冗談じゃなくて？」

「完全に本気だよ」ジェフはいった。

「こういうことに、どうしてそんなに自信があるんだい？　世間でだれも知らない事を、どうして知っているんだい？」

ジェフは目を瞬《しばた》き、落ち着いた声でいった。「それは教えるわけにはいかない。言えることは、これは虫の知らせなんてものじゃない、ということだけだ。確定した事実なんだ」

「何となく、うしろ暗いような――」

「べつに非合法な事柄が含まれているわけではない。絶対に。最近は、シリーズで八百《や》長《ちょう》ができないことは知っているだろう。たとえできるとしても、それをどうして僕が知るのかね？」

「いろいろ知っているような口振りだぜ」

「これだけは知っている。この賭けは外れるわけがない。絶対に外れることはないんだ」

　フランクは彼をじっと見つめ、スコッチの残りをぐっと飲み干し、お代わりを持ってくるように合図した。「ちくしょう」彼はつぶやいた。「四月にお前に会う前は、今年は奨学金で暮らすつもりでいたんだ」

「だから？」

「だから、この馬鹿《ばか》げた計画に乗ろうかなと思うのさ。何故《なぜ》かわからない。そして、たぶん第一戦の後で、俺は頭を射《う》ち抜いているだろうよ。だが、一つ条件がある」

「どうぞ」

「お前が賭け金を全部出し、利益を七三にするという、この馬鹿げたやりかたはもう止めたい。どちらも危険を分担しよう。ベガスの残りを全部――俺がテーブルで掻《か》き集めたのも含めて――投げ出す。そして儲けがあれば半々にする。いいか？」

「よし。パートナー」


　この年の十月は、コーファックスとドライスデールで沸いた。

　ジェフはシャーラを連れて、最初の二試合を見にヤンキー・スタジアムにいった。だが、フランクはテレビでさえ見ようとしなかった。

　ドジャースはコーファックスを立てて、開幕戦を五対二で飾った。翌日はジョニー・

ボドレスが登板し、リリーフ・エースのロン・ペラノスキーの救援を仰いだが、ヤンキースを一点に抑え、その間に打線が十本のヒットを放ち、四点を叩き出した。ロスでの第三戦はドライスデールが牛耳った。〝ビッグ・ドン〟はヤンキースの打者を次々に切ってとり、一対〇で完封した。九回のうち六回は、最少の三人ずつで片づけた。

第四戦は接戦だった。さすがのジェフもニューヨークのピエール・ホテルでカラーテレビを見ながら手に汗を握った。ヤンキースの投手はホワイティ・フォード。再びコーファックスとの対決となった。どちらも必死だった。ミッキー・マントルとドジャースのフランク・ハワードにそれぞれ一発が出て、七回までは一対一のタイ。その後、ジョー・ペピトーンがヤンキースの三塁手クリート・ボイヤーからの送球をエラーし、ドジャースのジム・ギリアムが三塁を奪う。次の打者ウィリー・デイビスが深いセンター・フライを放ち、その間にギリアムが生還して試合を決めた。

ドジャースはワールドシリーズでヤンキースに四タテを食らわせた。ニューヨークの球団がこんな目にあったのは、一九二二年にジャイアンツにやられて以来のことだった。これは野球史上、大番狂わせの一つであって、ジェフが自分の名前を思い出せなくても、これだけは忘れられないというほどの出来事だった。

ジェフの主張に従って、フランクは二人の十二万二千ドルを、六都市の二十三の別々の胴元と、それから、ラスベガス、リノ、サン・ファンの十一カ所の別々のカジノに分散して賭けていた。

　獲得した賞金の総額は一千二百万ドルを上回った。

5

　賭博《とばく》は終わった。二人ともそれを自覚していた。彼とフランクのことが噂《うわさ》にのぼり、国中のどんな胴元もカジノも、彼らからのまとまった金額の賭《か》けを受けつけなくなった。もちろん、世の中にはもっと上品な名前がついている別の種類の賭けがあった。

「……あちらのオフィスに会計課が入り、法務関係のスタッフはホールを隔ててここに入る。それから、こちらにきて……」

　フランクはいかにも嬉《うれ》しそうに、シーグラム・ビルの五十階にある、まだ半分しか家具が入っていないオフィスの続き部屋を、ジェフに説明して回った。彼はジェフの承認を得てこの場所を選定し、彼らの独創的な会社である〝未来社〟の設立から、秘書や簿記係の雇い入れにいたるまで、組織的にやらなければならないあらゆる細かい仕事を受け持ったのだった。

フランクは法学部を止《や》めてしまっていた。そして彼が会社の日常業務を監督し、ジェフが投資や総合的な会社の方針などについて、大きな決定をするということに、暗黙の了解がついていた。ジェフの推奨の正しさについて、フランクはもはや疑義をはさまなかった。しかし、ワールド・シリーズの大当たり以来、この二人のパートナーの間に奇妙な気まずい空気が流れるようになった。彼らはめったに付き合わなくなったが、ジェフはフランクが以前にもまして酒を飲んでいることを知っていた。フランクのそれまでの好奇心は、ジェフはどのくらい知っているのだろう、どうして知るのだろう、という恐怖心に変わり、その恐怖心は明らかに増大していった。この問題はもはや二度と話し合われることはなかった。

「……この受付の部分を通る——このデスクに、二週間後にどんなべっぴんが坐《すわ》るか期待していてくれよ——それから……ここを……見て……くれ！」

そのオフィスは広々としていたが、なんとなくこぢんまりとした感じがあり、威圧感はないけれども強い印象を与えるような雰囲気《ふんいき》があった。大きな長円形の樫《かし》のテーブルの後ろに黒いバルセロナチェアが主人を待っており、その正面に高級な銘酒がずらりと並んだバーと、きれいなキャビネットに納まったTVステレオ・コンソールがあった。二面の壁は床から天井《てんじょう》まで窓になっており、一面からハドソン川の景色が見渡せ、もう一面からマンハッタン中間地区の高層ビルが眺《なが》められた。部屋のすみずみに立派な植木《うえき》鉢《ばち》があって、みずみずしい感じを添え、ポロックのアクションペインティングの額縁は、人間の創造性の価値の証拠を示していた。壁の一区画には、きらびやかに花で飾られた馬の大きな写真が、楽しげに、ぬかりなく展示されていた。それはケンタッキー・ダービーの後で勝馬表彰台に乗ったシャトーゲイの写真だった。

「全部お前のだぞ」フランクはにっこり笑っていった。

ジェフは友人のしてくれたことに感動した。「すごいじゃないか、フランク!」

「もちろん、気に入らないものは何でも直《す》ぐに取り替える。デザイナーは、これらはすべて仮のものだと了解している――お前の承認を得なければならないとね。何てったって、ここで働くのはお前なんだから」

「すべてこのままで結構だ。びっくりしたよ。シャトーゲイの写真をあそこに飾るというアイデアは、まさかデザイナーが考えたなんていわないだろうな」

「ああ」フランクは認めた。「あれは俺《おれ》の案だ。お前が喜ぶだろうと思ってさ」

「インスピレーションが湧《わ》くだろうよ」

「それを当てにしているんだ」フランクは笑った。「なあ、これだけのことが、これだけ急速に起こったと思うと、まるで――まあ、俺の気持ち分かるだろう」彼は少年のような歓喜の表情を一瞬ぱっと見せたが、すぐに引っこめてしまった。フランクは今度の一連の経験で、年を取った。口に出されず答えられない疑問。衝撃的な、突然の、そして説明のつかない成功……これは彼にとって、まったく処理する準備のない出来事だった。

「とにかく」フランクは人のいない受付エリアの方に目を逸《そ》らせて、いった。「今日は片づけなければならない仕事が山ほどある。モンローに新式のオフィス用計算機をまとめて注文したんだが、それが二日前には届いていなければならないんだ。よかったら、ちょっとここで寛《くつろ》いで、部屋の感じをつかんでいてくれないか……」

「これで結構だ、フランク。仕事を続けてくれ。僕《ぼく》はぜひここに坐って、しばらく考え事をしたい。いや、どうもありがとう。よくやってくれた——相棒」

彼らは握手し、肩を叩《たた》き合って、意識的に仲間意識を誇示した。フランクがほとんど空っぽのオフィスの方に大股《おおまた》に立ち去ると、ジェフは大きなデスクの後ろの、坐り心地のよい包みこむようなバルセロナチェアに体を埋めた。

全く容易だった。想像以上に容易だった。競馬、ワールド・シリーズのゲームのイニングごとの再現……そして、これらの確実な賭けで蓄積した莫大《ばくだい》な資本があれば、もはやどんな事でもできない事はない。それも、以前と同じように容易に、あるいは、もっと容易に。

彼はきたるべき世界について知っていることを見直し、その知識を適用して現在の市場の状況を推定しながら、すでに株価の研究を始めていた。これだけの年月の全期間にわたって、経済の浮き沈みを一つ一つ覚えているわけではなかった。だが、小さな景気後退や、ちぐはぐな逆転を考慮するのに充分な、一般的な洞察力《どうさつりょく》を備えていた。

いくらかの投資は問題がなかった。例えば、ＩＢＭ、ゼロックス、ポラロイドなどは。他《ほか》のは、すでに始まっているか、または間もなく始まる社会的変化と、それらの変化によって利益を得る会社を心の中で結びつけて、もう少し考える必要があった。六〇年代の残りは、一般的な繁栄の時代であって、商用や観光でアメリカ人が広く旅行することを、ジェフは知っていた。だから、未来社はホテルや航空会社の株に大きく投資すべきであった。同様にしてボーイング・エアクラフト社は、もてはやされた超音速旅客機《ＳＳＴ》計画こそ間もなくキャンセルされるものの、長い上昇期に入るはずである。そして、七二七型機と七四七型機は、まだ発表されていないけれども、次の二十五年間の主要な商用機になるはずである。他の航空宇宙関連の会社は、それぞれ成功したり失敗したりするだろう。そして、アポロ計画でもっとも有利な契約を取ったのはどの会社であり、また究極的にどの会社が一連のスペース・シャトルを建造することになるかについては、注意深く調査すれば、きっと記憶を呼び起こす助けになるだろうと、ジェフは確信した。

彼は商業活動の密集するハドソン地区を見下ろした。最初の日に気づいたように、日本製自動車の侵略はまだずっと先のことだ。そしてアメリカは大型車との恋愛関係の頂点に近づいている。だから、クライスラーやGMやフォードに百万ドルばかり投資しても被害はないだろう。また、RCAは短期の選択としてはたぶん良いだろう。なぜなら、カラーテレビがこれから標準になり、この市場にソニーが殴り込みをかけてくるのは、まだ何年も先のことだから。

ジェフはこれらすべての将来性に目がくらむ思いで、目を閉じた。かつて耐え忍んだ毎月の経済危機、責任ばかり重くて給料の少ない仕事への生涯《しょうがい》の欲求不満は、今や過去の関心事であるばかりでなく、決して存在しない未来の関心事になってしまった。どうしてこんなことが起こったか、だれが気にしよう？　若くて、金持ちで、間もなくさらに途方もない金持ちになるのだ。これを少しでも変えようとか、疑問をさしはさもうとかいう気にはならない。ましてや、かつて住んでいた、いや、もしかしたら想像していただけかもしれない、あの別の現実に戻《もど》ることなど毛頭望まない。今では、ほしいものは何でも手に入るのだし、また、そのすべてを楽しむ時間とエネルギーがあるのだから。

「……共和党の指名を受けるのはゴールドウォーターかロックフェラーかどちらかです。ベイカーのスキャンダルは大統領再選劇に重大な影響を及ぼしそうもありません。もっとも、捜査がこれ以上エスカレートすれば、ホワイトハウスの側近グループ内部で〝ジョンソンおろし〟運動が起きることはありえます。さしあたり、ケネディ陣営にとってより大きな関心事は――」

「もっと他の番組を見ない？」シャーラが口をとがらせた。「どうしてそんなに政治番組ばかり見るのかしら。次の選挙まで、まだたっぷり一年はあるのに」

　ジェフはなだめるような薄笑いを見せたが、答えはしなかった。

「……減税と市民権法案でしょう。これらの提案は、十二月二十日に国会が休会する前に法制化されなければ、春の上下両院の会期でますます苦しい闘いに直面することになるでしょう。そしてケネディは、二重の勝利という望ましい雰囲気の中よりも、むしろ、国会の継続審議の苦闘という影の中で、選挙運動を始めなければならないでしょう」

　シャーラはぷんぷんしてソファから体を起こし、この東七十三丁目のタウンハウスの上の階に通じる階段の方にいった。「ベッドで待ってるわよ」彼女は素肌《すはだ》に羽織った桃色の薄いナイトガウンの肩越しにいった。「あなたが、まだ関心を持っているならの話だけど」

「……キューバ反革命軍の支援に失敗した、ピッグズ湾の惨劇に対して批判が高まっているにもかかわらず、また、米国労働総同盟産業別組合会議《AFLCIO》と鉄鋼産業というような異質の存在について、深刻な問題を抱えているにもかかわらず、大多数の大衆にとって、イメージと本人はやはり分かち難く結びついているのです。風に向かって進む若さ、魅力的な妻と愛児たち、その家族が経験した悲劇と勝利、気さくで当意即妙のユーモア、これらのすべてが――」

ジェフはソニーの試作のVTRのテープを巻き戻した。この機械は一万一千ドルもしたのに、十年ほど時代より早すぎたので、結局、失敗作となる運命にあった。ジョン・ケネディの白黒の資料映像が、ふたたびスクリーンに映った。それらはあまりにも親しいものであり、それだけ胸が痛むものだった。有名なロッキングチェアで微笑している姿。空港の滑走路でジョンとキャロラインを抱き上げる姿。ハイアニスポートの浜辺で兄弟とふざけまわる姿。この人の生涯の、これらの公開されている断片を、ジェフは何度見たことか。そして、これには必ず、四半世紀にわたって、ダラスのオープンカー、逆上した恐怖、ジャッキーの服の血、そして彼女の腕の薔薇《ばら》の場面が続いた。だが、今はそのような映像は存在しない。今夜の、放送されてから二時間もたっていない、これらのニュース番組のテープには、権力のマントを羽織ったリンドン・ジョンソンの写真は入らないだろうし、ワシントンの街路を行く葬列も、フェードアウトする永遠の火も入らないだろう。今夜は、話題の人は生きており、活気にあふれ、自分自身の将来とそして国家の将来について、さまざまな計画を抱いている。

「……気さくで当意即妙のユーモア、これらのすべてが、少なくともニュー・フロンティアの概念に表面的な重みを添えるのです。新たな始まり……現代の幸福な牧歌時代の到来と考える人もいるのです。新たに指名されたケネディ再選チームにとって武器となるのは、最初の任期の実質的な偉業の記録よりも、むしろ、これらの途方もなく肯定的なイメージなのです。ソーレンセン、オドンネル、サリンジャー、オブライエン、そしてボビー・ケネディのすべてが、自分たちの候補者の強さと弱点を知っており、即席の神話の力を知っているのです。きたるべき選挙戦でどこに注意を集中すべきか、彼らは確実に知っているのです」

ニュースは、麗々しい儀式の中でイランのパーレビ国王を訪問するシャルル・ド・ゴールの絵に変わり、ジェフはスイッチを切った。ケネディが生きている――過去数週間に何度も思ったように、彼はそう思った。ケネディは国家をどちらの方向に導いていくだろうか――継続する繁栄か、人種的調和か、ベトナムからの早期撤退か？

ジョン・F・ケネディは生きている。あと三週間は。

もし死ななかったら、もし死ななかったら……どうだろう？　この幻想は異様であり、陳腐でさえあったが、抗《あらが》いがたかった。しかし、これはテレビドラマでもないし、ＳＦでもない。ジェフはここにいる。一九六三年のまだ砕かれていない世界に。この時代最大の悲劇が、彼の知り過ぎている目の前に今まさに起ころうとしている。自分が阻止することは可能だろうか、そして、そんな事をして良いものだろうか？　すでに、未来社の存在を確立したというだけで、この時代の経済的現実に大きな変化を与え始めている。しかし、時空連続体は、まだ耐えられない圧力を受けているような徴候を示していない。

差し迫った暗殺について、きっと自分にできることが何かあるにちがいない、とジェフは思った。それも、十一月二十二日にテキサス教科書倉庫のあの六階の部屋で、実際に殺人者とじかに対面しなくても。FBIに電話する？　シークレット・サービスに手紙を書く？　だが、もちろん、当局は彼の警告を真面目《まじめ》に受け取らないだろうし、たとえ、だれかが真面目に受け取ったとしても、彼は陰謀の容疑者としておそらく逮捕されるだろう。

彼は中庭の入口の横のウェット・バーから飲み物を注《つ》ぎ、この問題を思案した。だれにこの話をしても、気違いとしか思われないだろう――大統領の自動車行列がディーリー・プラザを通過して、殺人現場に入り、極めて悲劇的にその場所を去ってしまうまでは。そうなったら後の祭りだ。もはや、世界に対して少しばかり善行をしても取り返しはつかない。

だとすれば、どうすればいい？　ただ手をこまねいて、殺人が起こるのを眺めていればいいのか？　愚か者に見られるのを恐れて、残酷にも歴史を繰り返させればいいのか？

ジェフは趣味良くしつらえられたタウンハウスの中を見回した。これは、彼もリンダも住むことを望んだどんな住まいよりも、はるかに上等だった。このすべてを入手するのに、ほとんど何の努力もせず、わずか六カ月しかかからなかった。今や知っている事を利用して、快楽と富を無限にひろげて生涯をすごすことができるだろう。しかし、もし、そのほかに知っている事にもとづいて行動を起こすのに失敗すれば、それらの偉業も永久に胸糞《むなくそ》の悪いものになるだろう。

彼は十五日にダラスに飛び、空港で最初に見つけた電話ボックスに足を止めた。そして、電話帳のOの部を繰ると、何のへんてつもない記載事項があった。だが、彼の目には、その文字はまるで炎で刻みこまれているかのように、ページから浮きだして見えた。

オズワルド、リー　H……一〇二六N．ベックリー……五五五—四八二一

ジェフはその住所を書きとめると、レンタカー会社エイビスから粗末な青いプリマスを借りた。カウンターの女が、彼が探している地域への行き方を教えてくれた。

彼はオーク・クリフのその白い木造の家の前を六回通り過ぎた。自分がドアのところに歩いていき、ベルを鳴らし、戸口に出てくるであろうマリーナという名前の、優しい声の若いロシア系の女に、話し掛けるところを想像した。彼女に何といえばよい？「御主人が大統領を殺そうとしています。あなたは止めなければなりません」とでも？もし、暗殺者自身が戸口に出たら？　さあ、どうしよう？

ジェフはその、普通の小さな家の前をもう一度ゆっくりと通過した。その中に住んでおり、世間の自己満足を打ち砕こうと計画し、機会を狙《ねら》っている男のことを想像しながら。

彼は車を止めずに、その付近を去った。それから、フォート・ワースのKマートで、安いポータブル・タイプライターと、タイプ用箋《ようせん》と、そして手袋を買うと、東空港高速道路のはずれの特色のないホリデイ・インの一室に戻って、手袋をはめ、タイプ用箋を開き、胸の悪くなるような手紙を書き始めた。

ジョン・F・ケネディ大統領宛《あて》
ホワイトハウス
一六〇〇 ペンシルバニア通り
ワシントンD.C.

拝啓 ケネディ大統領殿

フィデル・カストロ首相と解放されたキューバ人民を疎外したのは貴様だ。貴様はラテンアメリカと世界全体の自由な人民の圧政者であり敵である。

もしダラスにきたら殺してやる。高性能ライフルで頭を射《う》ち抜いてやる。そして、流れた血で、西半球の自由の戦士たちのために、正義という字を書いてやる。

これはこけおどしではない。俺はしっかりと武装し、必要とあれば死ぬ覚悟をしている。

貴様をきっと殺してやるぞ。


我等《ら》は勝つ！

リー・ハーベイ・オズワルド

ジェフはこの手紙にオズワルドの住所を書き添えると、車で町を横断して戻り、その特徴のない木造家屋から二ブロック離れたポストに投函《とうかん》した。一時間後、ダラスの南西四十マイルあたりで手袋が汗ばみ、なめし革が引き締まって、指が痺《しび》れてきた。それで、人里離れた湖を見つけ、橋の上からタイプライターを投げ込んだ。こともあろうに〝銃身《ガンバレル》〟という名前がついている罰当たりな町の近くで、車の窓から湿った手袋を投げ捨てると、やっとせいせいした。

次の四日間、彼はルームサービスの時以外はだれとも口をきかず、地方新聞を買いにいく時以外は外出せずに、ホリデイ・インの部屋に閉じ籠《こも》って過ごした。十九日、火曜日に、『ダラス・ヘラルド』紙の第五面に待ち兼ねていた記事が載った。リー・ハーベイ・オズワルドが大統領を殺すと脅迫したかどで、シークレット・サービスに逮捕され、ケネディ大統領の週末のテキサスへの日帰り旅行が終わるまで、保釈なしで拘留されるというのである。

ジェフはその夜ニューヨークに帰る飛行機の中で、しこたま飲んだ。だが、アルコールは彼の勝利感に、彼の脳に湧きあがる歓喜の思いに、何の影響もおよぼさなかった。ベトナムで停戦交渉がおこなわれ、飢えた人々に食糧が与えられ、流血の惨事なしに人種的平等が成就される世界……ジョン・ケネディと、希望にみちたヒューマニティの精神が死なず、地上に花咲き繁栄する世界。

飛行機が着陸する時に見えたマンハッタンの灯火は、ジェフが創造したばかりの栄光ある未来の輝かしい前兆のように思われた。


金曜日の午後一時十分過ぎに、秘書が彼のオフィスのドアをノックせずに開けた。彼女は涙の流れる顔でそこにたたずみ、口がきけなかった。ジェフはどうしたかと尋ねる必要はなかった。まるで目に見えない重い物で、腹部をぶん殴られたように感じた。

続いて入ってきたフランクが静かな口調で、今日はもう仕事をしなくてよい、君もほかのみんなも帰宅するようにと、その婦人に告げた。それから、ジェフを引っ張るようにしてビルの外に連れ出した。パーク・アベニューのあたりに一様に茫然自失《ぼうぜんじしつ》した群衆が歩き回っていた。あからさまに泣いている人々も少しはいた。また、車やトランジスターラジオの回りに集まっている人々もいた。大部分はぼんやり前方を凝視したまま、機械的にたがいちがいに足を出して、ニューヨークっ子に全く似合わない、のろのろした、上《うわ》の空《そら》の歩き方をしていた。まるで、地震がマンハッタンの固いコンクリートを砕き、だれも足下がおぼつかなくなったような具合。街路が再び揺れて崩れるかどうか、いや、裂けて世界を呑《の》み込んでしまうかどうか、だれにも分からないといった状態だった。未来が一瞬の激動とともに到来したのである。

フランクとジェフはマジソン街の外れの静まり返ったバーに入り、テーブルについた。テレビのスクリーンでは、大統領の遺体を乗せた専用機のエアフォース・ワンがダラス空港を飛び立とうとしていた。ジェフの心の目に、公職の宣誓をする副大統領リンドン・B・ジョンソンの写真が映った。その横には茫然としたジャクリーヌ・ケネディ夫人の姿。ドレスに残る血痕《けっこん》、薔薇。

「これで、どうなる？」フランクが尋ねた。

ジェフは背筋の凍るような白昼夢を破り捨てた。「というと？」

「次に世界はどうなるか？　と聞いているんだ。我々みんなこれからどうなるか？　とね」

ジェフは肩をすくめた。「多くはジョンソン次第だと推測するな。彼がどんな大統領になるかだ。君はどう思う？」

フランクは首を振った。「お前は〝推測〟なんかしないよ、ジェフ。お前が推測するのを見たことはないぞ。お前は物事を知っているのさ」

ジェフはウェイターを呼ぼうとして見回した。彼らはみんなテレビを見つめ、若いダン・ラーザーがこの日の午後の容易ならぬ事件の概要を、二十ぺんも繰り返して説明するのに聞き入っていた。「訳の分からないことをいうなよ」

「実は俺もそう思う。しかし、何かある……お前、正常じゃないぞ。どこかおかしい。それが気になるんだ」

パートナーの手が震えているな、とジェフは思った。無性に酒が飲みたいにちがいない。

「フランク、今日は恐ろしい特別な日だ。だから我々はみんな衝撃を受けているんだよ」

「お前は違う。俺とは違う。ほかのみんなとも違う。オフィスの者はだれも、何が起こったかお前に話さなかった。その必要がないみたいだった。まるで、何が起こるか、お前は知っていたみたいだったぞ」

「ばかばかしい」たくましい警察官がテレビのインタビューを受けて、目下テキサス州全域にわたって犯人狩りが行われていると説明していた。

「お前、先週ダラスで何をしていた？」

ジェフは疲れたようにフランクを見た。「さあね、旅行代理店でも調べてみるかね？」

「ああ。お前あそこで何をしていた？」

「地所を買おうと調査していたのさ。今日あそこで起こった事件にかかわらず、成長市場だからな」

「そうは思わんな」

「変わるかもしれない」

「思わんだと？　なぜ？」

「ちょっとした勘さ」

「俺たちはずっと、お前のその〝勘〟を頼りにしてやってきた」

「この先もまだ、やっていけるよ」

フランクは溜《た》め息《いき》をついて、若禿《わかはげ》の始まった髪を手ですいた。「いや。俺はだめだ。もうたくさんだ。やめたい」

「何てことを。まだ始まったばかりだというのに！」

「お前はきっと目覚ましい成功をすると思う。しかし、俺は気味が悪くなってきたんだよ、ジェフ。もう、お前と一緒に働くのが気持ち悪いんだ」

「後生《ごしょう》だから、今度の事件に、僕が関連があるなんて――」

フランクは手を上げて遮《さえぎ》った。「そうは言っていない。知りたくもない。ただ……やめたいのさ。資本金の俺の分はそのまま置いていく。今後二、三年で、いやどんなに長くかかってもかまわんが、利益から返済してもらえばいい。俺の役割分担はジム・スペンサーに移すがいい。彼は良いやつだし、ちゃんと仕事ができる。そして、お前の指示に文字通り従うだろう」

「とんでもない。一緒にやってきたのに！　あのダービーから、いや、エモリー大学からずっと――」

「そうだな。いまいましいが、そういう流れだった。だが、俺はポーカーチップをもう換金して、テーブルから抜けたいんだよ、元のパートナーさん」

「これからどうする？」

「たぶん、法学部を卒業する。ちゃんとした保守的な投資を自前でする。生活設計をするのに充分な貯金はあるんだ」

「よせよ、フランク。一生に一度のチャンスを逃そうとしているんだぞ」

「その点は疑いない。いずれ後悔するだろう。だが、今はどうしてもそうしたいんだ。自分自身の心の平静のためだ」彼は立ち上がり、手を差し出した。「ごきげんよう。いろいろと世話になって、ありがとう。やってた時は、かなり面白かった」

彼らは握手した。ジェフはフランクとの別れを防ぐために何ができたろうかと考えた。たぶん何もできなかったろう。たぶん、こうなることは避けられなかったろう。

「月曜日にスペンサーに話す」フランクはいった。「もし世界がまだ平和で、その時まで国家が機能していたらな」

ジェフは真顔でじっと彼を見つめた。「それは大丈夫だ」

「教えてもらって、よかった。気をつけてな、パートナー」

フランクがいってしまうと、ジェフはバーの止まり木に移り、ついに酒を飲んだ。三杯目を飲んでいると、ＣＢＳが速報を流した。「……ケネディ大統領の暗殺に関《かか》わる容疑者が逮捕されました。繰り返します。ダラス警察はケネディ大統領の暗殺に関わる容疑者を逮捕しました。容疑者はネルソン・ベネットという名前の浮浪者で、過去に左翼の活動家であったといわれます。ベネットのポケットから見つかった電話番号が、メキシコ・シティのソビエト大使館に通じることがわかったと、当局者はいっています。この臨時ニュースの続報は、入り次第お伝えいたします……」

イースト・サイドのタウンハウスの中庭は十一月の冷たい空気のなかで寒々としていた。これは夏の消滅してしまった世界の、夏のために設計された場所だった。ガラス板のテーブルや安楽椅子《いす》のぴかぴかに鍍金《めっき》された支柱が、この太陽が照らない日をよけいに殺伐《さつばつ》としたものに感じさせた。

ジェフは厚いカーディガンの胸元をしっかりとかきあわせて、あの事件を防止できなかったダラスの日に何が起こったのか、また考えた。ここ二日間に百ぺんもそのことを考えていた。一体、ネルソン・ベネットとはだれか？　オズワルドの逮捕に備えて舞台の袖《そで》で待っていた、補欠のお雇い暗殺者なのか？　それとも、ただの気紛《きまぐ》れの偶然なのか、でたらめな気違いなのか、人間の陰謀よりもはるかに強い力が、現実の流れが乱されるのを防ぐために働いたのか？

それを知ることは不可能だと、彼は覚《さと》った。この再構成された人生で、これ以外にいくらでも、理解を超えたことに出会っている。なぜ、この特殊な要素が、他《ほか》のすべてにくらべて説明し易《やす》くなければならないのか？　しかも、これは彼をあざけり、懲らしめた。彼は自分の先見を利用して、運命を積極的に変更しようと試みたのだ。これは一個人の賭博とか投資計画とかいうような些細《ささい》な事柄をはるかに超える重大事なのだ——そして、彼の努力は歴史の流れにほんの小さなさざ波しか起こさなかった。殺人者の名前が変わっただけ、それだけだった。

これは自分自身の未来にとって、どんな前兆になるのだろうか？　と彼は思った。予備知識を利用して自分の人生を再構成するというこの希望は、結局……表面的な変化しか起こせないように運命づけられているのだろうか、量的ではあるが質的ではないように？　真の幸福を成就しようというこの試みは、ケネディ事件への干渉と同様に、説明不可能な邪魔を受けるだろうか？　また、このすべては彼の知識の範囲を超えていた。

六週間前にはまるで全知の神のような気分でいた。そして、目的達成の潜在能力には限りがないように思われた。だが今は、再び、すべてが疑問の対象になった。彼は痺れるほどの絶望感を味わった。それは、寄宿学校時代のある恐ろしい一日に味わって以来、かつてなかったほど強烈なものだった。あの日、あの小さな橋のたもとで――

「ジェフ！　たいへんよ、ここにきて！　ベネットが殺されたわ。テレビで放映したの。殺されるところを見たわ！」

彼はゆっくりとうなずき、シャーラについて中に入った。その殺人は、彼が知っていた通りに、何度も何度も放映されていた。B級映画の悪党のような帽子をかぶったジャック・ルビーが、ダラスの郡拘置所の地下に通じる通路に、どこからともなく現れた。ピストルが突き出され、ネルソン・ベネットがちょうど良いタイミングで死んだ。その苦悶《くもん》に歪《ゆが》んだ髭面《ひげづら》は、リー・ハーベイ・オズワルドの詳細に報道された死の、歪んだ反映のように見えた。

ジョンソン大統領が間もなく、この血なまぐさい週末の事件を徹底的に捜査するように命じることを、ジェフは知っていた。アール・ウォレン裁判長のもとに特別委員会が設置され、解答が熱心に探し求められるだろう。何も見つからないだろう。人生は続いていくだろう。

6

その後、ジェフは金儲《かねもう》け以外はあまり熱中しなかった。金儲けはとても上手だった。映画の株は選択の対象としてはかなり容易なものだった。六〇年代中期は、映画の観客動員数が非常に多かった時代であり、『戦場にかける橋』とか『クレオパトラ』などのフィルムが何百万ドルもの値段でネットワークに売れるようになった時代だった。ジェフは小さな電子関係の会社を敬遠した。それらの多くは、価値が途方もなく増大することが分かっていたけれども、残念ながら、成功した会社の名前を覚えていなかったからである。その代わり、これらの小会社に投資することによって、この十年間に大いに儲けることがわかっている幾つかの複合企業に、金を注《つ》ぎ込んだ。リットン、テレダイン、リング・テムコ・ヴォートなどである。彼の選んだ株は、買ったその日からほとんど一様に利益を上げた。そして、その収入の大部分を投入して、さらに買い増しをした。これはやるだけの価値のあることだった。

シャーラは、ジェフがカシアス・クレイに賭《か》けろといったにもかかわらず、依怙地《いこじ》になってリストンに賭けた。それでも彼女はその試合を堪能《たんのう》した。その夜のイベントに対するジェフの反応は、もっとずっと複雑だった。試合そのものに対してはそれほどでもなかったが、その状況、その群衆に対して、心が落ち着かなかった。来場した大口の賭《と》博者《ばくしゃ》や胴元の何人かが、ジェフがきていることに気づいた。彼は、あの記録的なワールド・シリーズの勝利の後、賭博界に広くその名を知られてしまったからである。あの何百万ドルもの賞金の大きな部分を支払わなければならなかった人々の中にさえ、彼に愛《あい》想《そ》の良い笑顔を見せ、〝親指を上げて〟激励の合図を送る者がいた。彼は賭博界から村八分になっていたかもしれないが、その内部では伝説的な存在になっていて、それだけの規模の伝説に相応《ふさわ》しい敬意を充分に払われていたのである。

ある意味で、この事が自分の心を悩ましているのではないかと、彼は思った——ギャンブラーたちの派手な敬意の表現は、自分がアメリカの下層社会を基盤にして、外部からの憶測は不可能だとしても、大規模な詐欺を行うことによって今度の人生を始めたということを、あまりにも明瞭《めいりょう》に思い出させる。それ以後の、一般社会における成功がどんなに大きくても、自分はこの文脈において、永遠に記憶されるだろう。この事実が暗示する葉巻と汚れた金銭の悪臭を、長い熱いシャワーで洗い流したいと思った。

だが、問題はもっと具体的なものでもあると、マイアミビーチのホテル街の俗悪なファサードの前を通って、コリンズ通りを突っ走っていくリムジンの中で、彼は思った。

それは、特定すれば、シャーラのことだった。

彼女はボクシングの観衆の中に違和感なくはまりこみ、ほかのけばけばしいタイトドレスに厚化粧の、若い空虚な女たちの中で、完全に寛《くつろ》いで見えた。彼は隣席のシャーラをちらりと見て、これを直視しろ、と自分にいい聞かせた。高価だが安っぽい。ラスベガスのように。マイアミビーチのように。最も皮相的に評価しても、シャーラがごく単純な、セックスのために設計された機械であり、それ以上の何物でもないことは、だれの目にも明らかだ。まさに〝家に連れていって母に会わせることのできない女〟の典型だった。そして、自分がまさにその通りの事をしてしまったと思って、彼は顔をしかめた。タイトルマッチを見るためにここにくる途中で、彼らはオーランドに止《と》まったのだった。実家の家族は、彼の突然のものすごい財政的勝利に圧倒され、少なからず脅《おび》えていた。だが、それにもかかわらず、シャーラに対する軽蔑《けいべつ》の念を隠すことができず、また、ジェフが彼女と同棲《どうせい》しているという話に不安を覚え、失望したことは明らかだった。

彼女はバッグからタバコの箱を取り出すために身をかがめた。すると黒いサテンのドレスの胸元がゆるんで、豊満な乳房のクリーム色の大きな広がりがジェフの目に映った。今でさえも彼は彼女を欲《ほっ》し、その肉体に顔を押しつけて、ドレスを上にすべらせ、完璧《かんぺき》な脚線美を露出させたいという、いつもながらの衝動を感じた。

彼はこの女性と一年近く一緒にいて、心と感情以外のあらゆるものを分け合った。だが、その事が突然、嫌悪《けんお》をもよおすものになり、彼女の美しさそのものが、彼の感性に対する非難になった。どうしてこんなことをだらだらと続けてきたのか？　初めの頃《ころ》に彼女に魅力を感じたことは理解できる。シャーラはファンタジーの中のファンタジーであり、回復した青春にふさわしい、欲望をくすぐる呼び物だった。だが、それは基本的に空虚な出し物であって、あの学生寮の部屋の壁に貼《は》ってあった闘牛のポスターのように、実質と複雑さを欠いた子供だましだった。

彼は彼女がタバコに火をつけるのを見つめた。人を欺《あざむ》くほどに貴族的な彼女の顔が、ライターのぼんやりした赤い光に染まった。彼女は彼の視線を捕えると、細い眉《まゆ》を上げて、性的な挑戦《ちょうせん》と約束の表情を浮かべた。ジェフは目をそむけ、マイアミの静かな奇麗な水面に反射する光を眺《なが》めた。

翌朝シャーラはリンカーン通りで買物をして過ごした。ジェフがドーラル・ホテルの続き部屋で待っていると、やがて帰ってきて、入口の広間に荷物を置き、真《ま》っ直《す》ぐに鏡のところにいって化粧を直した。短い白いサンドレスがその日焼けした輝かしい肌《はだ》を引き立たせ、ハイヒールのサンダルはその茶色の素足を実物以上に長く細く見せた。ジェフは手にした分厚い茶色の封筒の縁を両手の親指でなでながら、決心をほとんど変更しそうになった。

「部屋で何しているの？」彼女は尋ねて、風通しのよい木綿のドレスのジッパーを下ろそうとして、背中に手を伸ばした。「水着に着替えて日光浴しようよ」

ジェフは首を振り、自分の前の椅子《いす》に坐《すわ》れという身振りをした。彼女は眉をひそめて、日焼けした背中のジッパーを閉じ、示された場所に腰を下ろした。

「どうしたのよ？」彼女は尋ねた。「なぜ、そんな妙なムードなの？」

彼は話そうとしかけたが、言葉は不適当だと数時間前に決心していた。もともと、何事についても、本当の話し合いは決してしたことがないのだ。言葉による意志の疎通は、二人の間に起こる事柄とほとんど関係がなかった。彼は封筒を渡した。

シャーラはきっと口を結んでそれを受け取り、封を切った。そして、六個のきれいな百ドル紙幣の束を、しばらく見つめていた。「いくら？」彼女は最後に、静かに抑制のきいた声で尋ねた。

「二十万ドル」

彼女はもう一度封筒の中を覗《のぞ》き込み、パナグラ航空リオ行きファースト・クラスの、一人分の航空券を引き出した。「明日の朝の便ね」彼女は切符を調べていった。「ニューヨークにある私の持ち物はどうなるの？」

「どこにでも好きな所に送ってあげる」

彼女はうなずいた。「行く前に、ここでもう少し買物をしなくちゃならないわ」

「何なりと御自由に。部屋につけておくといいよ」

シャーラはまたうなずき、金と切符を元の封筒に収め、横のテーブルに置いた。それから立ち上がってジッパーを開いた。ドレスが脚の回りの床に滑り落ちた。

「ねえ」彼女はブラを外しながらいった。「二十万ドルもの大金をくれたんだから、最後にもう一度させてあげようか」


ジェフは一人でニューヨークに戻《もど》り、投資を再開した。

次の数年間は、スカートの丈が短くなり、そのために模様入りの靴下《くつした》やパンストの需要が大幅に増えることを、ジェフは知っていた。それで、ヘイニーズを三万株買った。こうして太股《ふともも》を露出すれば、かならずある種の影響が出る。それで、避妊用のピルを製造している製薬会社の株をたくさん買った。

シーグラム・ビルに移って十八カ月後に、未来社の持ち株は時価三千七百万ドルに上昇した。ジェフはフランクに全額を返済し、その最後の小切手とともに長い個人的な手紙を書いてやった。返事はついにこなかった。

もちろん、必ずしもすべてが、ジェフの計画通りにいったわけではなかった。コムサットの株式が公開された時、大量に買いたいと思ったが、この株はあまりにも人気が出てしまったので、売出しは買い手一人につき五十株に制限されてしまった。また、驚くべきことに、ＩＢＭは一九六五年いっぱい停滞していたが、その翌年にはまた上昇に転じた。ファースト・フードのチェイン――ジェフはデニーズ、ケンタッキー・フライド・チキン、それにマクドナルドを選んだ――は、一九六七年に大暴落し、その一年後に平均五百パーセントの高騰をした。

一九六八年までには、彼の会社の全資産は何千万ドルにもなったので、パーク街五十三丁目の角にＩ・Ｍ・ペイの設計で、本社ビルを建てることを承認し、また、ヒューストン、デンバー、アトランタ、それにロサンゼルスの選《え》り抜《ぬ》きの商業地区と住宅地区に広大な土地を買収するように命じた。会社はロスの新しいセンチュリー・シティ計画の中の、未開発地の大半を、一平方フィートにつき五ドルで買い、自分用として、マンハッタンからハドソン川を二時間ほどさかのぼったダッチェス郡に三百エイカーの地所を買った。

彼はさまざまな女性と一緒に出掛け、その何人かと寝て、その無意味な過程のすべてを憎んだ。飲酒、晩餐《ばんさん》、演劇、音楽会、それに画廊のオープニング……彼はデートの堅苦しい形式を軽蔑するようになり、友情のこもった沈黙や強制されない笑いを共有しながら、ただだれかと一緒に
いるという気安い親しみが失《う》せたことを悔やんだ。しかも、彼が会う女性の大部分は、彼の富にあからさまに関心を示し過ぎるか、または、故意に無関心を装い過ぎた。ある者は財産のために彼を憎みさえし、そのために一緒に外出す

ることを拒む者さえもいた。六〇年代後期の多くの若い人々にとって、莫大《ばくだい》な個人の財産は強い呪《のろ》いだった。そしてジェフは、大都市内部のスラムの飢餓からナパーム弾の製造にいたるまで、世の中のすべての不幸の責任が直接自分にあるように、一度ならず感じさせられた。

彼は時節を待ち、エネルギーを仕事に集中させた。そして絶えず、六月がくる、六月がくると、自分に言い聞かせていた。一九六八年六月。それはすべてが変わるはずの時だった。

正確にいえば、六月二十四日。

ロバート・ケネディが死んでまだ三週間もたっておらず、今はタイトルを奪われてムハマド・アリとして生まれかわったカシアス・クレイが、徴兵忌避の信念を訴えていた。ベトナムでは早春以来、北からロケット弾がサイゴンに射《う》ち込まれていた。

ジェフは回想した。あれは、ある月曜日の午後の半ばだった。彼はウェスト・パーム・ビーチの〝トップ四〇〟のヒットレコード専門の放送局で、ビートルズやストーンズやアレサ・フランクリンなどのレコードを掛けながら、暇な時間に、その時代の放送ジャーナリズムの基本を勉強したり、自分の作ったインタビューやストーリーを、一つかいくらの方式で、その局とか、時にはＵＰＩオーディオに売ったりしながら、夜も週末も働いていた。この日付を覚えているのは、その日が彼だけの月火の〝週末〟の始まりに当たっていたからであり、またその週の水曜日に仕事に戻った時に、引退する連邦最高裁判所長官アール・ウォレンに電話して、長い率直な談話を引き出すという、社会人になって初めての大きなインタビューに成功したからである。ウォレンがなぜ、彼のようなフロリダの三流放送局の信用証明書もない未熟なレポーターと話すことに同意したか、いまだにわからない。だが、どういうわけか、ジェフはその仕事をうまくやってのけ、その大物から引き出した、議論が多かった在職期間についての歯切れのよい述懐が、NBCに高く売れたのだった。その後一月《ひとつき》もたたないうちに、ジェフはマイアミのWIOD局の常勤としてニュースを流すようになった。プロとしてスタートを切り、仕事は順調に進んだ。このような彼の青壮年期のすべては、さかのぼっていくと、あの夏の週にたどり着くのである。

ボカ・ラトーンを選ぶ理由はなかった。選ばない理由もなかった。ある月曜日には北に向かってドライブし、ジュノ・ビーチにいった。また別の月曜日にはデルレイ・ビーチかライトハウス・ポイントまでいったかもしれない。メルバンからサウス・マイアミビーチまでの大西洋岸に無数に連なる砂と文明が結びついた場所ならどこでもよかったのだ。しかし、一九六八年六月二十四日には、彼は毛布とタオルとそしてビールを一杯入れたクーラーを持って、ボカ・ラトーンの外れの浜にいったのだった。そして今ここに、再び同じ場所に、あの同じ夏の日に、やってきたのである。

やはり〝彼女〟がいた。黄色の鉤針編《かぎばりあ》みのビキニを着て、ふくらませたゴムのビーチピロウに頭をのせて仰向けに横たわり、ハードカバーの『大空港』を読んでいた。ジェフは十フィート手前で足を止め、立ったまま彼女の若々しい体を眺めた。濃い茶色の頭髪にレモン色の縞《しま》がある。足の下の砂が熱い。大波の轟《とどろ》きが頭の中にこだまする。一瞬、彼は向きを変えて立ち去ろうとしたが、思い止まった。

「やあ」彼はいった。「その本面白い?」

彼女は縁が透明な、フクロウのようなサングラスの中から彼を見上げ、肩をすくめた。

「駄作《ださく》みたいだけど、面白いわ。たぶん、映画にしたら、もっと面白いでしょう」

それも次々に映画ができるぞ、とジェフは思った。「『2001年』はもう見た?」

「ええ。でも、何のことかさっぱり分からなかったわ。それに、最後まで何となく退屈だったし。『華やかな情事』のほうが良かったわ。ほら、ジュリー・クリスティが出る映画よ」

彼はうなずいて、自分の笑顔をもっと自然な、リラックスしたものにしようと努力した。

「僕《ぼく》はジェフ。ここに坐ってもいいかい?」

「どうぞ。私はリンダよ」十八年間、彼の妻であった女がいった。

彼は毛布を広げ、クーラーを開け、彼女にビールを差し出した。「夏休みは？」

彼女は片肘《かたひじ》ついて、水滴のついた瓶《びん》を受け取った。「フロリダの大西洋岸にいくの。家族はこの町に住んでいるけどね。あなたは？」

「僕はオーランドで育ち、エモリー大学にちょっといった。でも、今はニューヨークに住んでいる」

ジェフは懸命に平静を装おうとしたが、うまくいかなかった。彼女の顔から目を逸《そ》らすことができず、この邪魔なサングラスを外してくれれば、よく知っているあの目を見ることができるのにと思った。彼女の声の最後の記憶——小さな、遠い、電話の声——が頭の中に反響した。「わたしたちに必要なのは——必要なのは——必要なのは——」

「ねえ、むこうで何をしているの？　と尋ねたのよ」

「あ、ごめん、あのう——」彼は頭をはっきりさせようとして、冷たいビールをぐっと飲んだ。「ビジネスをしている」

「どんな種類の？」

「投資」

「というと、株の仲買人かなにか？」

「必ずしもそうではない。自分で会社を持っているんだ。大勢の仲買人と取引きしている。株式、不動産、オープンエンドの投資信託……なんか」

彼女は大きな丸いサングラスを下げて、驚いた表情を見せた。彼はそのよく知っている茶色の目を覗きこみ、こんなことを言いたかった。「今度は違うぞ」とか「頼む、もう一度やってみようよ」あるいはもっと単刀直入に「会いたかった。君がどんなに可愛《かわい》いか、忘れてしまっていたよ」とか。だが、何もいわなかった。彼は無言のうちに希望を抱きながら、その目を見つめた。

「一つの会社をまるまる所有しているの？」彼女は信じられないように尋ねた。

「今はね。二、三年前まではパートナーがいたけど……でも、今は全部自分のものさ」

彼女はビールを砂の上に置き、瓶を前後に動かして、倒れないように穴を掘った。

「大きな遺産でも転がりこんだのかしら？　あのね、私の知合いの男の子なんか、ニューヨークでそんな会社に就職することさえできずにいるのが多いのよ……さもなければ、そういう気がないみたいなの」

「いいや、僕は自分で築き上げたんだ。無一文から」彼は笑った。自分の成功に、何年ぶりかで初めて自信と誇りを覚え、彼女の前でいくらかリラックスし始めたように感じた。

「競馬とか、そういう博打《ばくち》で大金を儲けて、全部この会社に注ぎ込んだのさ」

彼女は疑わしそうに彼を見た。「それにしても、あなた何歳？」

「二十三歳」彼は一呼吸おいて、自分のことを喋《しゃべ》りすぎ、相手に対して好奇心を充分に表現していなかったと気づいた。彼女について、彼がすでにあらゆる事を知っている、などということは——彼女の人生のこの時点で、彼が本人以上に彼女のことを知っているなどということは——彼女の知りえないことだ。「君のこと教えてよ。何を勉強しているの？」

「社会学。あなたはエモリー大学で経営学か何か専攻していたの？」

「歴史さ。でも、中退しちゃった。君、何年生？」

「この秋に四年生になるの。それで、あなたのその会社というのは、どのくらい大きいの？　いや、社員は大勢いるの？　本当にマンハッタンの中にオフィスがあるの？」

「パーク街五十三丁目のビルディングまるまる一つだ。君、ニューヨーク知ってる？」

「自分自身のビルがある。それもパーク街に。それはいいわね」彼女はもはや彼を見ず、ビール瓶の回りの砂にヒナギクの花びらの模様を描いていた。ジェフはある日のことを思い出した。彼女と結婚する何カ月か前のことだ。彼女は思いがけず、一束のヒナギクを抱えて彼の戸口に現れたのだった。彼女の髪の後ろから日が照り、彼女の笑顔には夏のすべてが含まれていた。

「いや、まあ……ずいぶん苦労したんだよ」彼はいった。「それで、君は卒業したら何をする計画なの？」

「あのね、デパートを二つ三つ買おうと思っていたのよ。ほら、最初は小さくやらなくちゃね」彼女はタオルをたたみ、毛布の上から自分の持ち物を拾い集め、それを大きな青いビーチバッグに詰め込み始めた。「五番街のサックスでうまく取引きができるように、きっとあなたが助けてくれるでしょうね？」

「ねえ――ちょっと待って、いかないでくれよ。からかってると思ったんだね？」

「もういいわ」彼女はいって、本をバッグに押し込み、毛布から砂を払い落とした。

「ねえ、君、真面目《まじめ》な話だ。けっして、からかったんじゃない。僕の会社は未来社というんだ。もしかしたら、君も聞いたことがあるかも――」

「ビールありがとう。今度はうまくやってね」

「ねえ、お願いだ。もうちょっと話そうよ。いいだろ？　僕はまるで君を知っているように感じるんだ。何か、共通点がいっぱいあるみたいでさ。こんな具合に感じたことはないかい？　ほら、前世でだれかと一緒だったというような――」

「そんな馬鹿《ばか》なことは信じません」彼女はたたんだ毛布を腕に掛けると、ハイウェイのそばに駐車している車の列の方に歩き出した。

「ねえ、チャンスだけは与えてくれよ」ジェフは並んで歩きながらいった。「もし、互いに知り合えば、多くを共有することになるのを、僕は事実として知っているんだ。僕らは――」

彼女は素足でくるりと向き直って、サングラスの上の縁から、彼を睨《にら》みつけた。「つきまとうのを止《や》めないと、大声を出して海岸監視員を呼ぶわよ。さあ、さがって、あんた。ほかの人を見つけなさい、いいわね？」


「もしもし？」

「リンダですが？」

「ジェフです。ジェフ・ウィンストンです。今日の午後、浜で会った――」

「どうして、この番号がわかったの？　苗字《みょうじ》さえ教えてないのに！」

「それはどうでもいいんだ。ちょっと聞いて。これから『ビジネス・ウィーク』の最新号を送るよ。それに、僕についての記事がのっている。写真入りでね。四十八ページだ。僕が嘘《うそ》をついていないとわかるだろう」

「私の住所まで知っているのね？　いったい、どういうつもりなの？　私に何の用があるのよ？」

「君と知り合いになりたかっただけさ。そして、君にも僕のことを知ってもらいたかった。僕たちの間にはまだしてないことがたくさん残っている。たくさんの素晴らしい可能性が――」

「おかしいのね！　頭が狂っているのね！」

「リンダ、出だしがまずかったが、説明の機会を与えてくれよ。お互いに公然と、まっとうなやりかたで接近する余地を、われわれに与えてくれよ。そうすれば——」

「私はあなたなんかと知り合いになりたくないわ。あなたが誰様《どなたさま》であってもね。お金持ちでも関係ないわよ。たとえ、あなたがあの億万長者のJ・ポール・ゲッティであってもよ。わかった？　さあ……私を……ほっといて！」

「君が狼狽《ろうばい》するのはわかる。君にはこの事が、ものすごく奇妙に見えるだろうが——」

「二度とここに電話を掛けてきたり、私の家に現れたりしたら、警察を呼ぶわよ。わかったわね？」

彼女が電話を切ると、そのガチャンという音がジェフの耳に鳴り響いた。

彼は人生の大部分をやりなおす機会を与えられた。しかし、この一日をもう一度やりなおすことができたら、そのすべてを犠牲にしてもいいと思った。


ミラソウ・ブドウ園にはブドウ摘みの人夫があふれていた。彼らはサンノゼの南東の斜面で作業をし、新鮮な緑色のブドウの実を入れた大バケツを頭にのせ、曲がりくねった道を収穫アリのようにぞろぞろと降りてきて、古い酒蔵の外側の破砕機と搾り機のところにやってくる。丘陵には棚仕立《たなじた》てのブドウの、充分に間隔をおいた畝《うね》がさざ波のように並んで見え、ここの石積みの建物の間のオークや楓《かえで》の木は、十月の色と輝きを放っていた。

ダイアンは一日じゅう彼に腹を立てており、この牧歌的な環境もワイン醸造所の謎《なぞ》めいた複雑な装置も、彼女を宥《なだ》めるにはほとんど役立たなかった。今朝は、ジェフは彼女を連れてくるべきではなかったのだ。あの二人の若い天才に、彼女が魅了されるかもしれない、いや少なくとも面白がるかもしれないと思ったのが、間違いだった。

「二人ともただのヒッピーではありませんか。あの背の高い子は、なんと、裸足でしたよ。そして、もう一人ときたら、まるで……ネアンデルタールみたい！」

「彼らのアイデアには大変な可能性があるんだよ。身なりなんか、どうでもいいんだ」

「でも、六〇年代はもう終わったと教えてやるべきですわ。彼らのその馬鹿げたアイデアを、どうにかしたいならばね。あなたがそれに惚《ほ》れ込んで、あんな大金を与えたなんて、信じられませんわ！」

「私の金なんだよ、ダイアン。そして、前にもいったように、事業の決断もすべて私のものだ」

彼は実際、彼女の反応を非難することはできなかった。なぜなら、予知能力がなければ、その二人の若者とガレージ一杯の中古電子部品が、将来『フォーチュン』誌の上位五十社ランキングに入るなどとは、とても思えなかったからである。だが、五年以内に、カリフォルニア州クパティーノのそのガレージは有名になるはずだし、スティーブ・ジョブズとスティーブ・ウォジャックは一九七六年のもっとも堅実な投資の対象になるはずだった。ジェフは彼らに五十万ドル与え、最近出会った元インテル社の市場担当重役をしていた若い男の忠告に従うように、しつこく念を押し、彼らがその会社を『アップル』と呼び続ける限り、何でも好きなものを作ってよいと言った。二人に、この新しい企業の株の四十九パーセントを持たせたのだった。

「だれが自分の家にコンピューターを持ちたがったりするでしょう？　そして、あんな薄汚い男の子たちが本当にパソコンの作り方を知っていると、どうしてあなたは思うの？」

「もうこの話は止めよう、いいね？」

ダイアンはいつものように、拗《す》ねて黙り込んだ。だがジェフは、この問題が本当に終わったとは思わなかった。たとえ今後、彼女がこれについて沈黙を守るとしてもである。

彼女とは一年前に結婚したのだった。他《ほか》に理由はないにしても、便宜上、三十歳を越すとすぐにそうしたのである。彼女は二十三歳で、この国で最古最大の保険会社の一つの女相続人であり、ボストン社交界の淑女だった。なよなよとした魅力があり、どんな種類の集会であろうと、参加者ひとりひとりの正味の財産が七桁《ななけた》の数字を超える集会で、見事に振る舞うことができた。彼女とジェフは、金を持ち慣れているということ以外にほとんど共通点のない二人の人間に期待できる範囲で、とてもうまくやっていくことができた。今ダイアンは妊娠七カ月。そしてジェフは、子供が彼女の最上の美点を引き出してくれ、彼らの結びつきをより深めてくれることを期待していた。

きっちりしたネイビー・スーツを着た若い金髪の女が、彼らをワイン醸造所の母屋《おもや》の中に案内し、手前の一角にある試飲室に連れていった。壁ぎわの菱形《ひしがた》のラックにワインの瓶がずらりと並んでおり、棚の切れ目にある薄明かりのついたアルコーブに、このワイン醸造所の写真が展示されていて、切り花と、このモルソウ製品の瓶が立ててあった。ジェフとダイアンは部屋の中心のローズウッドのバーのところに立って、白い辛口のシャルドネを儀式的に試飲した。

七年前のあの浜辺の惨憺《さんたん》たる出会いの後で、リンダが言った言葉に、明らかに偽りはなかった。彼が送った手紙は全部開封されずに送り返され、贈り物はすべて拒否された。数カ月後、彼はついに彼女と接触しようとする試みを止めてしまった。だが、購読契約をしている〝切抜き通信社〟の「個人的・優先的」事項のリストに彼女の名前を加えて、追跡を継続させたのだった。それによって、一九七〇年五月にリンダがヒューストンの建築家と結婚したことを知った。この人物は男やもめで、二人の幼い連れ子がいた。ジェフは彼女の幸福を願ったが、彼女に捨てられたように感じないわけにはいかなかった……もっとも、彼女に関するかぎり、彼を全く知らなかったのだけれども。

彼は再び仕事に慰めを見出《みいだ》した。最近の最も目覚ましい成功は、ベネズエラとアブダビにある自分の油田を、莫大《ばくだい》な利益を得て売却し、直ちに、アラスカとテキサスの同様の物件に十数カ所の海底油田の掘削装置の契約を加えて、買い換えたことだった。もちろん取引きのすべては、オペックの剣が振り下ろされる直前に完了した。

彼が交際を求めた女たちはすべて、たいていの面でダイアンと似ていた。魅力的で、身だしなみの良いコンパニオンであり、たいていの練りに練った社交技術に精通し、教養があり、そして、時にはベッドで情熱を燃やした。富の娘たち。アメリカの上流社会として通用するものの姉妹。基本原則を知っている女たち。莫大な富の所有者の限界とそれに伴う義務を、生まれながらに理解している女たち。今はそういう女性が彼の仲間だった。彼女らは、彼が完全に合理的にその中から連れ合いを選び出すべきプールを構成していた。その中からダイアンを選んだのは、ほとんど行き当たりばったりだった。彼女は適当な基準に合っていた。もし万一、ジェフとダイアンの組み合わせから、結果的に、より偉大なものが成長したら、それはそれで結構……もし、そうでなければ、少なくともジェフは非現実的な高望みをせずに結婚したことになる。

ジェフは一切れのチーズで口の中を清め、今度はやや甘口のフルーリ・ブランを試飲した。ダイアンは今度は飲むのを辞退し、説明のために大きくなった腹を叩《たた》いてみせた。結局、子供が生まれれば、状況は変わるだろう。先のことはわからないが。

太ったオレンジ・キャットが硬材の床を横切って、散開した敵のフットボール・プレイヤーの間を駆け抜けるO・J・シンプソンの名人芸も顔負けの勢いで、飛び跳ねていった。獲物《えもの》の、輝く黄色いサテンのリボンは、すでにめちゃめちゃになっていて、猫《ねこ》の思うままにさせていたら、間もなくずたずたに裂けてしまうだろう。

「グレッチェン！」ジェフは呼んだ。「チャムリーが君の黄色いリボンを引き裂いてるよ。いいのかい？」

「いいのよ、お父さま」広い居間のずっと向こうの隅《すみ》の、ハドソン川を見下ろす窓のそばから、娘が答えた。「ケンがもう帰ってきたの。だから、チャムリーと私がお祝いの手伝いをしてるのよ」

「おや、いつ帰ったんだい？　まだドイツの病院にいるんじゃなかったのか？」

「ちがうわよ、お父さま。彼はお医者さまに、病気じゃないから、すぐに家に帰らなくちゃならないといったの。それでバービーがコンコルドの切符を送って上げたの。だから、彼はだれよりも早く帰ってきたのよ。そして、彼が玄関に入ってくるやいなや、バービーがブルーベリー・マフィンを六つと、ホットドッグを四つ作って上げたのよ」

ジェフは大声で笑った。すると、グレッチェンは目の大きな四歳の顔に、せいいっぱい悲しげな表情を浮かべて説明した。「イランにはホットドッグがないのよ。ブルーベリー・マフィンだってないんだから」

「そうだろうね」ジェフはそういって、できるだけ厳粛な表情をした。「きっとアメリカの食べ物に飢えているだろう」

「もちろんよ。バービーは彼を喜ばせるのがうまいのよ」

猫はぼろぼろのリボンを前足で叩きながら、別の方向に猛烈な勢いで駆け戻り、それから勝利に酔いしれたように日向《ひなた》に横になり、リボンを散発的に後足で蹴《け》った。グレッチェンは自分の遊びに戻り、精巧な人形の家というもう一つの現実に没入した。その人形の家はジェフが一年以上も費やして、彼女の要求に応じて作り、建て増しをしてきたものだった。緑色のフェルトの前庭に立つミニチュアの樹木は、今や派手な黄色いリボンで飾られていた。この一週間というもの、彼女は人質事件の最終局面のニュースを、たいていの子供が土曜の朝の漫画番組にだけ示すような深い関心をもって追求してきたのだった。最初ジェフは、テヘラン事件に彼女が夢中になるのを心配し、「アメリカに死を」と叫ぶあの狂信的な暴徒を見ることによる、潜在的な外傷効果から彼女を保護したいと思った。だが、この事件は平和で陽気な結末を迎えることになるのを知っていたので、娘の早熟な世界の理解を尊重し、その感情的な回復力を信じることにしたのである。

ジェフは娘のグレッチェンを愛した。これほど人を愛することができるとは思っていなかったほど愛した。同時に、彼女をあらゆる闇《やみ》から守ってやりたいと思い、あらゆる光を分け与えたいと願った。グレッチェンの誕生は、ダイアンとの結婚生活を固めるのに何の役目も果たさなかった。もし何らかの効果があったとすれば、それは、子供の存在が自分の生活の束縛になるのを、彼女が嫌《いや》がっているように見えることだけだった。しかし、それはともかくとして、グレッチェンそのものは、彼が達成できる、いや、想像できる、すべての深い愛情の根源であり、対象だった。

ジェフは、彼女が人形の家の木の一本からもう一筋のリボンを取って、太って年老いたチャムリーをじゃらすのを見守った。猫は疲れて、もう遊ぶ気がなくなっていた。そして、懇願するように、グレッチェンの頬《ほお》に柔らかい前足をのせた。彼女はそのふかふかした金色の腹に顔を埋めて、心ゆくまでその動物に鼻をこすりつけた。猫が喉《のど》を鳴らす音と、娘の優しい笑い声が入り混じって、部屋の反対側のジェフのところまで聞こえてきた。

高い出窓から見える太陽が、高く昇って、グレッチェンが猫と戯《たわむ》れている磨《みが》かれた床に、輝かしい平行の縞のついた光線が射しこんでいた。この家は――ダッチェス郡のこの閑静な森に囲まれた屋敷は、彼女のために良い。この平穏は、若かろうと年寄りだろうと、無邪気だろうと悩み多かろうと、どんな人間の魂にとっても慰めになる。

ジェフは昔ルームメイトだったマーティン・ベイリーを思い出した。グレッチェンが生まれて間もなく、彼はマーティンを訪ねて、この人生では、何年かにわたって何となく途絶えていた関係を再開したのだった。ジェフは彼を説得したが、特別に悲惨な結果に終わるであろう結婚——本来の人生では彼を自殺に導いた結婚——を回避させることはできなかった。しかし、彼が未来社の中で安全な地位を確保するように気を配ってやり、時々、優良株の情報を流すように取り計らってやった。この友人マーティンは再び離婚を——それも惨《みじ》めな離婚を——したが、それでも自殺はせず、支払い能力もあった。
　ジェフは最近はリンダのことも、昔の人生のことも、めったに思い出さなかった。今では、夢のように思われるのは最初の人生の方だった。現実はダイアンとの感情的な膠《こう》着《ちゃく》状態であり、娘のグレッチェンとともにある至福であり、また、絶えず増え続ける富と権力の、混合した恵みだった。現実は知識であり、良きにつけ悪《あ》しきにつけ、知識がもたらしたすべてだった。

　スクリーンの映像は純粋に臓器の動きを示した。カーブした心室全体が滑らかに流れるように脈動して、完全なゆったりしたリズムで膨張と収縮を繰り返した。

「……ご覧の通り、どちらの心室にも明らかに異常は認められません。そして、もちろん、二十四時間身につけていていただいたホルターの心電図にも、頻脈《ひんみゃく》の徴候は現れていません」

「それで、結論はどうなるのでしょう？」ジェフは尋ねた。

　その心臓病科の医師は、ジェフの心臓の超音波検査図形を映し出しているビデオカセットの機械を止めて、微笑した。

「つまり、あなたの心臓は四十三歳のアメリカ人の男性が望み得る完璧な状態に近いということです。レントゲン検査と肺機能検査によると、肺も同様です」

「では、私の期待寿命は——」

「この健康状態を保っていれば、百歳まではいくでしょう。きっと、まだジムに通っていらっしゃるのでしょうね？」

「週に三回通っています」ジェフは七〇年代後期にフィットネス・ブームが起こるのを知っていたので、その知識を利用していろいろな方法で利益を得ていた。アディダスとノーチラスとホリディ・ヘルス・スパー・チェインを所有したばかりでなく、それらの設備を十年以上にわたって充分に活用していたのだった。

「やめずに、続けてください」医者はいった。「私の患者さんがみんな、このように自分の体に気をつけてくださるといいんですがね」

ジェフはさらに数分間おしゃべりをしたが、心はよそにあった。まさにこの年齢の、この年の、といっても二十年以上も前の、自分自身のことを考えていたのである。運動不足の、ストレスのたまった、ちょっと太り過ぎの管理職であった自分自身が、胸を掻《か》きむしって、デスクに突っ伏して、意識を失った時のことを。

今度は違うぞ。今度は大丈夫だろう。

ジェフはラ・グルヌイユの店の、奥の部屋の安らぎを好んだ。だが、ダイアンは昼食時さえも、他人《ひと》を見、他人に見られることが極めて重要な場面と考えていた。だから、彼らはいつも、必ず混んでいて騒々しい表側の部屋で食事をした。

ジェフはタラゴンとバジル風味のマイルドなビネガーソースが掛かった鮭《さけ》の煮物を味わいながら、ダイアンの当面の不機嫌《ふきげん》と、そして、彼らの両側にぴたりとくっつけた他人のテーブルから聞こえてくる会話を、最善を尽くして無視した。片方のカップルは結婚の話をしており、もう片方は離婚の話をしていた。ジェフとダイアンの昼食の会話は、その中間ぐらいだった。

「あなただって、あの子をサラ・ローレンス校に受け入れてもらいたいと思っていらっしゃるでしょう？」ダイアンは入江産の帆立て貝ア・ラ・ナージュを噛《か》みながら、きつい口調でいった。

「あの子は十三歳だよ」ジェフは溜《た》め息《いき》をついた。「その年齢の子供がすることに、サラ・ローレンス校の入学事務局は何の関心も示さないだろう」

「わたくしは十一歳でコンコード・アカデミーに入っていました」

「それは、その年齢の君のする事に、君の両親が何の関心も持たなかったからだ」

彼女はフォークを下に置いて、彼を睨みつけた。「わたくしの育ちは、あなたの知ったことではありません」

「だが、グレッチェンの教育はちがうぞ」

「では、あなただって、あの子に最初から最善の教育を受けさせたいと思うはずですわ」

一人のウェイターが彼らの空になった皿《さら》を片づけ、もう一人がデザートのワゴンを押して近づいてきた。ジェフはこの中断を利用して、レストランのたくさんの鏡に映ったさまざまな映像の中にさまよい入った。ファー・グリーンの壁、真紅の長椅子、セザンヌの風景画から切り取ってきたばかりのような素晴らしい花束。

彼は、ダイアンがグレッチェンの教育よりも、日常の責任からの自分自身の自由の方を重要視していることを知っていた。ジェフは今でも娘にほとんど会う機会がなかった。まして、彼女が家から二百マイルも離れて暮らすことなど耐えられなかった。

ダイアンはグラン・マルニエ・ソースに漬《つ》かったラズベリーを不機嫌につついた。

「あなたは、あの子が公立学校からいつも引っ張ってくるあんな躾《しつけ》の悪い子供たちと、ずっと付き合っていてもいいと、思っていらっしゃるようね」

「いいかね、君、あの子の学校はサウス・ブロンクスではなくて、ラインベックにあるんだよ。彼女が育つ環境としては、すばらしい場所だ」

「コンコードだってそうですわ。わたくし、個人的な体験から知ってますけど」

ジェフは本当の気持ちを口に出すことができずに、ピーチ・シャルロットをつついた。彼としては、グレッチェンが母親のコピーのような大人になるのを、見るつもりはなかった。温かみのない教養、世間を見下す態度、莫大な財産を生得の権利とみなし、当然のことであり、完全に頼れるものだと考えている。ジェフは超自然の幸運の一撃と、そして自分の意志の力によって、富を手に入れた。今は、富の恩恵を彼女に受け取ってもらいたいと思うと同時に、金銭が潜在的に持っている腐敗的影響力から、我が娘を守ってやりたいと思った。

「また別の機会に話し合おう」彼はダイアンにいった。

「次の木曜日までに、学校に知らせなければならないんです」

「では、水曜日に話し合おう」

それを聞くと、彼女は本当に怒りの表情を見せた。それはバーグドーフの店やサックスで集中的に、狂ったように札びらを切らなければ、解消されないほどの怒りだった。

彼は上着のポケットを探って、アルミ箔《はく》に包まれたジェルーシルの錠剤を二つ取り出した。心臓は素晴らしく健康でも、自分で築き上げたこの生活は消化に悪かった。

グレッチェンの細っそりした若い指が鍵盤《けんばん》の上を優雅に動いて、ベートーベンの『エリーゼのために』の、心にしみ入る旋律を弾き出した。ピアノベンチに坐っている彼女の横では、チャムリーという名のあのオレンジ・キャットが腹ばいになって眠っていた。この猫は今では年を取り過ぎて、昔のように自由奔放にじゃれ回ることはせず、ただ彼女のそばにいて、優しい音楽に慰められるだけで満足した。

ジェフは演奏する娘の顔に注目した。滑らかな色白の肌、それを取り巻く黒い巻き毛。その表情には一種の緊張があった。しかし、曲の音符やテンポに意識を集中するためにそうなるのではないと、彼は知っていた。彼女には音楽の天分があって、ある曲を最初に一通り弾いてしまえば、後は、苦労して暗記するとか、曲の基礎を練習するとかいう必要がない。だから、その目の表情はむしろ恍惚《こうこつ》の表情であり、人を欺《あざむ》くほど単純なこの小品の悩ましいメロディと彼女の魂が融合した表情なのだった。

彼女は反復ペダル音に乗った和音と重音のコーダを、巧妙なレガートで弾いた。それが終わると、しばらくの間じっと坐ったままで、音楽によって連れていかれた場所から戻ってきた。それから、また陽気な少女の目に戻って、嬉《うれ》しそうに笑った。

「これ、とても美しいじゃない？」グレッチェンは音楽そのものの美しさだけに言及して、あどけなく尋ねた。

「そうだね」ジェフはいった。「弾き手と同じくらい美しいよ」

「まあ、お父さまったら、よしてよ」彼女は赤面し、ベンチから子馬のように跳ね上がった。

「これからサンドイッチを食べるの。お父さまも食べる?」

「いや、けっこう。私は夕飯まで待とう。もう、お母さまが町から帰ってくる頃だ。もし、帰ってきたら、私は川の方に散歩にいったと伝えておくれ。いいかい?」

「いいわ」グレッチェンは答えて、キッチンの方に走っていった。チャムリーが目を覚まし、あくびをし、自分だけののんびりした歩調で彼女の後についていった。

ジェフは外に出て、木々の間の小道を歩いていった。秋には、楡《にれ》の並木は炎に包まれた長さ半マイルのトンネルのようになる。それから抜け出すと、最初にハドソン川に向かってゆるやかに傾斜している広い草原が見え、それから、左手百ヤードほどの所にもっと急な傾斜があって、そこの岩場を一連の冷たい滝が落ちている。この場所へのドラマチックな入口は、何時《いつ》きても、このような美しいものが存在することへの畏《い》敬《けい》の念と、そして、これが自分の持ち物であるという誇りから生じる胸の高鳴りを、いつも感じさせる。

彼は今、緑のスロープの頂上に立って、その眺めを前に沈思黙考した。川向こうの炎のような秋の色の下を、二《に》艘《そう》の小舟が静かに下っていく。三人連れの幼い少年が対岸をぶらぶら歩きながら、流れる川の水面《みなも》にのんびりと石を投げる。彼らの上の岡《おか》の頂上にも、ジェフの屋敷より豪壮ではないが、それでも人を圧するような豪邸が建っている。

あと三カ月で川は凍結し、大きな白いハイウェイが、南は町に向かって、北はアデロンダック山地に向かって伸びているように見えるだろう。木々は葉を落とすだろうが、裸になることはめったにない。雪がそれらの枝にレースを飾り、日によっては、最も細い小枝さえも氷の筒をかぶって、冬の日光におびただしい輝きを放つだろう。

これこそカーリア・アンド・アイブズ印刷工房が、アメリカの理想郷として神話を描くように描いた土地であり、まさにアメリカそのものだった。あれらの絵は間違いなくここの風景を写し取ってさえいる。ここに立つと、自分のしてきたことに、それなりの価値があったということが容易に信じられる。ここに立つか、あるいはグレッチェンを腕に抱くと——彼とリンダがかつて熱望し、そしてついに授かることのなかった子供を抱擁すると——それを実感する。

そうとも。娘をコンコードなどにやるものか。ここがあの子の家だ。ここが、出ていくかどうか自分で決める年齢になるまで、あの子がいるべき場所だ。その日がきたら、彼女がどんな選択をしても、自分は賛成してやろう。しかし、それまでは——

何か見えない物が彼の胸を突き刺した。こんなに強力な苦痛は今までに経験したことがない……ただ一度を除いては。

彼は膝《ひざ》をつき、今日は何日か、今は何時か、必死に思い出そうとした。凝視する目に秋の景色が映った。一瞬前には、取り戻した希望と限りない可能性の象徴のように見えた谷間が。それから、彼は川に背を向けて、横ざまに倒れた。

ジェフ・ウィンストンは、約束と成就の草原に導いてくれたこの橙色《だいだいいろ》の楡のトンネルを、力なく見つめ、そして死んだ。

7

彼は暗闇《くらやみ》と悲鳴に囲まれた。二つの手が彼の右腕につかみかかり、袖《そで》の布地を通して爪《つめ》がくいこんだ。

ジェフは目の前に地獄の情景を見た。泣く子供たち。翼のある黒い生き物が襲いかかり、顔や口や目を嘴《くちばし》でつつく。子供たちは悲鳴を上げて逃げまどうが、逃げきれない……

それから冷やかな完璧《かんぺき》な金髪の女が、二人の幼い女の子を自動車の中に引き入れ、殺戮《さつりく》から守った。映画を見ているんだ、とジェフは気づいた。ヒッチコックの『鳥』だ。腕にかかっていた圧力は、場面の緊張が緩むとともに緩んだ。首を回すと、当惑した幼女のように笑っているジュディ・ゴードンが見えた。左側では、ジュディの友達のポーラが、若いマーティン・ベイリーの保護するように曲げた腕の中に、身を寄せていた。

一九六三年。また全部やりなおしだ。

「ねえ、今夜はどうしてそんなに無口なの？」映画が終わって、モウズ・アンド・ジョウズの店の方に走っていくマーティンのコーベアの後部座席で、ジュディがジェフに尋ねた。

「私があんまり怖がったので、馬鹿《ばか》だと思っているんじゃないの？」

「いや、とんでもない」

彼女は彼の指に指をからめ、肩に頭を寄せかけた。「いいわ、私を馬鹿だと思っていないなら」彼女の髪は新鮮で清潔だった。彼女は細っそりした白い首筋にランバンの香水を少しつけていた。その甘い香りは、二十五年前のジェフの車の中の、あのばつの悪かった夜と同じだった……そして、その前の、ほとんど半世紀も昔の同じ夜とも。

彼が成就したすべてが掻《か》き消されてしまった。経済的な帝国も、ダッチェス郡の邸宅も……しかし、特にショックだったのは、子供を失ったことだった。グレッチェンは、その細っそりしたほとんど大人の女性のような態度や、知性や愛情のこもった目とともに、存在しなくなった。死んだ、いや、それよりももっと悪い。この現実では、彼女は絶対に存在しないのだ。

彼は長い壊れた人生で、初めてコーデリアに対するリア王の嘆きを完全に理解した。

……お前はもうこない、
絶対に、絶対に、絶対に、絶対に。

「なに、あなた？　なにか言った？」

「いいや」彼はささやいてジュディを胸に引き寄せた。「ちょっと独り言をいったのさ」

「ふーん。ぼんやり何を考えていたの？」

貴重な無知だ、と彼は思った。発狂した宇宙が加えることがある傷について、知らないとは何とありがたい恵みだろうか。

「こうして君と一緒にいるのが、自分にとってどのくらい大切なことかと考えていたんだよ。君を抱くことが、僕《ぼく》にとってどんなに必要なことかとね」


昔、在学していたリッチモンド郊外の寄宿学校は、エモリー大学のキャンパスと同様に、変わらずに残っていた。しかし、かすかに記憶と食い違っているように見える部分もあった。建物はより小さく見え、食堂は記憶よりも湖のそばにあった。このような小さな食い違いがあることを彼は予想するようになっており、それは物事の性質の具体的な変化というよりは、むしろ記憶の欠陥のせいだと、ずっと昔に結論を出していた。今回は、前にここにいた時から五十年近くも年月がたって、記憶が薄れているのだ。二つに分裂しているとはいえ、大人の寿命のまるまる一つ分の時間が経過し、そして今、再び始まったのだから。

「大学はうまくいってる？」ブレイドン夫人が尋ねた。

「まあまあです。二、三日外出しようと思って――ちょっと母校が見たくなったんです」

そのぽっちゃりした小柄《こがら》な司書は母親のようにくすくす笑った。「卒業してから、まだ一年もたっていないのに、ジェフ。もう郷愁を感じるの？」

「そうらしいです」彼は微笑した。「もっとずっと長いように感じます」

「十年か、二十年、待ちなさいよ。そうすれば、もっとずっと懐かしく感じるわよ。でも、それだけ年月がたってもまだ訪ねてくる気になるか、どうかねえ」

「きっと、そう思います」

「そうだといいけど。卒業生の消息を知るのは嬉《うれ》しいわ。みんなが社会に出てどうなったか心配なものよ。あなたはうまくやっていると思うけど」

「ありがとう、マム。努力しています」

彼女は腕時計をちらりと見て、ぼんやり図書館の玄関の方を見やった。「あのう、今度入学する生徒たちのグループが、三時にくることになっているの。二十五セント・ツアーに案内するのよ。帰る前に、必ずアームブラスター博士のところに立ち寄りなさいよ」

「そうします」

「今度きたら、家に寄ってね。シェリーでも飲みながら、思い出話をしましょうよ」

ジェフは彼女に別れを告げ、書架の間を通って、横の出口から外に出た。教職員のだれとも口をきくつもりはなかった。しかしここまでやってくれば、偶然に一人や二人に出会うのは避けられないだろうと考えていた。全体としては、ブレイドン夫人とはうまくやったと思う。それにしても会話が短かったのでほっとした。今は、エモリー大学でのこのような出会いなら、上手に処理する自信がある。だが、ここではもっとずっと困難だろう。この場所と人々についての記憶はずっと遠いものになっているから。

彼は図書館の裏の小道をぶらぶら歩いていって、自分が青春期から若い男性にまで育ったキャンパスを取り巻く、人目につかないバージニアの森に入っていった。何かが彼をここに引っ張り寄せたのだ。ただの郷愁よりもっと強いもの、もっと止《や》むに止まれぬものが。ちくしょう、押しつけられた郷愁はもうまっぴらなのに。

たぶんここが、再生《リプレイ》していない人生の、最後の意義ある生活環境だという事実が、そして、それがまだ記憶通りに存在しているという事実が、そうさせるのだろう。彼はすでにオーランドの幼年時代の家に帰ってみたし、また、エモリー大学には二度戻《もど》っている。ところが、最初に大学を出た後に住んでいた場所——彼が若い独身者であって、後にリンダと結婚した場所――には、この人生における彼の足跡も、この前に経験した人生における彼の足跡も、含まれていなかった。だが、ここでは彼は記憶されていた。この学校に自分自身の人格という小さなスタンプを押していたのだ。ちょうど、他《ほか》の存在だけでなくこの存在においても、この学校が彼により大きな影響をおよぼしたのと同様に。もしかしたら彼はただ、ここで土台に触れる必要があったのかもしれない。自分自身の存在を確認し、現実が安定していて反復的でない時代を自分に思い出させる必要があったのかもしれない。

ジェフは小道の上に覆いかぶさっている楡《にれ》の枝を押し退《の》けた。すると、今までずっと罪と恥の意識とともに心に取りついていたあの橋が、いきなり目に入った。

彼はショックを受けて立ち止まり、五十年間も悪夢のもとになっていたその景色を見つめた。それはクリークに架かっている小さな木の橋、長さ十フィートにも満たない単純な構造物にすぎなかった。だがジェフはそれを見た時に胸に湧《わ》きおこったパニックを、ほとんど抑えることができないほどだった。この小道がここに通じているとは知らなかった。

彼は楡の枝を放して、その小さな橋の方にゆっくりと歩いていった。それは、手《て》びき鋸《のこ》で挽《ひ》いた板材と、美しく工作された三フィートの欄干で成り立っていた。もちろんこれは再建されたものである。橋は作り直されるだろうと、ずっと前から想像していた。

それでもこの場所へは、あの日以来、在学中には二度とやってこなかったのだった。

ジェフは橋のたもとのクリークの土手に坐《すわ》り、風化した木材を撫《な》でた。流れの向こう側で、一匹のりすが両手にどんぐりをはさんで、かじっていた。そいつは落ち着いてはいるが用心深い目で、彼を見つめた。

この学校に入った最初の年、実は、ジェフは内気な少年ではなかった。静かで、真剣に勉強したが、決して臆病《おくびょう》ではなかった。すぐに大勢の友達を作り、ひげ剃《そ》りクリーム合戦とか、他の生徒の部屋をトイレットペーパーで飾るとかいった、寄宿舎の乱暴な馬鹿さわぎに参加した。女性に関するかぎり、より無邪気な時代の十五歳の少年に期待される程度の、ほどほどの経験をした。中学の最後の年には決まったガールフレンドがいた。だが、週末に催される校内ダンスパーティにリッチモンドからやってくる女子高校生の中には、まだ特別な人はいなかった。ほのぼのとした気持ちで思い出す、あのバーバラという名前の少女との出会いは、十六歳になってからの話だった。

だが、この最初の年に彼は恋におちいった。フランス語の先生をしていたデアドリ・レンデルという名前の二十代中頃《なかごろ》の女性に、ぞっこん参ってしまったのだ。そういう妄《もう》念《ねん》に取りつかれたのは彼だけではなかった。この男子校のざっと八十パーセントの生徒が、ご亭主《ていしゅ》が米国史を教えているこの柳腰のブルネットの女教師に恋をした。毎晩、夕食時間に、食堂のレンデル先生夫妻のテーブルで六人の生徒が食事ができることになっているが、その生徒用の席をめぐって、争奪戦が行われた。そしてジェフは週に二晩から三晩その席を獲得するのに成功した。

彼は彼女が自分に対して、他の生徒に示すただの陽気な温かみ以上の、特別の感情を抱いていると確信した。彼女が自分に話しかける時、その目には間違いなく特別な光が、炎が、感じられると思った。ある日彼女は教室で、ボードレールの詩を生徒に朗誦《ろうしょう》させている時に、彼の椅子《いす》の後ろに立ち止まって、彼の首をゆっくりと、さりげなく揉《も》んだ。これは彼にとって高度にエロチックな緊張の瞬間だった。そして級友たちの嫉妬《しっと》のまなざしを、良い気持ちで浴びたものだった。しばらくの間は『プレイボーイ』の折込み見開きページを見ながらマスターベーションをするのさえも止めて、彼女の私生活を想像しながら、デアドリのために、デアドリだけのためにと思いながら、性的幻想を蓄えたものだった。

十一月の末までには、レンデル先生が妊娠していることが明らかになった。この事実は、彼女と夫との関係が健全であることを暗示した。しかし、ジェフは精一杯それを無視し、その代わりに、間もなく母親になる彼女の顔に現れた新たな美しさに、注意を向けた。

彼女は冬に産休を取った。そして、彼女が復帰するまでの間、別の先生が授業を代行した。赤ん坊は二月半ばに生まれた。四月にはレンデル先生が食堂の夫妻用のテーブルに戻った。彼女の乳房はものすごく大きくなっていた。彼女は子供を、抱かない時には、持ち歩きできる赤子用の籠《かご》に入れていた。そして、隣にいる夫が絶えずデアドリを猫《ねこ》かわいがりし、また、赤ん坊か夫のどちらかが、ほとんどあらゆる瞬間に彼女の愛情のこもった注視を受けた。ジェフはもはや、彼女が稀《まれ》に自分に向けてくれる微笑に、秘密の愛情の表示があるとは想像できなくなった。

レンデル先生夫妻は校外の家に住んでいた。その家は図書館の裏の森の反対側にあった。

夏の日々は、レンデル先生は静かな楡と白樺《しらかば》の木立を抜けて、歩いて学校まで往復するのを好んだ。よく踏み慣らされた小道がそちらに通じていたが、途中を小さなクリークが横切っていた。秋には、彼女はその細い流れの浅瀬を容易に歩いて渡ることができたが、今では赤ん坊を乳母車に乗せて押して歩くので、この小川が重大な障害になった。

彼女の夫は六週間も苦労して小さな橋を架けた。彼は学校の工作室の帯鋸で材木を必要な寸法に切り、滑らかに鉋《かんな》を掛けて、ごく小さい梁《はり》や桁《けた》を、必要な強度の倍くらい丈夫に作った。橋が完成した日の晩、レンデル先生は食堂のテーブルについた時に、夫に対して人目もはばからず長々と愛情の籠《こも》ったキスをした。それまでは、生徒のいる前でそのようなことは決してしなかったのに。ジェフは胃が硬く冷たくなったように感じて、手のつかない食べ物を見つめるばかりだった。

次の日、彼は鬱憤《うっぷん》を鎮《しず》めるために、一人きりで森に入っていった。だが、その橋にさしかかった時に、心の中で何かがプツンと切れた。めったに経験したことのない激怒のために、心が空白になった。そしてクリークの底の、最初に目についた大きめの石を拾い上げると、木の手すりにむかって力いっぱい投げつけた。

手当たりしだいに、持ち上げることのできる重い石を見つけては、何度も何度もぶっつけた。基礎の部分を壊すのが最も難しかった。それは長持ちするように作られていたが、ジェフの凶暴な攻撃を受けてついに梁が外れ、残りの橋の残骸《ざんがい》とともにクリークに落ち込んだ。

壊し終わると、ジェフは疲労と苦悶《くもん》のために息を弾ませながら、水に漬《つ》かった残骸を見つめて佇《たたず》んでいた。やがて目を上げると、対岸の小道にレンデル先生が立っていた。過去何カ月も憧《あこが》れていたその先生の顔が、無表情な仮面のようになって、彼を見つめていた。二人の目は数秒間、見つめ合ったままでいた。それからジェフは逃げ出した。

彼はきっと退学処分になるだろうと思った。だが、この出来事について、何も言われなかった。ジェフは二度と再びレンデル先生夫妻のテーブルにはつかなかった。そして、どちらの先生にも、できるだけ会うのを避けた。彼女は教室で、彼に対して変わることなく礼儀正しく快活に接してくれさえした。そして学年末に、ジェフはフランス語で優をもらった。

　彼はのんびりと流れているクリークに小石を放《ほう》り、それが岩に当たってはねかえり、水に飛び込むのを眺《なが》めた。橋を壊したのは、下劣で許すことのできない行為だった。だが、レンデル先生は彼を許し、保護してくれたばかりか、許しを言葉で表現して、彼をさらに辱《はずかし》めないだけの良識さえも持ち合わせていたのだった。彼女は、彼をこんな極端な行為に走らせた孤独で思慮のない怒りを理解したにちがいなく、また、彼が彼なりの子供っぽいやりかたで、彼女の、夫や赤ん坊に対する愛を、最も深刻な裏切りと見たことを、理解してくれたにちがいなかった。

　そして、ジェフの挫《くじ》かれ歪《ゆが》んだ物の見方では、たしかにその通りだったのだ。これは彼にとって、幻滅との予備的な出会いだった。

　今や、何が自分をこの学校に、この青春の森の静かな開拓地に、引き戻したのか分かった。彼は再び、限りない喪失のあの空虚さに対面しなければならない。それも、今度はもっと複雑なレベルにおいて。今度は、許すことのできない物の重みで、自分が砕けることはありえないと知っている。もはや、壊すべき橋はない。娘の死という苦悩、決して存在しえないものを知っているという苦悩にもかかわらず、前進し、建設することを学ばなければならない、と彼は思った。

金曜日の夜、十一時十五分前。少なくとも二十組の男女の学生が女子寮ハリス・ホールの外の暗闇で抱き合っていた。油断のない寮母が若い女子学生たちを呼び入れる前の、最後の数分間の熱烈な接触を求めて、彼らは互いの体に腕を回し、顔と顔を押しつけ合っていた。ジェフとジュディは、抱き合っているカップルから離れた石のベンチに坐った。彼女は狼狽《ろうばい》していた。

「それ、あのフランク・マッドックじゃない？　全部、彼のアイデアだったのね。わかるんだから」

ジェフは首を振った。「今もいったように、僕が彼に提案したんだよ」

ジュディは聞いていなかった。「あなた、彼と付き合ってはだめよ。こんなことになるだろうと思ったわ。彼ったら、自分でクールだと思ってるんだから。海千山千だと思ってるんだから。彼のその行為を見破ることはできないの？」

「あのねえ、彼に責任はないんだよ。全部僕のアイデアだった。そして、うまくいくんだよ。明日まで待ってくれ。わかるからさ」

「だって、あなた何を知っているの？」冷たい夜風が起こり、彼の手から彼女は手をひっこめて兎《うさぎ》のジャケットの胸元をかきあわせた。「まだ自分で賭《か》けをすることができる年齢にもなっていないのに。彼に頼まなくちゃならないのよ」

「充分知っているんだ」ジェフはにっこり笑った。

「そうよ、あり金残らずすってしまう程度にね。車を売る程度にね。まだ信じられないわ――競馬に賭けるために、本当に車を売ってしまったなんて」

「明日の午後に別のを買うさ。君一緒にきて、選ぶのを手伝ってくれよ。何がいい、ジャガーか、コーベットか？」

「馬鹿をいわないで、ジェフ。まあ、あなたをよく知っているつもりだったのに、こんな……」

風が、散ったドッグウッドの花を巻き上げて、彼女の髪に落とした。彼は手を伸ばしてその花を取ろうとした。その動作が愛撫《あいぶ》になった。彼の手が触れると彼女は体の力を抜いた。彼は白い花弁で彼女の頰《ほお》を優しく撫で下ろし、それを軽く唇《くちびる》に当て、それから自分の唇に当てた。

「おう、ハニー」彼女はささやいて、一層体を近寄せた。「私、怒っているわけではないのよ。今度のことで、あなたがとても心配なの、私――」

「黙って」彼はいって、彼女の顔を両手で支えた。「全然心配はいらないよ。約束する」

「でも、あなた知らないくせに――」

彼はキスで彼女を黙らせた。そのキスが続いているうちに、女のしわがれ声が呼び掛けて、彼らの邪魔をした。「あと五分で門限ですよ！」

女子学生たちは彼らの前を急ぎ足に通っていった。彼も、灯火が明るくともっている寮の玄関まで彼女を送っていった。「それで」彼はいった。「明日、車を買いに一緒にきてくれるかい？」

「まあ、ジェフ」彼女は溜《た》め息《いき》をついた。「明日の午後は期末論文を仕上げなければならないのよ。でも、七時ごろにきてくれれば、ドゥーリーの店でバーガーをおごって上げる。そして、お金をすってしまってもあまりがっかりしないでね。少なくとも、良い薬になるわ」

「はい、マム」彼はにやりとした。「ようく肝に銘じておきます」

レストランのコーチ・アンド・シックスでは、赤い上着のボーイが彼らに代わってジャガーを駐車場に入れた。ジェフがワイン係の給仕にそっと二十ドル札を渡したので、モエ・エ・シャンドンの大瓶《おおびん》を注文した時、だれもジュディの身分証明書を見せろとはいわなかった。

「シャトーゲイに」ジェフはシャンペンが注《つ》がれると、グラスを上げた。

ジュディはためらいながらグラスを持ち上げた。「私はむしろ今夜のために、乾杯したいわ」彼女はいった。

二人はグラスをかちりと当てて乾杯した。今夜、ジュディは春のフォーマルとして買った濃紺のロウ・カットのドレスを着て、素晴らしく見えた。ドレスアップを楽しむ少女と、生き生きしたセクシーな女の中間ぐらいだった。ジェフは前には彼女を早々と手放して、自分に釣《つ》り合った人生経験のある女を探したものだった。しかし、それはもちろんありえないゴールだった。今、彼はシャーラの安っぽいエロチシズムとも、ダイアンの冷たい洗練されたマナーとも違う、ジュディの純真で温かい素朴《そぼく》な雰囲気《ふんいき》に気持ちよく浸った。このような無邪気さは否定すべきでなく、保護する価値のあるものだ。

コーチ・アンド・シックスの食事代はアメリカの高級店の標準ぐらいで、メニューに飛び切り凄《すご》いものがあったわけでもないが、ジュディは感銘を受けた様子で、精一杯、大人らしく振る舞おうと苦労しているのは明らかだった。ジェフは彼女のためにロブスターを注文し、自分にはプライム・リブを頼んだ。彼女は、彼がサラダにどのフォークを使い、前菜にどのフォークを使うか、注意して見た。彼女のそのような開けっぴろげの素朴さを、彼は愛した。

食後にドラムビューイを飲みながら、ジェフはクロード・S・ベネット宝石店の青い小箱を彼女に渡した。彼女はそれを開き、完全な二カラットのダイヤの指輪を見つめ、数秒間たってから、やっと叫び声を上げ始めた。

「だめだわ」彼女はつぶやき、注意深く箱を閉じ、テーブルの彼の側に置いた。「とても受け取れないわ」

「僕を愛していると、いったと思ったけど」

「愛してるわ」彼女はいった。「すごく、すごく、すっごく」

「では、なぜ駄目《だめ》なんだ？　もし若すぎると思うなら、一、二年待ってもいい。しかし、今、僕らの計画を公式のものにしておきたいんだ」

彼女はナプキンで目を拭《ぬぐ》い、精一杯の化粧を台無しにした。ジェフはその縞模様《しまもよう》をキスで拭ってやりたいと思った。ちょうど親猫が子猫をまんべんなく舐《な》めまわすようにして。

「あなたがもう何週間も教室に出てこないと、ポーラがいってたけど」彼女はいった。「ひょっとすると退学するかもしれないって」

ジェフはにっこり笑って彼女の手を取った。「文句はそれだけかい？　何てことないよ。どうせ学校を止めるつもりでいるんだ。たった今、一万七千ドル儲《もう》けたばかりだが、十月までには、たぶん……ねえ、全然、心配はいらないんだよ。大金が転がりこむんだ。いつも、そうなるように努力するよ」

「どうやって？」彼女は厳しく尋ねた。「ギャンブルで？　それが、私たちの暮らしになるの？」

「投資だよ」彼はいった。「完全に合法的なビジネスとしての投資さ。大会社にね、IBMとかゼロックスとか――」

「目を覚ましてよ、ジェフ。競馬で一回、運良く当てただけで、もう株式市場で大儲けができるような気分になっているんだもの。ねえ、株が下がったらどうなるの？　不況かなにかになったら、どうなるの？」

「それはない」彼は静かにいった。

「わからないでしょ、そんなこと。うちの父がいうには――」

「君のお父さんが何といおうと、問題ない。そのようにはならないんだから――」

彼女はナプキンを置き、テーブルから椅子を押し下げた。「私には両親の言うことは問題だわ。そして、ギャンブラーになるために学校を中退した十八歳の少年と結婚しますなんていったら……彼らがどんな反応をするか想像したくもないわ」

ジェフは言うべき言葉を知らなかった。もちろん彼女が正しい。彼女にとって自分は無責任な馬鹿者に見えるにちがいない。計画を彼女に話したのは恐ろしい間違いだった。

彼は指輪を上着のポケットに戻した。「今は、これを預かっておく」彼はいった。「そして、たぶん学校の事は考え直すことにするよ」

彼女の目がまた濡《ぬ》れて、生き生きした青い色が涙の層を通してちかちか光った。「ぜひそうしてね、ジェフ。あなたを失いたくないのよ。こんな馬鹿げた事のために」

彼はジュディの手を握った。「君は今にこの指輪をはめるだろう」彼はいった。「君はこれを自慢するだろう。そして、僕を誇りにするだろうよ」

一九六八年六月に、彼らはテネシー州ロックウッドの第一バプティスト教会で結婚した。これはジェフが経営管理学修士の資格を取った次の週のことであり、また――あれらの別の人生で、それぞれ劇的に異なる結果を生んだ、二度の――リンダとの出会いの日の、ちょうど四日前のことだった。ロックウッドはジュディの故郷の町であって、彼女の両親がその後、近くのウォット・バー湖畔の夏の別荘で催してくれた披露宴は、大きな形式ばらないバーベキューだった。ジェフは自分の父親の咳《せき》がだんだん酷《ひど》くなるのに気づいて、ポールモールをのべつまくなしにふかすのを止めるように懇願したが、父親はいっこうに聞き入れなかった。彼が禁煙をするのは、今から何年も先に肺気腫《はいきしゅ》の診断が下ってからのことになるはずだった。ジェフの母親は、リンダやダイアンと結婚した時よりもずっと嬉しそうに見えた。もちろん彼女にはどちらの場合の記憶もなかったけれども。妹は口に歯列矯正器《きょうせいき》を入れた十五歳の内気な少女だったが、ジュディとすぐに打ち解けた。

同様にゴードン家の人たちは、ジェフを歓迎し、心から迎え入れた。彼は完全無欠な結婚相手というイメージに当てはまるように自らを改造し――二十三歳で、良い教育を受けていて、勤勉で、責任感の強い青年になっていた。まさかの用意に、ちょっとした額の蓄えがすでにできており、また、彼とジュディの名前で、保守的だが確実に増える株のポートフォリオがあった。

これは容易なことではなかった。五年間の学生生活はすごく苦しかった。ずっと昔に放棄してしまった、勉強と期末論文と試験に明け暮れる生活に、無理やり逆戻りしたのだから。しかし、最も難しい部分は、金持ちにならないように努力することだった。前回の、この年頃には、彼は経済界の鬼才であり、強力な複合企業の大株主だった。莫大《ばくだい》な富をあのように急激に注入すれば、ジュディはバランスを崩し、二人の間に相当な問題が生じたことだろう。だから、彼はベルモント競馬とワールド・シリーズの賭けを完全にパスし、再び容易に莫大な財産を築くことが可能な多くの高利回りの投資を、苦労して避けたのだった。

彼とフランク・マッドックは、今回はケンタッキー・ダービーの後、間もなく別れ別れになってしまった。この、かつては共同の成功の頂点にいたのに、その事を少しも知らない昔のパートナーは、今ではコロンビア大学の法学部を卒業して、ピッツバーグのある会社の下級代理人になっていた。

ジェフとジュディは、アトランタのチェシア・ブリッジ・ロードにある快適なコロニアル風の小さな家の抵当権を肩代わりして、買い取った。そして、ジェフはかつて所有していたファイブ・ポインツ付近のビルに四部屋の事務所を借りた。週に五日、彼はスーツを着、ネクタイをしめ、下町に車を走らせ、秘書と仕事仲間におはようをいい、自分のオフィスに鍵《かぎ》を掛けて閉じ籠り、そして読書をした。ソフォクレス、シェークスピア、プルースト、フォークナー……これらの作品はみな、以前に熟読したいと思いながら、読む時間がなかったものである。

一日の終わりに、パートナーたちにメモを走り書きして、例えば、ソニーのように成功が立証されていない会社に投資する危険を避けて、米国電電《AT&T》のような安全なものに、次第に増大していく基本財産を投資すべきだと忠告した。ジェフはこの小さな会社が突然に大儲けしないように注意深く舵取《かじと》りをし、自分とパートナーの生活が快適であって、しかも、中の上くらいの階級に目立たずに留《とど》まっているように心を砕いた。パートナーはしばしば彼の忠告に従った。従わない場合には、損失が利益ととんとんになり、総合効果はジェフの意図どおりになった。

夜には、彼とジュディは居間で寛《くつろ》いで『ラーフィング・イン』とか『ゲームの名前』などを一緒に見た。それから、たいていスクラブル・ゲームを一勝負やってから床についた。暖かい週末にはラニア湖にヨットに乗りにいくか、テニスをするか、またはギャラウェイ・ガーデンズの自然遊歩道でハイキングをした。

生活は平穏で秩序正しく、この上なく正常だった。ジェフは完全に満足していた。恍《こう》惚境《こっきょう》というわけではないが——ダッチェス郡の屋敷で育つ娘のグレッチェンを眺める時に感じたような、絶対的な喜びの感情はなかったけれども——幸福であり、平和だった。長い混沌《こんとん》とした彼の人生が初めて、まったく単純で、動乱の無いものになった。

ジェフは足の爪先《つまさき》を砂に突っ込み、肘《ひじ》を突いて上半身を起こし、目の上に片手をかざして日光を遮《さえぎ》った。隣の毛布の上では、ジュディが『ジョーズ』の読みかけのページに指をはさんで、眠っていた。彼はその半分開いた口にキスした。

「ピーニャ・コラーダを飲むかい？」ジェフは彼女が目を覚まして伸びをすると、尋ねた。

「まだ魔法瓶に半分も残っているよ」

「うーん。ただ、こうやって寝ていたいわ。二十年間ぐらい」

「それじゃ、六カ月ごとぐらいに寝返りを打ったほうがいいね」

彼女は首をねじって右肩の後ろを見、皮膚が赤くなり始めたのに気づいた。それから、仰向けに転がって彼のそばに寄った。彼はまたキスした。今度はもっと長く、そして、深く。

数ヤード離れた砂浜に、別の二人連れがラジオを鳴らしていた。ジェフがキスを切り上げた時、その音楽が終わって、ジャマイカ訛《なま》りのアナウンサーが、ウォーターゲート事件の聴聞会でのジョン・ディーンの証言についてニュースを読み始めた。

「愛してるわ」ジュディがいった。

「愛してるよ」彼は答え、日焼けで赤くなった彼女の鼻の頭をつついた。彼は本当に彼女を愛していた。口ではとても言い表すことができないほどに。

ジェフは規則正しい作業計画に従って労働しているという演技に合わせて、毎年、六週間の休暇を自らに与えていた。この休暇の時間は、自由裁量で課した制限のおかげでかえって甘美なものになった。去年はスコットランドを自転車で旅行し、今年の夏はフランスのワインの産地を熱気球で旅する計画を立てていた。だが、この瞬間には、支離滅裂な人生に正気と喜びをもたらしてくれた女性と共に過ごすには、このオチョ・リオス以上の場所は思いつかなかった。

「きれいな奥さんにネックレスはどうですか、おじさん？　きれいなコチーナのネックレスはどうですかー？」

その小さなジャマイカの少年は、八、九歳以上にはなっていなかった。腕に、デリケートな貝のネックレスと腕輪を何十本も掛け、腰に結んだ布のポーチは、同じ色のきれいな貝殻《かいがら》で作ったイヤリングでふくらんでいた。

「いくらだい……それ、そこのは？」

「八シリングです」

「一ポンド六シリングにしろよ。そうしたら買ってやるぜ」

少年は当惑して眉《まゆ》を上げた。「え？　まさか、おじさん。負けろっていうならわかるけど、上げろなんて」

「じゃ、二ポンドだ」

「議論はしません、おじさん。はい、どうぞ」子供は急いで腕からネックレスを外し、ジュディに渡した。「また買ってください、たくさんあります。浜の人はみんなぼくを知っています。レナードです、いいですね？」

「よし、レナード。良い商売ができた」ジェフはポンド札を二枚渡した。すると少年はにやにや笑いながら一目散に浜辺を逃げていった。

ジュディはネックレスを掛け、当惑したふりをして首を振った。「馬鹿ね、あんな子供をからかったりして」

「まだよかったんだぞ」ジェフは微笑した。「あと一分もあれば、四ポンドか五ポンドまでせり上げていたかもしれないぜ」

彼女はネックレスの下がり具合を直した。そして、再び彼と目を合わせた時、そこには悲しみの色が浮かんでいた。「あなたは子供がとても好きなのね」彼女はいった。

「これだけが気掛かりだわ。私たちどうしても――」

ジェフは彼女の唇に軽く指を当てた。「君が僕の女の赤ちゃんだ。これで満足だよ」

二人が愛し合うようになってすぐ、一九六六年に精管切除の手術を受けたことを、彼は決して彼女に知らせることができなかった。そう推測させることすらできなかった。グレッチェンに対してしたように、もう二度と人間に命を与えるつもりはなかった。結局、その全存在が無効にされてしまうのを見るだけだから。ジェフ以外のだれにとっても、彼女は記憶の中にすら生きることはない。彼は、またもや人生を繰り返すように運命づけられているかもしれないというあの思考を絶する可能性を考慮して、愛しただけでなく創造してしまった人間を、あのような絶対的な忘却の淵《ふち》に残すことを拒否したのだった。

「ジェフ……考えているんだけれど」

彼は苦痛と罪の意識が表面に現れないように努力しながら、振り返ってジュディを見た。

「何を?」

「あのう――よく考えてからで、今すぐに返事をしなくてもいいんだけど――養子をもらってもいいのよ」

彼は絶句し、数秒間、彼女を見つめていた。彼女の顔に愛情が見えた。その愛情が表に出ようとして、さらに出口を求めていることがわかった。

これは実子を持つのとは違うだろう、と彼は考えた。たとえその子供たちを愛するようになっても、自分は彼らがこの世に生まれたことに何の責任もない。彼らがだれであろうと、すでに存在しているのであり、生まれているのだから。最悪の事態が起きるかもしれないが、それでも彼らは存在するだろう。たとえ、彼らにとって別の生活が始まるにしても。

「いいね」彼はいった。「是非そうしようよ」

川下りの出発点は、南北カロライナ州がジョージア州の北端に接するあたりで、大きなアパラチアの森林の南の縁、アールズ・フォードという所にあった。全部で六艘《ろくそう》のゴム筏《いかだ》があった。その黒くて不格好な乗り物はベースキャンプで膨らまされ、チャタヌーガ川の縁まで苦労して引いてこられた。ジェフ、ジュディ、それに養子のエイプリルとドゥエインの筏には、もう一人の陽気な白髪の婦人と、大学生くらいの年齢で顔と腕が真っ黒に日焼けしたガイドが乗り込んだ。

ゆったりと流れる澄んだ水に、筏が滑りこむと、ジェフは手を伸ばしてエイプリルの救命胴衣《どうぎ》のバンドを引き締め、その瘦《や》せた体のまわりに固定させた。その父親らしい動作を見ると、ドゥエインは幼い目に男らしい決意を見せて、自分自身の胴衣を締めた。

エイプリルは、生みの親からひどい虐待を受けていた子で、魅力のある小さなブロンドの娘だった。その弟になったのは、両親を自動車事故で失った、気性の激しい、非常に利口な少年だった。この子供たちの名前は必ずしもジェフやジュディが使いたい名前ではなかったが、養子にきた時にすでに六歳と四歳になっていたので、呼び名を変えることによって、彼らの自己感覚をさらに乱すのは良くないと思われた。

「お父ちゃん見て！　鹿《しか》よ！」エイプリルは興奮し顔を輝かせて、向こう側の岸を指さした。鹿はじろりと彼らを見返し、必要なら逃げようと身構えたが、これらの奇妙な幻を見ただけで食事を中止したくない、といった風情《ふぜい》だった。

やがて木の生い茂った両岸が高くなり始め、岩の峡谷になった。谷が深まると、流れのスピードが増し、間もなく筏の船団は最初の早瀬にさしかかった。筏が水流のために撥《は》ね上げられたり揺れたりすると、子供たちは喜んできゃーきゃー騒いだ。

筏が白く泡立《あわだ》つ水面を乗りきって、再び滑らかに流れはじめると、ジェフはジュディを見た。そして、最初の頃は心配そうだった彼女が、今は子供たちと同様に上機嫌《じょうきげん》になっているのを見てほっとした。この遠足に子供たちを連れてくるのを、彼女は心配していた。だが、ジェフはこのような楽しくて元気が出る行事を、子供たちから奪いたくなかった。

遠征隊は小さな島に上陸した。ジュディは防水容器に詰めてきた弁当を広げた。ジェフはチキンの脚をかじり、冷たいビールを飲みながら、エイプリルとドゥエインがこの三角形の島を探検するのを眺《なが》めた。子供たちの好奇心と想像力は彼を引きつけて止まなかった。子供たちの目を通して、ジェフはこの疲れた世間を新しく見直すようになった。彼とジュディが彼らを養子にした頃、彼はちょうど適切な時期にパソコンのアップル社とビデオゲームのアタリ社の株を買っていた。といっても大した額ではなく、家族の収入がじりじりと二、三段階上昇するくらいに。彼らはウェスト・ペイシズ・フェリー・ロードに、もっと大きな家を買った。そこには広びろとした裏庭があって、浅い養魚池と、三本の大きなオークの木が生えており、子供たちを育てるには完全な環境だった。

筏は再び川下りを始め、一マイルほど下流で、もっと大きな一連の早瀬に飛び込んだ。今度は水流はもっとずっと速く、青い色をした水の部分でさえもかなり速かった。だがジェフには、妻が川への恐怖心を失くし、その美しさとスリルに魅了されているのが分かった。筏がブル・スルース滝の急流を矢のように流れ下る時、彼女は彼の手にしっかりとつかまった。そこを過ぎると、水はまた静かになり、太陽は松林の向こうに傾いていた。

エイプリルとドゥエインは、アトランタに帰るバスが待っているのを見ると、とても悲しげな表情を見せた。だがジェフは、彼らの冒険は夏の季節と同様に、まだ始まったばかりだと知っていた。間もなく家族をイタリアとフランスに、のんびりとした二カ月の自動車旅行に連れていくつもりだった。来年には日本と、新たに観光客を受け入れるようになった広大な中国に、旅行する計画でいた。

ジェフは彼らに、それらすべての国を見て、世界が差し出す栄光と驚異を一つ残らず経験してもらいたかった。しかし、まだ秘密の恐怖を抱いていた。これらの記憶のすべてが、彼らに注いだ愛情もろともに、彼らだけでなく自分自身にも理解できないある力によって、間もなく抹消《まっしょう》されてしまうかもしれないから。

三日たつと、胸の電極を貼《は》りつけた部分が猛烈に痒《かゆ》くなり始めた。だが彼は一分間たりとも心電図計を外そうとしなかった。

看護婦たちは彼を軽蔑《けいべつ》しきっていた。ジェフはそれを知っていた。彼女らは声が聞こえない距離にいると思う時には、彼を嘲笑《ちょうしょう》し、病院の有効ベッド数を減らしている、完全に健康な心気症患者の世話をしなければならないことを憤慨した。医者も多かれ少なかれ同様に感じていて、公然とそう話した。それでもジェフは要求した。それも激しく。結局、病院の建設基金にかなりの寄付をした後に、やっとその一週間の入院許可を得たのだった。

一九八八年十月の第三週。もしあれが起こるとすれば、これがその時期だった。

「あなた、具合はいかが？」ジュディは銹色《さびいろ》の秋の衣装をまとい、頭のてっぺんに髪をゆるく結い上げていた。

「痒い。それ以外は何ともない」

彼女はいまだに無邪気に見える顔にそぐわない、おどけた笑いを浮かべていった。

「どこかを掻いてあげましょうか？」

ジェフは笑った。「そう願いたいね。しかし、後二、三日待たなければならないだろう。ワイヤーを外すまで」

「あのね」彼女は二つのショッピング・バッグを持ち上げた。一つはオックスフォード書店のもので、もう一つはタートル・レコード店のものだった。「これがあれば、しばらく退屈せずにいられるわよ」

彼女が持ってきたのは次のものだった。トラビス・マジーとディック・フランシスのミステリー（彼はこの生涯《しょうがい》ではミステリーを読む趣味を身につけた）の最新作に、アンドレ・マルローの伝記とキューナード海運の歴史。ジュディは彼のことをまったく知らなかったけれども、彼の関心の幅の広さを確かに理解していた。もう一つの袋には、バッハやビバルディから『サージャント・ペッパー』のデジタル版にまでおよぶ、一ダースほどの宝石箱入りのコンパクト・ディスクが入っていた。彼女はきらきら光るディスクの一枚を、ベッドサイドのポータブルCDプレーヤーに滑りこませた。するとパッヘルベルの『二調のカノン』の精妙な旋律が病室を満たした。

「ジュディ――」彼の声がかすれた。彼は咳払いして、言い直した。「これだけは知ってほしい……僕はいつも、どんなに君を愛しているか」

彼女は落ち着いた口調で答えたが、目の中の驚きの表情を隠すことはできなかった。「お互いにずっと愛し合っていくんでしょ。この先もずっと、ずっと長くね」

「できるだけ長く」

ジュディは眉をひそめて、口を開きかけたが、彼はしーっといって黙らせた。彼女はベッドにかぶさるようにして彼にキスした。その手は彼の手を探り当てた時、震えていた。

「早く退院してね」彼女は彼の顔にささやきかけた。「私たちまだ始めさえしていないのよ」

　それは、ジュディが昼食を取るために病室を出て、院内のカフェテリアにいってから一時間少したって起こった。ジェフは彼女が居合わせず、それを見なかったことを喜んだ。

　心電図が暴れ出した時、看護婦の顔に浮かんだ驚きの表情を、彼は苦しみながら見て取った。だが、その看護婦は完全なプロ精神を発揮して、間髪を入れず緊急事態の発生を告げた。ジェフは数秒以内に、指示や状態報告を大声で言いながら処置をする治療チームに囲まれていた。

「エピネフリン、一cc！」

「重炭酸静注二アンプルか？　こちらは三百六十ジュール頼む！」

「退《さが》れ……」**ドカン**！

「心頻搏《ひんぱく》！　血圧、触診法で八十。二百ワット秒。リドカイン、七十五ミリグラム四本。

急げ！」

「見ろ――心室細動だ」

「エピネフリンと重炭酸をもう一度。三百六十でもう一度除細動する。退れ……」ドカン！

彼らの声が、光とともに次第に薄れていった。ジェフは怒って悲鳴を上げようとした。あまりにも酷《ひど》いから。今度は完全に準備していたのに。しかし、悲鳴を上げることはできなかった。叫ぶことすらできなかった。再び死ぬ以外に、何もできなかった。

そして再び目覚めた。マーティン・ベイリーのコーベアの後部座席だ。隣にジュディが坐《すわ》っている。十八歳のジュディ。一九六三年のジュディ。まだ恋におちいらず、結婚せず、一緒に生活を築き上げる前のジュディ。

「車を止めろ！」

「ちょっと待てよ」マーティンがいった。「もうすぐ女子寮に着くじゃないか。俺《おれ》たち――」

「止めろといっただろう！　すぐ止めろ！」

マーティンは当惑して首を振りながら、歴史学科の建物の裏のキルゴ・サークルの所に車を止めた。ジュディはジェフの腕に手をおいて、なだめようとした。だが、ジェフは彼女の手を乱暴に振りほどいて、車のドアを押し開けた。

「おい、いったいどうしたんだよ？」マーティンが怒鳴ったが、ジェフは車から降りて走りだした。盲滅法《めくらめっぽう》に走っていった。どの方向であろうとかまわなかった。

かまうものは何もなかった。

中庭を走り抜け、化学と心理学の建物のところを通っていった。強くて若い心臓が、胸で拍動していた。まるで、数分前に、そして二十五年未来に、彼を裏切ったことなどなかった様子で。足は、彼を運んで生物学の建物を過ぎ、ピアス車道とアークライト車道の角を横断して走っていった。彼はついによろめき、サッカー場の真ん中に膝《ひざ》をつき、ぼんやりした目で星空を見上げた。

「ばかやろう！」彼は無感覚な空に向かって怒鳴った。あの終末病院のベッドからでは表現できなかった、力と絶望のすべてをこめて怒鳴った。「ばかやろう！　なぜ……こんな……ことを……俺に……するんだ！」

8

ジェフはその後、あまり物事を気にしなくなってしまった。彼はできるだけのことをし、一人の男が望みうるあらゆることを——物質的にも、空想的にも、父親としても——なし遂げた。ところが、その全《すべ》てが無に帰してしまい、やはり孤独で、無力で、手の中も心の中も空虚になってしまった。始めに戻《もど》る。しかし、最善の努力が不毛になるのが避けられないとしたら、始める必要があるだろうか？

彼は二度とジュディに会う気にならなかった。この可愛《かわい》い顔をした思春期の少女は、彼が愛した女性ではなくて、あの女性になる可能性を秘めたただの白紙のような存在にすぎない。最後には感情的、精神的な死に到《いた》ることを知りぬいているのに、お互いに相応《ふさわ》しいものになろうとするあの過程を機械的に繰り返すのは、無意味であり、マゾヒスティックでさえある。

彼はずっと昔に北ドルーイド・ヒルズ通りで見つけたあの特徴のないバーに戻って、飲み始めた。適当な時期がくると、ケンタッキー・ダービーに賭《か》けをさせるためにフランク・マッドックを説得するという、あのジェスチャーゲームを再び全部やってのけた。金が入るとすぐにラスベガスに飛んだ。こんどは一人で。

ホテルとカジノを三日間うろついたあげく、サンズの、最低一ドルから賭けられるブラックジャックのテーブルについている彼女を、ついに見つけ出した。同じ黒い頭髪、同じ完全な体、ドレスさえもあの赤いドレス——あの小さな二世帯住宅の居間のソファで、互いに相手の肉体が待ちきれなくて、瞬間的に引き裂いてしまったあのドレスだった。

「やあ」彼はいった。「僕《ぼく》はジェフ・ウィンストンだ」

彼女は持ち前の誘惑的な笑顔を見せた。「シャーラ・ベイカーよ」

「そうだな。パリにいきたくないかい？」

シャーラは面白がっているように彼を見つめた。「この勝負を済ませてからでいい？」

「三時間後にニューヨーク行きの飛行機がある。そいつはエア・フランスに直接接続するんだ。荷作りの時間はあるだろう」

彼女は持ち点一六で、もう一枚要求し、しくじった。

「本気なの？」彼女は尋ねた。

「本気さ。いくかい？」

彼女は肩をすくめて、バッグに残してあった少しばかりのポーカーチップをすくい出した。

「いいわ。いくわ」

「そうこなくちゃ」ジェフはいった。「さあ、いこう」

そのクラブの空気には、百本ものゴロワーズやジタンなどのタバコの煙の、甘く鼻を刺すような匂《にお》いが、霧のように漂っていた。その霞《かすみ》を通して、酔っぱらったシャーラが片隅《かたすみ》で目をつぶって一人で踊っているのが見えた。今度の人生では、彼女はジェフの記憶以上に酒を飲むように思われた。もしかしたら、彼自身が今度の人生ではかってなかったほど酒を飲むので、彼女がそれに調子を合わせているというだけのことかもしれなかった。少なくとも、酒は彼を社交的にした。今夜は彼のテーブルには半ダースほどの人々がいて、その大部分が表向きは何らかの種類の〝学生〟だった。しかし、みんな書物よりも、この町の決して終わることのないナイトライフのほうが好きだった。

「こういうクラブはアメリカにもあるんだろ？」ジャン＝クロードが尋ねた。

ジェフは首を振った。カボー・ド・ラ・ユシェットは古典的なスタイルのパリのジャズ酒場で、その石壁の地下牢《ちかろう》のような地下室には、こちらのだれもが常用しているらしいタバコと同様の、いがらっぽい刺激的な音楽が充満していた。このスタイルは、もっと新しいディスコと違って、合衆国では決して人気を博することができそうもなかった。

ジャン＝クロードのガールフレンドである小柄《こがら》な赤毛の娘、ミレーユが皮肉で物憂《ものう》げな微笑を浮かべた。「かわいそう《セ・ドマージュ》」彼女はいった。「黒人たちは自分の国で好かれないから、こっちにきて演奏しなければならないのね」

ジェフはどっちつかずのジェスチャーをして、グラスに赤ワインをもう一杯注《つ》いだ。アメリカの現在の人種問題が、目下のパリの主な話題になっていたが、彼はその議論に参加する気持ちはなかった。深刻な話や、思考や記憶を強いる話題は、今の彼には全く関心がなかった。

「あなたアフリカを訪問すべきよ」ミレーユがいった。「あそこには多くの美と、多くの理解すべきことがあるわ」

彼女とジャン゠クロードは最近モロッコに一カ月滞在して、帰ったばかりだった。ジェフはアルジェでのフランスの大失敗に触れるのを遠慮した。

「アタンシオン、アタンシオン、シル・ブー・プレ！」クラブの主人が店内の小さなステージに立ち、マイクに口をつけるようにしていった。「メダーム・エ・メッシュー、コパン・エ・コピーヌ……カボー・ド・ラ・ユシェットは特別の喜びをもってホットなブルースをお送りいたします……演じるは、ほかならぬブルースの達人――ムッシュー・シドニー……ベシェ！」

その移住してきた老ミュージシャンがクラリネットを持って登場すると、大きな喝采《かっさい》が起こった。彼は先《ま》ずはじけるような大きな音で『ブルース・イン・ザ・ケイブ』を吹き、それから『フランキー・アンド・ジョニー』を感情をこめてセクシーに演奏した。シャーラは腹の底から突き上げてくるような音楽に合わせて身をくねらせながら、片隅でソロのダンスを続けた。ジェフはワインの瓶《びん》を空にし、もう一本持ってくるように合図した。

二番目の曲が終わり、若い聴衆がその異国情緒にみちた音楽に喜んで歓声を上げると、老ブルース・マンはにっこり笑ってうなずいた。「メルシー、メルシー、メルシー！」そして叫んだ。「フランス語はあまりうまくありません《モン・フランセ・ネ・パ・トレ・ボン》」強いアメリカ黒人訛《なま》りでいった。「だから、皆さんはブルースを知っていると、私の国の言葉でいうしかありません。わかりますか？」

少なくとも聴衆の半数はその英語を理解して、熱狂的に答え、歓声を上げた。「そうだ！《メ・ビアン》そうとも！《ビアン・シュール》」ジェフは新しいワインをがぶりと飲んで、音楽が再び自分を連れ去ってくれるのを、記憶のすべてを拭《ふ》き消してくれるのを待った。「はい、結構！」ベシェはクラリネットのマウスピースを拭《ぬぐ》いながら、ステージからいった。「さあ、今度は特にブルースらしい曲をやります。あのう、何も持っていない人々のためのブルースがあります、それは悲しいブルースです……しかし、最も悲しいブルースは、欲しい物をすべて手に入れて、それを失い、しかも二度とそれらが戻らないことを知っている人々のためのブルースです。世の中にこれ以上の苦悩はないでしょう。その曲の名は『アイ・ハッド・イット・バット・イッツ・オール・ゴーン・ナウ』です」

その曲が始まり、喉《のど》の奥からしぼり出すような短調の音が、儚《はかな》さと悔恨を歌い上げた。何とも切なく、やりきれなかった。ジェフは椅子《いす》に体を沈め、その音を聞くまいとした。グラスに手を伸ばすと、ワインがこぼれた。

「どうかした？」ミレーユがいって、肩にさわった。

ジェフは答えようとしたが、答えられなかった。

「さあ、さあ《アロン・ジ》」彼女は煙が満ちたナイトクラブの中で、彼をひっぱって立ち上がらせた。

「外に出て空気を吸いましょう」

ユシェット街にでると、細かな霧雨が降っていた。ジェフは顔を上げて冷たい雨を受け、水滴が額を流れるにまかせた。ミレーユは手を上げて、彼の頰《ほお》に細い手を置いた。

「音楽って、傷つくことがあるのよ」彼女はそっといった。

「うん」

「だめよ。あのう……どう言うんだっけ《コマン・ディトン》、〝ウブリエ〟って？」

「〝忘れる〟」

「ああ、それよ《ウィ・セサ》。忘れた方がいいわ」

「ああ」

「しばらくの間」

「しばらくの間ね」

彼は同意した。二人はタクシーを探しにミッシュ通りの方に歩きだした。

フォーシュ通りのジェフのアパートの居間に戻ってくると、ミレーユは小さなパイプにかさかさした茶色のハシシュと、同量の阿片《あへん》を詰めた。彼女は、東洋の敷物に坐《すわ》っている彼の横に坐って、その強い混合麻薬に火をつけ、パイプを彼に渡した。彼はその煙を深く吸い込み、火が消えると、またつけた。

ジェフは主に最初の人生で、時々マリファナタバコを吸った。しかし、このような喜びに満ちた静かな深い快感を感じたことは決してなかった。それは、マルローが阿片経験を記述しているように、〝大きな動かない翼に乗って、連れ去られるよう〟だった。しかも、ハシシュのおかげで、精神は活動し解放されたままでいるので、完全に夢の中に流れ込むことはなかった。

ミレーユが敷物の上にひっくり返ると、緑色の絹のドレスが上に引かれて、太股《ふともも》が見えた。窓を打つ雨がしつこいリズムを刻んだ。彼女が頭をぐるぐる回すと、光沢のある朽葉色の頭髪が顔に掛かったり、むきだしの肩に掛かったりした。ジェフは彼女のふくらはぎを撫《な》で、それから次第に手を内股《うちまた》に入れていった。彼女は黙諾と欲望のかすかなうめき声を洩《も》らした。彼は身をかがめて彼女のドレスの前をはだけ、その少女のような乳房から滑らかな布地を引き取った。

二人はその床の上で、黙ったまま、強烈にといっていいほど激しく、互いの肉体を利用し合った。終わると、ミレーユはまたパイプに阿片入りのハシシュを詰めて、今度は寝室にいって吸った。二人は羽根布団《はねぶとん》の下で、新たな気安さをもって手足を絡《から》み合わせ、緩やかに同時に達した。その後、サントノレ・デイロウの鐘が早朝のミサを知らせると、ミレーユはまた彼の上にのぼり、細っそりした腰で陽気に馬乗りになった。

シャーラは薄暗い夜明けにアパートに戻ってきた。「おはよう」彼女は疲れ切った顔で、寝室のドアを開けていった。「あんたがた、コーヒー飲む？」

ミレーユはベッドの上に起き上がって、乱れた髪を振った。「ちょっとコニャックを入れたら？」

シャーラはしわになったドレスを脱ぎ、戸棚《とだな》の中を手探りしてローブを取り出した。「いいわね」彼女はいった。「同じにする、ジェフ？」

彼は目を瞬《しばたた》き、目をこすって麻薬の霞を拭い取った。「ああ、そうしようかな」

ミレーユは立ち上がり、シャワーを浴びるために、さりげなくぶらぶら歩いてバスルームにいった。シャーラが朝食の盆を持って戻ってきた時には、その小柄な赤毛の女は裸のままベッドの縁に腰掛けて、髪を拭《ふ》いていた。ブランディ入りのコーヒーを飲みながら、二人の女はリボリ街に最近できた肌着店《はだぎてん》のことを陽気に話した。

九時を少し回ると、ミレーユは家に帰って着替えをしなければならないといった。別の友人と会ってブランチを食べることになっているが、昨夜の絹のドレスを着てカフェに行くのは嫌《いや》だというのである。彼女はジェフに別れのキスをし、シャーラをちょっと抱き締めて、出ていった。

ミレーユが帰るとすぐに、シャーラはベッドからコーヒーカップを片づけ、シーツをめくり、暖かい舌を動かしてジェフの下腹部をなめた。彼は、彼女が口にふくんだ時には、まだだらりとしていたが、間もなくまた硬くなった。

ジェフはシャーラが一晩中どこにいっていたか決して尋ねなかった。実際それは問題にならなかった。

小石の多い浜辺に地中海が優しく打ち寄せていた。その静かな波は永遠のささやきであり、無変化のささやきだった。近くのカフェの一つから新鮮なブイヤベースの香りが流れてきた。ジェフは空腹を感じ始めていた。女たちが水から上がったら、昼食にしようと、すぐに言おうと思った。

六月の初めに一週間ほど天気が崩れた。それで、彼らはジャン＝クロードやミレーユや、その他の仲間とともに国際特急〝ル・ミストラル〟に乗って、南に向かった。列車がツーロンに着く頃《ころ》にはみんな酔っぱらってしまい、そこから、八人でわいわい騒ぎながら二台のタクシーに乗りこんで、四十三マイル先のサントロペにいった。

この小さな漁村は、ヴァドムとバルドーが、コートダジュールのアンティーブやマントンなどの由緒正しい落ち着いた保養地の代わりとして発掘し、若々しい保養地として有名にしてしまって以来、過去六年間に大きく様変わりをした。しかし、すでに活況を見せているとはいえ、後何十年かでここを全く住みにくい場所にしてしまう、あの息の詰まるような観光客の大軍は、まだ押し寄せていなかった。

ジェフの半ば閉じた目の前を一つの影が横切ったと思う間もなく、彼は滑らかな女の股でぎゅっと砂に押しつけられた。だれかが尻《しり》に乗ったのである。シャーラ？ ミレーユ？ それから、その女の裸の乳房が彼の背中に触れ、潮風に立った乳首が背中を愛撫《あいぶ》した。

「チッカ？」彼は推測して、片手を女の頭髪にむかって上げ、その長さや厚みを確かめようとした。彼女はくすくす笑って頭をのけぞらせた。

「ばーか《テ・フゥ》」女はじらすようにいって、彼の股を自分の股でもっと強くはさみ、乳房をぴったりと押しつけた。シャーラのより小さく、チッカのよりも大きい。

「まさか、ミレーユではないだろうな」彼はいって、手を後ろに伸ばし、女のぴんと張った小さな尻を叩《たた》いた。「太りすぎてる」

ミレーユはフランス語で一連の悪態をつき、その締めくくりとして、彼の短いトランクスのウェストバンドを持ち上げて、アイス入りのレモネードをコップから注ぎこんだ。彼はえいっとばかり彼女を転がり落とし、ふざけて手をばたばたさせて抵抗するのを、砂の上に仰向けに押さえつけた。

「サドなんだから」彼女はにやりと笑った。ジェフは片手を放し、あわてて氷をトランクスから払い落とした。すると、彼女は薄い布越しにペニスをつかんだ。「ね？」彼女はいった。

「好きなくせに」

彼は今この場で彼女が欲しくなった。乱れた髪、日光を受けてぎらぎら光る乳房と腹、白いビキニの股間《こかん》のかすかな膨らみ。彼女は彼のトランクスの前面に指を滑り下ろし、さらに強くぎゅっと握った。彼はあっと息をのんだ。

「人目がある」緊張した声でいった。

ミレーユは肩をすくめ、ペニスをにぎった手をせっせと動かした。彼は目を上げて人が大勢いる浜辺を見た。シャーラがこちらにやってくる。むき出しの乳房を揺すり、ジャン＝クロードの腰に腕を回して。

「ミレーユ」彼は懸命にささやいた。

彼女は砂の付いた尻をぐりぐりと押しつけながら、さらに強く、さらに早く揉《も》んだ。彼はもう我慢できなかった。目をつぶり、うめき声を上げた。すると唇《くちびる》に唇が触れ、舌が口を探った。一組の乳首が彼の胸に押しつけられ、もう一組が肩に押しつけられ、髪と乳房と口と手が……シャーラがキスし、ミレーユが彼をオーガスムに昇らせ（いや、その逆か？　だから、どうだというのだ？）彼はいってしまった。

「みんな食欲を奮い起こそうとしているのかい？」ジャン＝クロードが笑いながらいった。

その日の晩に、みんなで阿片入りハシシュを何服か回しのみし、シャーラがジャン＝クロードやチッカやもう一組のカップルと一緒にふらふらと上の部屋にあがってしまうと、ジェフはホテルの庭園でミレーユと話をした。麻薬が舌を緩めるのに役立った。そして何年もの間彼の内部で燃えていた秘密が、今や自発的にほとばしり出た。ミレーユはたまたまその場所に居合わせたにすぎなかった。

「僕はこの人生を前にも生きたんだよ」彼はいって、レジダンス・ド・ラ・ピネードの松林越しに沈んでいく夕日を見つめた。最近は日没が遅くなっている。

ミレーユは白い木綿のドレスを周囲の草の上に大波のように広げ、素足を蓮華坐《れんげざ》に組んで坐っていた。「既視感《デジャビュ》ね」彼女は微笑した。「私も時々そう感じることがあるわ」

ジェフは眉をしかめて首を振った。「僕は文字通りのことをいっているんだ。いや――正確にこの人生というわけではなくて――この、きみやシャーラやあらゆるものがある人生ではなくて……」

それから、言いたい事がほとばしり出た。言いたい事のすべて――長年にわたって隠してきた言葉や記憶――が、ぞろぞろと流れ出た。オフィスでの心臓発作、昔のエモリー大学学生寮でのあの最初の朝。儲《もう》けた金、失った金。妻たち。子供たち。死。そして死。そしてまた死。

ミレーユは一言もいわずに聞いていた。沈んでいく夕日が彼女の頭髪を後ろから照らし、炎の色に変え、その顔を濃くなっていく影の中に残した。彼の声は、伝えようとしている事柄の信じ難《がた》さに打ちひしがれて、次第に小さくなって消えた。

その頃には真っ暗になっていた。ミレーユの顔色を読むことは不可能だった。気が違ったと、いや、阿片の夢を語ったと、彼女は思ったろうか？　彼女の沈黙が、話している時に感じたカタルシスのような解放感を、むしばみ始めた。

「ミレーユ？　きみを驚かそうと思ったわけじゃないんだ。ただ——」

彼女は膝《ひざ》で立ち、細い腕を彼の首に回した。きっちりカールした銅色の髪が、彼の頰にそっと触れた。

「多くの人生」彼女はささやいた。「多くの苦しみ」

彼は彼女の若いスリムな体をきつく抱き締め、すがすがしい松の匂いのする空気を、長く深く吸い込んだ。木々の間から弾《はじ》けるような笑い声が聞こえ、シルビー・バルタンの最新のレコードの透明な、甘い、弾むような音が流れてきた。

「いらっしゃい《ビアン》」ミレーユはいって、立ち上がり、ジェフの手を引っ張った。「向こうの仲間に入ろう。人生が待ってるわ《ラ・ヴィ・ヌー・ザタン》」

みんな八月にはパリに戻った。するとまた雨が降り出した。あの晩に、サントロペの庭園で彼女に話したことについて、ミレーユはその後何もジェフに言わなかった。彼女はすべてをハシシュのせいにしてしまったにちがいない。それもまた無理からぬことだ。また、ジェフとシャーラは、自分たちの生活の、正常な決まり事の一部にもうなってしまっているグループ・セックスや麻薬について、ことさら話し合うことはなかった。これらの事は起きてしまったのだし、起き続けているのだ。みんなが楽しんでいるかぎり、議論する理由はない。

彼らのところに時々ぶらりとやってきて、またぶらりと去っていく新しいカップルの一つが、ル・シャトリエ街にあるパルトゥーズと呼ばれる店を紹介してくれた。それは、一九七〇年にド・ゴールが死ぬまで、エトワール広場と呼ばれ続ける場所から、二、三ブロック北にいった所だった。そのパルトゥーズは、二〇年代以来この町で繁盛している何軒かの中の一つで、経営状態の良い、贅沢《ぜいたく》な設備のある家だった。パーラーにはガラスケースに入った骨董品《こっとうひん》の人形のコレクションがあり、厚い栗色《くりいろ》のカーペットは壁にマッチしていて、壁には世紀末の版画が掛かっていた……そして、二つのフロアに、設備が良くて非常に広い寝室が並んでおり、そこを三十組か四十組の裸のカップルがあちらこちら歩きまわり、ふざけ戯《たわむ》れていた。そしてお仕着せを着た三人のメードが彼らの世話をしていた。

サントロペのグループは毎週末にこのパルトゥーズに通い始めた。ある夜、ジェフとシャーラは、パリには新参のひょうきんなアメリカ人のスターの卵と、三人組で遊んだ。その女優は間もなく、演技よりもむしろ急進的な女権拡張論で、有名になるはずであった。また別の夜には、ミレーユとシャーラとチッカが、一つのパーティでだれが最初に二十人の男性とセックスをするかで、即興のコンテストを催した。シャーラが勝った。

ジェフは、美しい他人との気軽な公然のセックスという、この絶えることのない円舞が、いかに急速に、完全に正常な事柄《ことがら》に思われるようになったことかと、びっくりした。そして、このような行為が、ヘルペスとかエイズとかいう彼自身の時代の疫病《えきびょう》に対して何の恐れも抱かれずに行われることに、衝撃を受けた。このような気苦労のない安心感は、この頽廃的《たいはいてき》な行為に、〝人類の堕落〟以前の〝楽園〟に遊び戯れる裸の子供たちのような、懐旧的な天真爛漫《てんしんらんまん》な雰囲気《ふんいき》を添えた。八〇年代に、このパルトゥーズに何が起こるだろうか、そして、アメリカやヨーロッパの他《ほか》の国々の似たような店に何が起こるだろうか、と彼は思った。もし、これらが全部生き残れば、疫病に触発された妄想《もうそう》と罪の意識が充満することだろう。

八〇年代——喪失の、破れた希望の、死の十年。そのすべてが再びやってくるだろう。それもずっと早くに。

9

ロンドンにきて一月《ひとつき》足らずで、LSDをくれるという女に出会った。実際に、その女がチェルシー・ドラッグストアという名のパブから出てくるところで出会ったのである。そのことを、後になってカンパリ・ソーダを飲みながらジェフがいうと、大笑いになった。処方調剤をしてもらいにいって、まさに思い通りの薬を手に入れたといったのである。彼女はそれを面白がったが、もちろん、彼が何のことをいったか彼女にわかるはずはなかった。なぜなら、あと一年たたなければ、ストーンズはあの歌をレコードしないのだから。

彼女はシルビアという名前だった。だが、みんながシルラと呼ぶのよ、と打ち明け、「ほら、歌手のシルラ・ブラックみたいによ」といった。そして、母と父はブライトンに住んでいるといって、顔をしかめた。彼女自身は二人の女友達とサウス・ケンジントンにアパートを借りて住み、グラニー・テイクス・ア・トリップに勤めていた。そこでは、あらゆる衣料品——いま着ているような青いビニールのミニスカートや黄色い模様入りのストッキングなど——を半額で買うことができるのだった。

「あのねえ、あそこには、一番トレンディな服があるのよ。カウントダウンやトップギアよりもっとずっといかすのがあるの。キャシー・マガウワンがいつも買いにくるわ。昨日なんか、ジーン・シュリンプトンがきたんだから」

ジェフは微笑し、うなずき、彼女の愚かなお喋《しゃべ》りを無視した。関心があるのは彼女にではなくて、ドラッグにだったから。ドラッグにはずっと前から関心を持っていた。そして、怖くて手を出さずにいたことをどうしても認めたくなかった。だが、ドラッグについて、この女はごく気軽に考えているらしく、(こんなにいかれているのが生まれつきだとすれば)一見、何の悪影響も受けて居ない様子だった。最初、彼はただいつもの癖で彼女に声を掛け、脇に抱えていたアニマルズのアルバムのことを話題にしたのだった。すると、五分もたたないうちに彼女のほうから、アシッドをやりたくないかと尋ねてきたのだった。それで、よし、かまうものか、やってやれ、という気分になったのである。


スロウン・テラスのタウンハウスに帰ると、シャーラは昨夜ドリーの店で会ったどこかの男とベッドで寝ていた。ジェフは寝室のドアを閉め、居間でマリアンヌ・フェイスフルのレコードを低い音で掛け、シルラにもう少し酒を飲むかと尋ねた。

「これからアシッドをやるなら、止《や》めとくわ」彼女はいった。「ちゃんぽんにすると、具合が悪いでしょ？」

ジェフは肩をすくめて、とにかく自分用にスコッチをもう一杯注《つ》いだ。リラックスするには――幻覚剤を使用する不安を解消するには――アルコールが必要だった。何の害があるものか。

「向こうの部屋にいるのは、奥さん？」シルラが尋ねた。

「いや、ただの友達だ」

「私がここにいると、気にするかしら？」

ジェフは首を振って笑った。「いや、ぜんぜん」

シルラはにやりとし、目に掛かった茶色のまっすぐな髪を振り払った。「他の女がそばにいると……私はどうしても駄目《だめ》なの。もちろんフラットの同居人は別よ。でも、部屋が不足してるから、仕方なくそうするんだけどね」

「まあ、彼女はここの同居人だから、気にしなくていい。下の階に別の寝室があるけど、そちらの方が気分が落ち着くかな？」

彼女は、材質がスカートにマッチし、色彩が靴下《くつした》にマッチしている、黄色のビニールのバッグの中をかきまわした。「先《ま》ずアシッドを飲んで、効き目が現れるのを待って、それから階下にいけばいいわ」

ジェフは紫色に染まった小さな四角い吸取紙を受け取り、それをウィスキーの残りで飲み下した。シルラはオレンジジュースがいいというので、彼は冷蔵庫からジュースの容器を取ってきた。

「効き目を感じるまでに、どのくらいかかる？」彼は尋ねた。

「場合によりけりね。今日はお昼を食べた？」

「いいや」

「では、三十分ぐらい」彼女はいった。「まあ、そんなところよ」

もっと短かった。二十分以内に、壁がゴムに変わり、ゆらゆらと前後に動き始めた。ジェフは期待していた幻覚が現れるのを待った。だが何も現れなかった。その代わりに、周囲のあらゆる物がちょっと捻《ねじ》れて、形容し難《がた》く歪《ゆが》み、何となくキラキラ光っているように見えた。

「あんた感じる？」彼女が尋ねた。

「どうも……思っていたのとは違うようだ」言葉は明瞭《めいりょう》に出てきたが、口が粘るように感じられた。シルラの顔が変わって、熱い蠟《ろう》のように流れ始めていた。口紅と頬紅《ほおべに》が今や猥褻《わいせつ》に感じられるほどけばけばしくなり、赤い塗料の層が幾重にも彼女の肉を覆っていた。

「でも、素晴らしいでしょ？」

ジェフは目をつぶった。すると、ああ、模様が見える。幾重にも輪の中に輪が重なり、ちかちか光る複雑な格子《こうし》によって互いに接続されている。輪、曼陀羅《まんだら》。永遠のサイクルの象徴。錯覚による変化の象徴。変化が、出発点に逆戻《ぎゃくもど》りし、また再び始まる……

「このストッキングに触ってごらん」シルラは彼の手をつかんで自分の股《もも》に載せた。すると、模様のある黄色いパンストが生地《きじ》と畝《うね》の風景になった。異質な太陽に照らされている。この太陽もまた存在の果てしないサイクルの一部であり――

シルラはくすくす笑って、彼の手を自分の股間《こかん》に押し当てた。「もう、階下《した》に連れてって。これがアシッドでどんな感じになるか、楽しみね」

彼はただ横になって、これらの静穏と受容の反復する波に、精神を委《ゆだ》ねたいと思いながらも、彼女に従った。階下の小さな寝室に入ると、シルラは彼の服を脱がせ、赤いマニュキュアをした指で彼の体じゅうを撫《な》で回した。指の触れた部分にはすべて冷たい火の筋が残った。彼女はミニスカートとソックスを脱ぎ捨て、薄いブラウスを頭から脱ぐと、彼の口を右側の乳首に引き寄せた。彼は欲望よりもむしろ好奇心でそれを吸った。まるで、存在の連鎖の中でその場所を突然知った幼児のように。自分自身の誕生、死、復活を見ている全知の子供のように。

シルラは彼を体内に導いた。彼は自然に硬くなった。彼女の濡《ぬ》れた内部の肉は、何か太古のもののようであり、原生人のもののようだった。彼の活力に満ちた陽。それに対する受容的な陰。合体して、これらの果てしなく再生するサイクルの創造者になる。これらは――

　ジェフは目を開けた。すると女の顔がまた変容して、グレッチェンの顔になっていた。彼はグレッチェンとやっていた。自分の娘とやっていたのだ。自分が生命《いのち》を与えた女性と。しかも決して存在しなかった女性と。

　彼はたちまち嫌悪感《けんおかん》を覚えて身を引いた。

「あうう！」女は不満の叫びを上げ、萎《な》えたペニスをにぎってしごいた。「さあ、やって、やって！」

　彼の心の内部の波はもはや鎮《しず》まらなかった。それは彼の感情を激しい力で叩《たた》いた。サイクル、輪……その宇宙の連鎖の中に彼の場所はなかった。ジェフという、時間から外れた特異な存在に適合するパターンはなかった。

　女は血のように赤い唇《くちびる》を開き、身をかがめて彼を吸った。ジェフはシルラの顔を脈動する壁の方に押しやり、彼女の中に見たものを閉め出そうとした。

「パーティに入れてくれる？」開いた戸口にシャーラが裸で立っていた。その後ろに、頭髪がもじゃもじゃで、あばた面《づら》の、痩《や》せこけた若い男がいた。シルラはやってきた二人を見て不安そうに眉《まゆ》をしかめたが、すぐにリラックスし、胸を隠すために持ち上げていたシーツを落とした。

「まあね」シルラはいった。「アシッドは、お宅のこの友達には合わないみたい」

「アシッドだって?」若い男が興奮していった。「持っているのかい?」

シルラはうなずいて、階下に持ってきたバッグに手を伸ばした。

「ねえ、二服くれないか?」男はいった。それからシャーラに向かって、「アシッドを飲んでからやったことあるかい? ものすごいぞ!」

全員がベッドに入り、シャーラがシルラのヘアーを、グレッチェンのヘアーを撫で――いや、撫でているのはリンダだろうか?――それから、その見知らぬ男がマーティン・ベイリーになり、自分で頭に銃弾を射《う》ち込《こ》み、その穴から血がぴゅーっと噴き出し、シーツを汚し、ジェフの妻と娘の裸体を浸した。ジェフ以外の全員が死んでいた。だが、彼は何回死んでも死ぬことができなかった。自分が輪だった。自分がサイクルだった。


サンフランシスコ国際空港の一等ラウンジで待ちながら、シャーラはいらいらして足でこつこつと床を叩いた。その顔は最新モードの化粧のために幽霊のように青白く見え、それを光沢のあるまっすぐな黒い髪が縁取っていた。眉は脱色されてほとんど見えず、口紅はチョークの筋みたいだった。ドレスは光学的トリックを取り入れたクレイジーな縞馬《しまうま》模様のプリントで、タイツも白くて、何から何まで色がなかった。

「後どのくらい待つの?」彼女はぶっきらぼうに尋ねた。

ジェフはちらりと腕時計を見た。「もうそろそろ搭乗《とうじょう》時間だ」

「それで、向こうに着くのにどのくらいかかるの？」

「四時間半の飛行だ」彼は溜《た》め息《いき》をついた。「前にもこうしたじゃないか」

「でも、なぜこんなことするのか、わかんない。もう熱帯はうんざりなんでしょ。ブラジルから帰る時に、あんた、確かにそういったわ。それなのに、どうして急にハワイにいかなくちゃならないの？」

「周囲にだれも人がいなくて、日なたで静かにしている時間がほしいんだ。気分転換にね。考える時間がほしいんだよ。こういうことは前にもあったじゃないか」

彼女は皮肉な目でちらりと見た。「ああそうだ。あんた、あらゆる事を前にすべて経験したと思っているんだったわね？」

彼は信じられない思いで見返した。「それ、どういう意味だ？」

「人生を何度も繰り返すとか、生まれ変わるとかいう、すっとんきょうな話よ」

ジェフは坐《すわ》り心地《ごこち》の悪い椅子《いす》の上で体を回し、彼女の手首をぎゅっと握った。「それをどこで聞いた？　僕《ぼく》は決して——」

「放してよ」彼女はいって、手を振り払った。「なんてこと？　可愛《かわい》い小娘の前で勃起《ぼっき》できない。アシッドで幻覚を見る。それから突然逃げ出したくなる。私につかみかかる——」

「黙れ、シャーラ。どこで、だれから、何を聞いたか、教えてくれ」

「去年ミレーユから全部聞いたわよ。あんた、彼女に何か神秘的なトリップをさせようとしたんだってね。死んで、また生き返ったといったんだってね。よくも、そんなほらが吹けるわね！」

ジェフはこれを聞いて、丸太でぶんなぐられたように感じた。いくつもの人生で知り合ったあらゆる人間の中で、ミレーユだけは共感し理解し合えるという感じがあった。だからこそ秘密を打ち明けたのに。彼女なら自分の話を批判しないだろうし、当然、秘密にしておいてくれるだろうと思っていたのに……

「なぜ——」声がかすれた。「なぜ、それを君に話したのかなあ？」

「おかしいと思ったからさ。みんなそう思ったのよ。パリで付き合った人がみんな、何カ月も陰で笑っていたのよ」

彼は頭をかかえて、彼女の言葉の意味を考えようとした。「ミレーユを信用していたのに」彼は小声でいった。

シャーラはあざ笑った。「そうね、特別なガールフレンドだったもんね。あのねえ、彼女と最初にやったのは私なのよ。あんたが一日の半分ぐらい浸っているこのばかばかしい憂鬱《ゆううつ》な気分から、あんたを引っぱり出すために、ベッドであんたと麻薬をやってくれと頼んだのは、いったいだれだと思っているの？　もうあんたには飽き飽きしたわ。私はただ、楽しい思いをして、男と寝たかっただけよ。ミレーユは、ジャン＝クロードと私が頼めば、猿《さる》とだってやったでしょうよ。だから頼んだの。あんた果報者だったんじゃないの？」

実体のない女性の声が彼らの乗る便を告げた。ジェフは信じられない話を聞き茫然自《ぼうぜんじ》失《しつ》の態《てい》でゲートにむかった。その横で、シャーラが引きつった満足そうな笑いを浮かべていた。彼らはまだ新しいボーイング七〇七の右側の席についた。翼のすぐ後ろだった。手荷物をしまい、座席ベルトを締めている間、どちらも口をきかなかった。スチュワーデスがやってきて、キャンディやガムを差し出した。ジェフは無言で断わった。シャーラはオレンジ飴玉《あめだま》をもらって、うまそうにしゃぶった。

「皆様、御搭乗ありがとうございます。これはアメリカン・ワールド航空、サンフランシスコ発、ホノルル行き、八四三便でございます。本日の機長はチャールズ・カイムズ。そのほかに副操縦士フレッド・ミラー、第二副操縦士マックス・ウェッブ、および航空機関士フィッチ・ロバートソンが乗務しております。予定飛行高度はおよそ……」

ジェフは窓の外のくすんだ灰色の滑走路が後ろにゆっくりと流れていくのを見つめた。

実際、自分を責める以外になかった。わざわざラスベガスまでシャーラを探しにいった時に、この再生《リプレイ》の無思慮な奢侈《しゃし》逸楽《いつらく》のトーンをセットしてしまったのだ。

「……離陸後、三十分ほどで昼食をお出しいたします。〝禁煙〟と〝シートベルトをお締めください〟のサインが出ましたら、それをお守りください。また、快適にお過ごしいただくために……」

今俺《おれ》は何を感じればよいのだろう、と彼は思った――怒り、敗北？　どちらの感情も役に立たないだろう。ダメジはすでに受けてしまった。明らかに、だれも――ミレーユすらも――サントロペで話したことを信じなかった。少なくとも、彼女とシャーラが仕組んだ詭計《きけい》は、彼にとって何の脅威にもならなかった。実際の効果は、彼が一層孤独になったということだけだ。

ジェット機はスピードを上げて滑走路を走っていき、優雅に舞い上がった。彼は客室の前の方を見た。もちろん、映画のスクリーンはない。まだＴＷＡが、飛行中の映画の独占権を持っているのだ。ちくしょう。映画を見れば、気が紛れたろうに。

ジェット機が混雑している湾岸フリーウェイの上空に昇っていくのを、ジェフは窓から眺《なが》めた。本を持ってくるべきだった。トム・ウルフの『キャンディ・カラード・タンジェリン・フレイク・ストリームライン・ベイビー』がちょうど出版されたばかりだ。もう一度読んでみてもいい――

大型機が重々しく震動し、鈍い爆発とともに揺れた。ジェフが恐怖にかられて見ると、右の外側のエンジンが取りつけ部分から外れ、翼にぎざぎざの穴を開けて、足下の都市にむかって落下していった。翼端のタンクから燃料が噴き出したと思うと、ぱっと白い炎が渦巻《うずま》き、溶けた金属片が飛び散った。

「見ろ、翼が燃えているぞ！」後ろでだれかが叫んだ。客室は悲鳴と子供の泣き声で一杯になった。

翼端から三分の一ほどの、燃えている部分が脱落し、飛行機は狂ったように右に偏揺《かたゆ》れした。岡《おか》の間の道ぞいに住宅がかたまっているのが見え、それから太平洋の青い水面が見えた。千フィートの高度もない。

シャーラはジェフの左手にしがみついた。彼はこのぞっとする情景を前にして、怨恨《えんこん》も悔恨も忘れて彼女の手をにぎり返した。

たった二年で、この再生《リプレイ》は駄目になるのだろうかと、彼は恐れおののきながら思った。こんなに早く、こんなに乱暴に、死から蘇《よみがえ》るのだろうか？　反復する人生をあれほど呪《のろ》っていたのに、今は命が続くことを必死に願った。

飛行機がまた揺れて、さらに右の方に沈下した。ゴールデンゲイト・ブリッジが見えてきた。その塔はびっくりするほど近かった。

「ぶつかる」シャーラが切迫した口調でささやいた。「橋にぶつかる！」

「いいや」ジェフがかすれた声でいった。「まだ、なんとか水平を保っている。エンジンが脱落してからあまり降下していない。とにかく、橋はかわせるだろう」

「こちらはカイムズ機長です」冷静を装った声がいった。「乗客の皆様、ちょっとした事故が発生しました……いや、ちょっとした、とは言えないかもしれませんが」

今はジャンボ機はよたよたと陸地の上に戻り、サンフランシスコの丘陵地帯に向かっていた。

「これから――トラビス空軍基地に向かいます――約四十マイルほど先です――長い、良い滑走路が使えるからです。サンフランシスコ国際空港のものよりも長いのです。私はこれから忙しくなります。皆さんは落ち着いていてください。着陸時に必要な事項は、第二副操縦士のウェッブがお伝えいたします」

「彼は駄目だと思っているわ」シャーラが金切り声を立てた。「墜落するのよ。絶対よ!」

「静かにしろ」ジェフはいった。「通路の向こうの子供に聞こえるぞ」

「こちらは第二副操縦士のマックス・ウェッブです」小さなスピーカーから別の声がいった。

「これから約十分後に当機はトラビス基地に緊急着陸をいたします。それで……」

シャーラはめそめそ泣き始めた。ジェフは彼女の手をもっときつく握った。

「……シュートを使用する場合には、どうぞ落ち着いてください。シュートから脱出する時には、必ず腰を下ろしてください。あわてないように。着陸の際、もし乱暴な着陸になったら――その可能性があります――どうか、座席に着いたまま前に体を倒してください。くるぶしをつかむか、または、両腕を膝《ひざ》の下に入れて、かがんでください。できるだけ前に体を倒してください。こちらから指示があるまで、動かないでいてください……」

機は高度を急速に失い始めた。広大な軍用飛行場に近づくと、十文字に交差した空《から》の滑走路の長い方に沿って、消防車と救急車が並んでいるのが見えた。

機は大きい弧を描き始めた。空軍の兵舎や格納庫のわずか二、三百フィート上空である。車輪が機体の下部からぎくしゃくと出てくる音が聞こえた。クルーが手でクランクを回して降ろしているにちがいない。たぶん爆発で油圧装置が故障してしまったのだろう。

彼の横でシャーラがなにやらつぶやいていた。どうやら祈りの文句を唱えているようだった。ジェフが最後に一目、窓の外を見ると、向かっていく滑走路の端の近くに旋風が塵《ちり》を巻き上げているのが見えた。こいつはまずい。機がすでに受けている被害を考えると、最後の一分間に乱気流にあおられたら――まあ、そんな事を考えてもしかたがない。彼は、シャーラが胎児姿勢を取ることができるように、自分の手をシャーラの手から抜き取り、自分も膝の間に頭を埋め、くるぶしを握った。

残っているエンジンが突然勢いづいた。すると機体は左に上がり、それからよろよろと元のコースに戻った。パイロットはあの旋風を避けようとしたにちがいない。きっと
―

車輪が接地し、路面と摩擦してきーっと鳴り、どうやら持ちこたえそうに思われた。恐怖の数秒間、機は滑走路を突っ走った。それからエンジンが再び吠《ほ》え、スピードが鈍り、止まった……着陸したのだ。

乗客が一斉《いっせい》に拍手喝采《かっさい》した。それからスチュワーデスが非常口をぱっと開けた。みんなが慌てて脱出シュートを滑り降りた。故障した機体からジェット燃料が洩《も》れていた。ジェフは外に出ると、壊れた右の翼の裂け目から透明な可燃性の液体がじゃーじゃー流れ落ちるのを見た。彼はシャーラを引っ張って機体から離れた。

三百ヤードほど走ると、疲れ切って二本の滑走路の間の草地にぶっ倒れた。軍の消防車が七〇七型機に白い泡《あわ》を吹き掛けていた。そして、彼らの周囲には、ショックを受けた人々がぞろぞろと歩き回っていた。

「おう、ジェフ」シャーラはジェフの首に抱きつき、顔を彼の肩に埋めて泣いた。「ああ怖かった。私——私——」

彼は彼女の腕をつかんで押《お》し退《の》け、立ち上がった。彼女の顔の、白と黒だけの化粧に涙の筋がつき、オップ・アートのドレスは、脱出シュートや煙や草で汚れていた。

ジェフはあたりを見回して、左の方に、活動の中心であるらしい一つの建物を見つけた。そちらに向かって救急車や、耐火服を着た救急隊員がぞろぞろと戻っていった。彼は地面に転がって泣いているシャーラを残して、その方向に歩き出した。

「ジェフ！」彼女は彼の後ろ姿に向かって金切り声を上げた。「置いてかないで、今は！　こんな時には！」

いいじゃないか？　彼は思い、声に出してそういいそうになったが、思い止《とど》まって歩き続けた。

10

朝日が昇るころ、ジェフは卵とベーコンを食べ終え、皿《さら》を洗い、フライパンを水に漬《つ》けた。いつもなら、屋根の勾配《こうばい》のきついこの白い家の小さなポーチで、コーヒーを一杯飲むのだが、今朝は時間が遅くなっているし、することがたくさんあった。

彼はフランネルのシャツの上にダウンジャケットを着込んで外に出た。五月の第三週だが風はまだ肌《はだ》を切るように冷たかった。この年最後の霜が一昨日の夜に降りたばかりだ。彼はスミスじいさんが埋葬されている石の塚《つか》に、敬意を表して頭を下げ、それから、新たに畝《うね》を作ったとうもろこし畑の一つに向かって、せっせと歩いていった。そこはすっかり杭《くい》を打って区画をして、種蒔《たねま》きの準備ができていた。ジェフが聞いた話では、スミスという人物は一八八〇年代にホームステッド法によってこの土地を入手し、やはり一人で耕作していたという。ところが、何かの事故にあい、その後病気で倒れた。だが、その死体が何週間も見つからなかったという。後に、別の人々が税務署の競売でこの土地を買ったが、彼らは何も作物をつくらず、土地を保持することもなかった。彼らはかまどの中から、スミスが隠しておいたかなりの額の金貨を見つけると、どこかに移ってしまった。この老人には何らかの秘密があったようである。

ジェフは真っ黒な表土にブーツの先で穴をあけた。そこに今日の午後、このシーズン最初のとうもろこし――シュガーとゴールドの早生種――を蒔くつもりである。土はカリフォルニア特有の火山性のもので、ミネラルが豊富に含まれている。ずっと昔に、この土地を使わずに、シルベスター・スミスの金貨を取り、分不相応な快楽を求めてこの〝山あい〟を去っていった家族に対して、彼は軽蔑《けいべつ》しか感じなかった。このような土地は耕されることを要求する。そして、耕作の返礼として与えてくれる新鮮な食物は、どんな貨幣よりもはるかに大きな価値がある。これは一万年前にメソポタミアで、人間と大地との間に結ばれた契約であり、取引きである。良い土地を放棄することは、古来の神聖とさえいえる盟約を破ることだと、ジェフは信じた。

アスパラガスが間もなく生えてくる畑のところを通りすぎた。この最初の植え付けから、少なくとも後二年は収穫があるだろう。そして、この作物には年に二回、施肥をするが、今がその最初の時である。春の遅霜はこれらの作物に害を及ぼすとは思われない。

かえって、歯切れのよい茎になるだろうとジェフは思った。それから、自分の地所を流れている山の湧水《わきみず》のほとりに膝《ひざ》をつき、その氷のように冷たい水を両手ですくって飲んだ。その時、二匹の鱒《ます》が矢のように泳いでいった。もし日暮れ前に、とうもろこしの種蒔きとアスパラガスの施肥が終わったら、釣《つ》り竿《ざお》を持ってきて、夕食の材料を少し釣ってやろうと思った。

太陽はなおも昇り、南西の方向にこぶのように隆起しているホッグバッグ山の松林の梢《こずえ》を照らした。ジェフは湧水の曲がりくねった水路にそって登っていき、約二十フィートごとに立ち止まって、水路にたまった土砂を取り除いたり、作物の灌漑《かんがい》に使っている集水槽《しゅうすいそう》やパイプの詰まりを取り除いたりして、水の通りを良くした。

彼は九年前に、ホノルル行きの飛行機であやうく遭難しかけた日から数週間後に、この土地を買ったのである。あの日、煙の立ちこめた滑走路のそばで見て以来、シャーラには会っていない。実は、あの夏以来、ほとんどだれにも会っていないのだった。

最も近くに定住している隣人は、昔の馬車道を東の方に三マイルほどいったタートルポンドにいた。ジェフの家に出入りするにはつづら折りの道路を通るしかないが、その道はしばしば水に押し流された。十一月から一月一杯は雪や雨や泥《どろ》が、マーブル・クリークの先の通路をほとんど通行不可能にした。だから、彼は冬籠《ふゆごも》りのためにたくさんの備蓄をしておかなければならないと知った。

年の残りの期間も、彼はほとんど孤独でいた。週に一度ぐらいモンゴメリー・クリークという小さな町に車で出ていって、そこの店で買物をしたり、二台のポンプしかないシェルのスタンドで、ピックアップの整備をさせたりした。酒はまったく止《や》めてしまったが、良い収穫があった時などは、お祝いに、フォークトホーンかヒルクレストロッジの店でビールを飲み、ディナーを食べた。フォークトホーンのオーナーはマッツィーニという感じの良い一家で、その妻のエレノアは、町内のだだっ広い家の一部で、シャスタ郡図書館の支所を経営していた。ジェフはこの家族と時々雑談をした。その家の息子のジョウはジェフよりも二、三歳年下で、外の世間に対して限りない知的好奇心を持っているように見えた。だが、この家族のだれも、決して他人の詮索《せんさく》をしなかった。ジェフがどうしてこのような孤独の生活を求めるのか、根ほり葉ほり尋ねるようなことはなかった。ジェフが短波無線機を設置する時には、ジョウが〝山あい〟まで手伝いにきてくれた。この無線機がジェフにとって、マッツィーニ家とのたまの雑談以外には、文明への唯一《ゆいいつ》の接点になった。

この北カリフォルニアの小さな一隅《いちぐう》には、主に材木伐出《きりだ》し人《にん》とインデアンしか住んでいない。そして、ジェフはそのどちらとも接触しなかった。彼がここに移り住んで間もなく、ヒッピーまがいや〝大地に返ろう〟タイプの連中がやってきた。しかし、その大部分は長く留《とど》まっていなかった。土地を耕すのは予想以上に大変で、農家を経営するにはマリファナを作る以上に努力が必要だったのだ。

こうした暮らしで一番辛《つら》いのは、禁欲の問題だろうと彼は推測していた。しかし、辛いのは想像していた理由からではなかった。セックスのためのセックスは、シャーラやミレーユたちと過ごした時期に、ほとんど飽和してしまった。

しばらくの間は性的接触なしに、完全に快適に生活することができそうに思われた。そして、自分のその部分を殺すことがいかに容易かを知って驚いたものだった。ところが、間もなく、単純な人間的接触への欲求がいかに強いか分かって不愉快な驚きを感じた。人間的接触の無いことが毎日の苦痛になり、寝ても覚めても気になった。時には、ただ女が頰《ほお》に触れるだけの夢を見、また、女の頭を胸に抱く夢を見た。これらの夢に出てくる女はジュディであったりリンダであったり、シャーラでさえあったりした。たいていの場合、女には顔がなく、女性の抽象にすぎなかった。

これらの夢から覚めると、いつも圧倒的な悲しみを感じ、この飢餓感を緩和するには、さらに裏切りを重ねて、その結果確実に起こる絶対的な抹殺《まっさつ》という危険を冒さなければならないと、あらためて思うのだった。しかし、裏切りにしろ、抹殺にしろ、どちらの苦痛もあまりにも強烈で、再び直面する気にはならなかった。結局、孤独のうちに魂を少しずつ死滅させるほうが良いように思われた。

灌漑設備の詰まりを取り除くために屈《かが》んでばかりいたので、腰が痛くなってきた。それで泉のほとりに腰を下ろした。遥《はる》か北方、フラットウッズの先、オレゴン州に入る手前に、シャスタ山のびっくりするほど白い円錐《えんすい》が、かつてこの辺りのインデアンが、眠っている神と想像した通りの姿で、地平線に君臨している。

彼は干し肉を噛《か》み、冷たい泉の水をもう一杯口に含んで飲み下した。この彼の新しい住まいは、爆発の危険を秘めているカスケード山脈の尾根に位置しており、ラッセン山とシャスタ山のちょうど中間にあった。北の方向には、崩壊してクレーター湖となった巨大な前史時代の火山の残骸《ざんがい》があり、その次にフード山があり、またさらに北上してワシントン州に入れば……さしあたり静かに唸《うな》っているだけのセントヘレンズ山がある。この山はこれから七年後に、以前に三度あったように、猛烈な勢いで爆発することになるが、これは、ジェフが、そしてジェフだけが、覚えている事件だ。

ジェフが捕えられている力は、ちょうど子供が砂遊びをするように山を破壊することができ、またそれを元に戻《もど》し、それからまた何度も何度も破壊することのできる力である。そのようなものを理解しようと試みることさえ、無意味ではないだろうか？　たとえ、部分的にでも理解するようになったとしても、その知識は、一個の人間の脳が受容して、しかもいくらかの正気を保持することができる範囲を超えているだろう。

ジェフは干し肉の残りをセロファンの包みに入れて、元のポケットに突っ込んだ。彼は遠く太陽は今は頭上に高く昇っていた。今年のとうもろこしの種蒔きをする時間だ。

の山の雪を戴《いただ》いた頂上を、ふたたび見上げることなく、泉の流れについて山を下った。

「草炭《ピートモス》はどうかね？　蓄えは充分かね？」

「あと二百ポンドぐらいもらっておこうかな」ジェフはいった。「それから、殺虫剤のセヴィンがあと四十ガロン要る」

商店主は同情の声を出して、注文品にその殺虫剤を加えた。「ああ、今年はとうもろこしの虫が特に目立つなあ。バックアイに住んでいるチャーリー・レイノルズじいさんは、もう三エーカーもやられちまったっていうぞ」

ジェフはうなずき、覚えているかぎり丁寧に唸って見せた。こうして年に二度、物資の買出しにレディングに降りてくるのが、赤の他人との唯一の出会いだった。

「アラブのことや、このガソリン事情はどうなるんだろうね？」主人は尋ねた。「こんなことになるとは思っていなかったよ」

「今によくなるさ」ジェフはいった。「その干し肉の大きい箱ももらおう。スパイスが利《き》いているやつがいい」

「こんなことになるとは思っていなかったよ。わしにいわせれば、ニクソンはアラブのやつらに爆弾をお見舞いすべきだよ。交渉に出掛けることはない。自分の足下がすでにごたごたしているのを、知らないわけはあるまいに」

　ジェフは、政治談議に引き込まれたくないと思っていることを相手が早く気づいてくれればよいと思いながら、その雑貨店のレジスターの後ろに貼《は》ってあるポスターや広告を、ぼんやり見渡した。バーニーでだれかの抵当流れになった財産を競売に付すという、郡保安官の布告がある。アイアン・キャニオンで大々的にダンスパーティを催すという、土地のヒッピー集団のお知らせがある。乗用車やピックアップを売りたいというたくさんの広告がある。……おや、ここに奇妙なのがある。これは全く場違いに見える。青黒い夜空のポスターで、半月の上の空間を燐光《りんこう》の波が洗っている。一番下に細い金色の文字で一語だけ書いてある。『星の海《スターシー》』と。

「あれは一体何だい？」ジェフはそのポスターを指さして尋ねた。

　商店主は振り返ってそれを見て、それから信じられないように眉《まゆ》をしかめてジェフを見返した。「おや、あんた、よっぽど森の奥に住んでいるんだね。『星の海《スターシー》』をまだ見ていないなんて」

「何のことだね？」

「映画だよ。この映画の前に見た、わしの最後の映画は、たしか『サウンド・オブ・ミュージック』だった。しかし、今度のやつはどうしても見ないわけにはいかなかった。三、四カ月前に、わしも女房《にょうぼう》も子供らに引っ張られてサクラメントにいって見たんだ。それ以来二度も見たよ。今度はレディングで始まったから、たぶんもう一度いって見るだろう。あんなのは見たことないよ、本当に」

「ポピュラー映画だね？」

「ポピュラーだと？」男は笑った。「ものすごい大作映画だと、みんないってる。すでに一億ドル儲《もう》かったそうだ。しかも、まだまだ強気だって。こんなことになるとは思っていなかったよ」

こんなことはありえない。『ジョーズ』ができるまでは――それも一年以上も先の話だ――そんな大金の儲かる映画はないはずだ。ジェフは『星の海《スターシー》』なんて名前の映画は聞いたことがなかった。とにかく、一九七四年にはたしかになかった。思い出してみると、この年の映画の大作は『チャイナタウン』と『ゴッドファーザー』の続編だった。

「それどんな映画？」

「知らないのなら、話さない方がいいと思う。カスケード座で今やっているから、今日帰る前に見るといい。本当に、遅くなるだけの価値はあるよ」

ジェフは好奇心の火花を感じた。ここ何年間も経験したことのないものだ。

商店主は『レディング・レコード・サーチライト』誌をぱらぱらめくった。表紙は、キッシンジャーがイツァーク・ラビンを抱擁している場面だった。「ここにあった。次の開演は……三時二十分だ」彼は奥の壁の大時計をちらりと見た。「良かったら、注文の品は預かっておくよ。映画を見ても、暗くならないうちに家に帰れるよ」

ジェフはにっこりした。「映画館からリベートでももらっているのかい？」

「今もいったように、わしはふだんは映画に関心がない。だが、こんどのこいつだけは別だ。見ていきなよ。あんたの品物は全部箱詰めにして、戻ってきたら、すぐに車に積み込めるようにしておくよ」

レディングは火曜日の午後だというのに、『星の海《スターシー》』の行列が一ブロック以上続いていた。ジェフは面食らって首を振りながら、切符を買い、待っている群衆の中に入った。目を丸くした六歳の子供から、よれよれの作業衣を着た七十歳代の口数の少ないカップルまで、あらゆる年齢層の人がいた。ジェフは周囲の小声の会話から判断して、この映画を一度以上見ている人が大勢いると想像した。彼らの態度はまるで共通の宗教的体験を求めて集まっている人々に似ていた。静かに、しかし楽しげに、大切な神殿に近寄っていく崇拝者たちのように。

映画は何から何まで商店主のいった通りであり、しかも、それを遥かに超えていた。ジェフの目にも、そのテーマ、見栄《みば》え、特殊効果は、何年も時代の先をいっていた。ちょうど、クーブリックの『2001年宇宙の旅』の海底版といったところで、しかも、最盛期のトリュフォーの温か味と人間味が備わっていた。

映画は大昔の人間とイルカとの絆《きずな》を挽歌調《ばんかちょう》に解説し、それから、その神話的な関係を拡大して、太古に地球の海洋知的哺乳類《ほにゅうるい》との接触を確立した、哲学的な地球外生物のことを述べた。筋書きによると、この地球外生物は、人類が銀河家族の一員として歓迎される準備ができるまで、この鯨目の動物を人類の情け深い後見役に任命したのだった。しかし、二十世紀の末に、復帰が何千年も待ち望まれていたこの白鳥座第四惑星の指導者たちは、ある宇宙的大災害のために滅亡してしまったことを、イルカたちは知った。それでイルカは興奮と深い悲しみを同時に覚えながら、みずからの真の性格と偉大な歴史を人類に知らせた。この惑星は、初めて真に一丸となり、陸上と海底の精神が結びついた社会になったが……ついに会うことのなかった地球の恩人が永遠に消滅してしまったので、荒涼とした宇宙で今まで以上に孤独な存在になってしまった、というのだ。

映画は高度の知識と、珍しく深みのある映画的洞察力《どうさつりょく》によって、人間が究極の希望を理解した瞬間に、それを失うという、耐えられない皮肉を巧妙に伝えた。ジェフは他《ほか》の観衆とともに、痛烈な恍惚感《こうこつかん》に浸り、感動して涙を流した。彼が自分で課した流謫《るたく》と無関心の年月は、わずか二時間で砕け散った。

そして、これは何から何まで新しかった。あらゆる意味で、これだけ壮大な、これだけ成功した芸術作品が、もしも前の再生《リプレイ》のどれかに出現していたら、ジェフが知らないはずはなかった。

彼は映画そのものが引き起こしたのと同じくらい大きな驚きをもって、制作関係者のリストを読んだ。監督、スティーブン・スピルバーグ……脚本および制作、パメラ・フィリプス……創作顧問および特殊効果監督、ジョージ・ルーカス。

どうして、こんなことがありうるのか？　スピルバーグの最初の大作映画『ジョーズ』は、まだ撮影が始まってさえいない。そして、ルーカスが『スターウォーズ』で映画産業の関心を集めるのは、まだ二年も先のことだ。だが、なかでも特に分からないのは、特に関心をそそるのは――いったい、パメラ・フィリプスとはだれか？　ということだった。

「どんなに費用がかかってもかまわないぞ、アラン、時間がかかるのは困るがね。この面会の約束をぜひ取りつけてもらいたい。それも来週にだ」

「ウィンストンさん、そんなに簡単にはいかないのです。あそこの人々は独自に小さな階層社会を成していて、現在はこの女性がほとんどその頂点にいるのですから。ハリウッドのライターとプロデューサーの半数が接近をはかっているんです――」

「私は彼女に何かを売りつけようとしているのではない、アラン。私はビジネスマンであって、映画の制作者ではないんだよ」

電話の向こう側で、長い沈黙があった。ジェフは相手の株式仲買人が何を考えているか、手に取るようにわかった。その男にとって、この客、つまりジェフとじかに話をするのは九年ぶりになる。とすると、ジェフはいったいどんな種類のビジネスマンといえるだろうか？　ジェフ・ウィンストンは隠遁者《いんとんしゃ》である。一九六五年にたった一度だけ、サンフランシスコのこの証券会社にまとまった額の現金を預けに姿を見せただけの世捨て人だ。森の奥に住んでいて、時たまぶっきらぼうなメッセージを送ってきて、名前も知られていない株とか、とんでもない株を、大量に自分の名前で買うように指示する。

それなのに、それなのに……

「私の持ち株は、時価いくらになるかね、アラン？」

「あのう、目下その資料が手元にありません。あなたの持ち株は非常に複雑で、投資対象を高度に分散してありますので、数日お待ちいただかないと——」

「大体の見当でいい」

「では、ありうべき変動を考慮いたしまして——」

「即席の、大体の見積もりでいいんだ。さあ」

相手は諦《あきら》めの溜《た》め息《いき》を洩《も》らした。「おおよそ六千五百万ドル、プラス・マイナス五百万ドルほどになりましょうか。ご理解いただきたいのですが、なにしろ手元に——」

「よし、わかった。これがどんな話か、理解してもらいたいと思っているのはこっちだよ。いいかね。莫大《ばくだい》な金を投資しようとしている人間と、新たな資金の投入に絶対的に依存する事業をしている人間との話なんだよ。これでわかったかね？」

「わかりました。でも、ミス・フィリプスの会社は目下、あの映画の収益で潤《うるお》っているんです。投資の問題は、当面、彼女の最高の優先事項ではないかもしれません」

「長い目で見れば私の関心に価値があることは、彼女はきっと認める。もし駄目《だめ》なら、別の方法を考えよう。あちらの映画産業に関係のある人を、きみだれか知らないか？」

「えーと……うちのロサンゼルス事務所のハーベイ・グリーンスパンなら、きっと撮影所に関係のある客を、大勢かかえていると思います」

「では、できる限りのコネを使って、その人に頼んでもらってくれ」

ジェフの泊まっているホテルの部屋を、だれかが軽くノックした。

「ボーイでございます。ブルックス・ブラザーズから、服の仮縫いをする人が参りました」

「アラン、客がきた」ジェフは電話にいった。「フェアモント・ホテルにいるから、手配がすんだら連絡してくれ」

「できるだけやってみます、ウィンストンさん」

「すぐにやってくれよ。長年の付合いなのに、口座をよそに移すのは気がすすまないからな」

星の海《スターシー》プロダクションの事務所は白いスタッコ仕上げの二階建てで、ピコの南の、M

GMと二十世紀フォックスの中間の特徴のない商業地区にあった。受付の部屋は青と白に塗られ、受付のデスクの後ろの壁には、広告掲示板ほどの大きさの映画のポスターが貼ってあった。その他の壁には、抽象絵画と海中写真をとりまぜて飾ってあり、大きなスパニッシュ・タイルのコーヒーテーブルの上には、この映画のテーマを表す数冊の本が陳列されていた。『宇宙の知的生物』『イルカの精神』『人間バイオコンピューターにおけるプログラミングとメタプログラミング』……ジェフは、最初のパイオニア計画で撮影された木星のカラー写真集をぱらぱらとめくりながら、待った。

「ウィンストンさん？」元気のよい小柄《こがら》なブルネットの受付嬢が、彼に職業的な笑顔を向けた。「ミス・フィリプスが今お会いになります」

彼は彼女について長い廊下を歩いていき、半ダースほどの開いたオフィスのドアの前を通った。目に入った人はすべて電話に出ていた。

パメラ・フィリプスの広々としたオフィスは、受付室と同様に青と白の色彩設計でしつらえられていたが、壁に映画の重要記事とか、ポロックの抽象版画とか、イルカの写真などは貼ってなかった。ここには、一ダースほどのバリエーションで反復される一つの視覚モチーフがあった。曼陀羅《まんだら》、輪、円、などが。

「こんにちは、ウィンストンさん。コーヒーかジュースはいかがですか？」

「けっこうです」

「では、もういいわ、ナタリー。ありがとう」

ジェフは会うのに一月《ひとつき》待たされたその女性を観察した。長身で、たぶん五フィート十インチはあるだろう。大きい口、丸い顔。ほとんど化粧をしていない。真っ直《まっす》ぐな細い金髪を、少し変えたダッチボーイ・カットにしている。ジェフはブルックス・ブラザーズで衣装一式を整えてきて良かったと思った。パメラ・フィリプスは実務的な服装をしていたのだ。仕立ての良い灰色のスーツに、ハイネックの栗色《くりいろ》のブラウスと、それにマッチしたローヒールの靴《くつ》。宝石類は着けていないが、一つだけ、同心円のデザインの小さな金のラペルピンを着けている。

「お掛けください、ウィンストンさん。星の海《スターシー》プロダクションを、一つの投資の好機として話し合いたいというご意向だそうですが？」

単刀直入だ。ぐずぐずした前置きや、愛想《あいそ》の良い世間話などは抜きだ。八〇年代中期の会社の女性みたいだ。今は一九七四年なのに。

「ええ、その通りです。ちょっと余分の資金がありますので――」

「最初にはっきりさせておきますが、ミスター――」

「ジェフと呼んでください」

ファーストネームで呼ばせて、親しみを出そうとしたのだが、彼女はその試みを無視して、話を進めた。「私の会社は個人的に資金の調達をしており、完全に自立しておりますの。この面会のお約束をしたのも、ある友人への義理からです。でも、映画産業に投資なさりたいのだとすると、どうやら場違いのところにお出《い》でになったようですね。よろしかったら、うちの弁護士に他のプロダクションのリストを作らせますから、そちらに——」

「関心があるのは『星の海《スターシー》』なのです。映画産業一般ではないのです」

「もし、株式を公開するようなことがあれば、お宅の仲買人にオファーを出すように計らいますわ。では、いずれまた……」彼女はデスクの向こう側で腰を浮かし、手を差し出して、面会を打ち切る気配を見せた。

「私の関心に好奇心さえもお感じにならないのですか？」

「特別に感じません、ウィンストンさん。映画が十二月に封切りされて以来、色々な方面に多大の関心を呼び起こしました。私自身のエネルギーは目下、別のプロジェクトに向かっています」彼女はまた手を差し出した。「では、すみませんが、忙しい体なので……」

この女性は予想以上につけ入りにくい。思い切ってぶちかますしかない。「『スターウォーズ』はどう思われますか？」彼は尋ねた。「お宅の会社は関係しますか？」

彼女は緑色の目を細めた。「この町には、まだ出来ていない映画の噂《うわさ》がいつも流れています、ウィンストンさん。私があなただったら、ベルエアのプールの回りで聞いたことを一々気にしないでしょう」

毒食わば皿までだと、ジェフは思った。「そして『未知との遭遇』は？」彼は尋ねた。「スピルバーグが今あれを作りたいと思うかどうか、私にはわかりませんが——あなたはどうお思いになりますか？　『星の海《スターシー》』に追い討ちを掛けるには、ちょっとまずいでしょうね」彼女の目から怒りの色は消えなかったが、今は何か別の表情が加わった。彼女は腰を落ち着け、用心深い目でじっと彼を見つめた。「そのタイトルを何処《どこ》でお聞きになりました？」

彼は彼女のたじろがない視線を見返して、質問をわきに逸《そ》らせた。「ところで、『ET』となると」彼は世間話のように続けた。「全く別問題ですね。この二つの映画の間に摩擦はないと思います。『レイダース　失われた聖櫃《せいひつ》』についても、もちろん、同じことがいえます。完全に関連のない映画です。もっとも、あの最初の続編はお粗末でしたがね。彼にそうおっしゃって下さっても結構ですよ」

今は彼女の注意を完全に引きつけていた。彼女は不安そうに指で喉《のど》をなでた。その顔には激しい驚きの色しか浮かんでいなかった。

「あなたは誰《だれ》ですか？」パメラ・フィリプスは低い声で尋ねた。「一体、あなたは誰ですか？」

「おかしいですね」ジェフは微笑した。「あなたについて、私も同じことを考えていたのですよ」

11

トパンガ渓谷《けいこく》にあるパメラ・フィリプスの家は、大都会のすぐそばにある家としては例を見ないほど孤立していて、近寄りがたかった。それは草木がぼうぼうに生い茂った、広さ五エイカーの敷地の真ん中にあった。ジャカランダ、レモンの木、ブドウの蔓《つる》、ブラックベリの藪《やぶ》など……すべてが手入れされずに、勝手気ままに絡《から》み合っていた。

「これは、少し刈り込むべきだなあ」彼女の運転するランドローバーで家に向かってくねくねと走っていく途中で、ジェフはいった。彼女はスマートな灰色のスカートをはき、指にはマニキュアをしているのに、この環境に自分がいかに不似合いか知らぬげに、あるいは気にせずに、自信満々でその四輪駆動の自動車を運転していた。特別仕立ての上着を後ろのシートに脱ぎ捨て、クラッチを踏みやすいように靴《くつ》も脱ぎ捨ててしまっていた。しかし、それ以外の点では、やはり保険会社の会議室の方によりふさわしい人物に見え、とても野生の谷間のはずれのダートロードを突っ走っていくのに適するようには見えなかった。

「あれは、あのように生えるのよ」彼女は肩をすくめた。「正式な庭園がほしければ、ビバリーヒルズに住むわ」

「でも、たくさんの良い果物を無駄《むだ》にしている」

「必要な果物は全部ファーマーズ・マーケットで買うわ」

彼はこの話題を捨てた。自分の土地で何をしようと、彼女の勝手である。それにしても、ジェフはこのように豊かな青物が荒廃するのを見ると腹が立つのだった。まだ彼女のことをよく知らなかった。彼女は、彼の推察通り、やはり再生者《リプレイヤー》だとあっさり白状し、それから、彼自身の身の上話を最初から聞かせてくれとせがんだ。そして、しばしば遮《さえぎ》って、もっと詳しく話せと迫った。もちろん彼は、シャーラとのエピソードの一部をはじめ多くの場面を省略した。そして、彼の方も、彼女自身の経験を色々と聞きたかった。もっとも、彼女が多くの矛盾をはらんだ人物であることは明らかだった。それは、ごく当然のことに思われた。なぜなら、彼自身も矛盾の塊だったから。彼らのどちらも、それ以外に何でありえただろうか？

その家は質素だが、快適にしつらえられていた。オークの梁《はり》が通った天井《てんじょう》があり、片側に大きなピクチャー・ウインドウがあって、彼女の地所のごちゃごちゃのジャングルから、そのずっと下の大洋まで見渡すことができた。壁には、事務所と同様に、ナバホ、マヤ、東インド諸島のものなど、いろいろなタイプの曼陀羅《まんだら》を額に入れて飾ってあった。

窓のそばには、本やノートブックがたくさん載っている大きな机があり、その中心に、ビデオスクリーンとキーボードとプリンターが合体した、灰緑色の大型の装置が鎮座していた。彼はそれを見て不審そうに眉《まゆ》をしかめた。こんな早い時代にホームコンピューターを使って、彼女は何をしているのだろう？　まだ——

「コンピューターじゃないのよ」パメラがいった。「ワング一二〇〇型のワープロ。最初の製品の一つよ。ディスク・ドライブではなくて、カセットだけ。でも、タイプライターよりましよ。ビール飲む？」

「ええ」その機械を見て何を考えていたかを、彼女がすばやく察したので、彼はまだちょっと驚いていた。これだけの年月がたった後に、自分の異常な知識範囲と実際に同じものを持った人が目の前にいるという事実に慣れるには、多少の時間がかかるだろうと思われた。

「むこうに冷蔵庫があるわ」彼女は指をさしていった。「この服を脱いでくるから、私の分も出しておいてね」彼女は靴を手に持って、家の奥の方に歩いていった。ジェフはキッチンにいき、ベックの瓶《びん》を二本開けた。

彼女の着替えを待ちながら、彼は本棚《ほんだな》やレコードの棚を見渡した。小説はあまり読まないようだし、ポピュラーミュージックはあまり聞かないようだった。本は大部分が伝記や科学的なもので、それに映画産業のビジネスサイドの本が混じっていた。レコードの重点はバッハ、ヘンデル、それにビバルディに置かれていた。

パメラは色褪《いろあ》せたジーンズとだぶだぶのUSCのスエット・シャツを着て居間に戻《もど》ってきて、ビールを受け取り、ふかふかのリクライニング・チェアにどさんと腰を下ろした。「あの飛行機の話、墜落しそうになったという話。あれは馬鹿《ばか》げているわね」

「というと？」

「私は二度目のサイクルの最後に、また繰り返すと覚《さと》った時、一九六三年以来のあらゆる飛行機の墜落事故のリストを暗記したのよ。それに、ホテル火災や鉄道事故や地震や……あらゆる大災害をね」

「僕《ぼく》も同じことをしようと思ったよ」

「もう、覚えていなくちゃね。とにかく、次になにが起こったの？　それ以来、どうしていたの？」

「これはちょっと一方的すぎるんじゃないか？　僕だって、君のことをいろいろ聞きたいんだよ」

「あなたの話にかたをつけてしまいましょう。それから、私の話に入ればいいわ」

彼は彼女の前のソファに腰を落ち着けて、この九年間の自発的な流謫《るたく》生活と、そして、地に育つもろもろの物と和合しようとする苦行者のような感覚を、説明しようとした。花を咲かせるために萎《しお》れる生きた個体、前年の萎れた蔓から繰り返し芽生えてくる花と緑の果実――それらの永遠の時間的対称性に魅《み》せられる気持ちを。

彼女は考えながらうなずき、複雑な曼陀羅の一つに注意を集中させた。「ヒンズーの書物は読んだ？」彼女は尋ねた。「『リグ・ベーダ』や『ウパニシャド』は？」

「『バガヴァッド・ギーター』だけ。ずっと、ずっと昔にね」

「〝お前も私も、アルジュナよ〟」彼女は容易に引用した。「〝多くの人生を生きてきた。私はその全《すべ》てを覚えている。だが、お前は覚えていない〟」彼女の目は緊張で光った。「私たちの経験は、彼らが現実に語っている事だと、私は時々思うのよ。これは、直線的な時間のスケールの上での生まれ変わりではなくて、時たま何度も何度も繰り返すことのある世界史全体の小さな塊なのだと……起こっていることを我々が理解し、正常な流れを回復することができるようになるまで反復するのではないかと」

「しかし、それを我々が知っているのに、まだ起こり続けているよ」

「もしかしたら、あらゆる人間がその知識を持つまで続くのではないかしら」彼女は静かにいった。

「そうは思わないな。僕らは両方ともすぐに知った。どうやら、それを認識するか認識しないか、どちらからしい。ほかのみんなはただ同じパターンを繰り返すだけだよ」

「私たちが生活に触れた人々は別ね。私たちは変化を導入することができるわ」

ジェフは皮肉に微笑した。「とすると、君と僕は予言者、救い主かな？」

彼女は大洋を眺《なが》めた。「たぶんそうよ」

彼は坐《すわ》り直して、彼女を見つめた。「ちょっと待った。それが、君のあの映画の目的ではないだろうな？　つまり、人々に準備をさせる……？　まさか、君の計画は――」

「どんな計画か、まだはっきりしていないわ。あなたが現れて、すべてが変わってしまった。これは予期していなかった」

「どうしたいのか――何か馬鹿げた新興宗教でも始めたいのか？　わからないのかね、どんな騒ぎになるか――」

「私は何も知らないわ！」彼女はぴしゃりといった。「あなたと同じように混乱しているのよ。そして、自分の生に何らかの意味を与えたいだけよ。これにどんな意味があるか考えようともせずに、諦《あきら》めるつもりなの？　では、どうぞ、そうしなさいよ！　馬鹿げた農場に帰って、無為に暮らすといいわ。でも、このすべてを私がどう扱うべきか、指図するのは止《や》めて。いいわね？」

「僕はただ忠告しようとしただけだ。こんな状況を考慮すると、その資格がある人物が他《ほか》にいるかい？」

彼女は彼を睨《にら》みつけた。その怒りはまだ収まらなかった。「そんなことは後で話せばいいわ。さあ、私の話を聞きたいの、聞きたくないの？」

ジェフは用心して彼女を見つめながら、柔らかいクッションに沈みこんだ。「もちろん聞きたいよ」彼は静かな口調でいった。彼女が何で爆発するかわからなかった。しかし、彼女がどんな経験をしてきたか、理解できる。情状を酌量《しゃくりょう》してやろう。

彼女はぶっきらぼうにうなずいた。「もう一本ビールを持ってくるわ」


ジェフは次のような事を知った。パメラ・フィリプスは一九四九年に、成功した不動産仲買人の娘として、コネチカット州のウェストポートに生まれた。正常な子供時代を過ごした。ありふれた病気、正常な青春の喜びと悲しみ。六〇年代後期にバード・カレッジで美術を学び、たくさんの麻薬を吸い、ワシントンでデモをやり、この世代の若い女性の例にもれず大勢の異性と関係し、やはり例にもれず、ニクソンの辞任後、間もなく〝まとも〟になり、ある弁護士と結婚し、ニューロッシェルに移った。男女二人の子供を産んだ。読書習慣はロマンチック小説に傾いた。機会があると、趣味として絵を描《か》き、時々慈善活動をした。職業につかないことに苛立《いらだ》ちを覚え、子供たちが寝ると、時々こっそりマリファナをやり、良いスタイルを保つためにエアロビクスをした。

彼女は三十九歳で心臓発作で死んだ。一九八八年十月だった。

「何日？」ジェフは尋ねた。

「十八日。あなたに起こったのと同じ日ね。でも一時十五分よ」

「九分後だな」彼はにやりとした。「君は未来を見た。僕よりも余計にね」

これを聞くと、彼女の唇《くちびる》に笑いが浮かびそうになった。「退屈な九分間だったわ」彼女はいった。「死ぬこと以外には」

「目が覚めた時は、どこにいた？」

「両親の家の娯楽室。テレビがついていて、『マイ・リトル・マージィ』の再放映をしていた。十四歳だった」

「うわー。それで、お宅の――家族は家にいた？」

「母は買物に出掛けていた。父はまだ仕事にいっていた。私は一時間かけて、ぼんやりと家の中を歩き回り、戸棚の自分の衣服を眺め、大学に入った時になくしてしまった自分の日記帳をぱらぱらめくり……自分の姿を鏡に映してみたわ。泣くのを止めることができなかった。まだ自分が死んでいると思っており、神様が不気味なやりかたで、自分のこの世での生活を最後に垣間《かいま》見せてくれているのだと思った。玄関がひどく怖かった。もし、あそこから出れば、天国に入ると実際に信じたのよ。あるいは地獄か、あるいは地獄の辺土か、あるいは何処《いずこ》かにね」

「君はカトリック？」

「いいえ、私の精神にはこれらすべての漠然《ばくぜん》としたイメージと恐怖が渦巻《うずま》いていたのよ。忘却《オブリビオン》というのが、もっと良い表現だわ。外に出たら、本当にそれがあると予想したのよ。霧、虚無……死そのものがね。それから母が帰ってきて、私があれほど恐れていたドアから入ってきた。それは、私を死のところに引きずっていくために、変装してやってきた幽霊だと思った。私は悲鳴を上げ始めた。

　母が私を落ち着かせるのに長い時間がかかった。彼女は家庭医を呼んだ。医者はやってくると注射をした――たぶん、デメロールをね――そして、私は気を失った。また目を覚ますと父がいて、とても心配そうな顔つきで、ベッドにのしかかるように立っていた。私はこの時はじめて、本当に死んだのではないと気づき始めたのだと思う。父は立ち上がらせないようにしたが、私は階下に走り降りて、玄関のドアを開けて、寝間着のまま中庭に出ていった……そしたら、もちろん全《すべ》てが完全に正常だった。近所は記憶にある通りだった。隣家の犬は跳ねてきて、私の手をなめ始めた。どういうわけか、それで私はまた泣きだした。

　次の週は学校を休み、仮病を使って部屋で寝ながら考えた……最初、何が起こったか考えて答えを出そうとした。しかし、それは望みのない仕事だと結論するのに長い時間はかからなかった。やがて、日がたっていき、何も変化がないとわかると、これからどうしようかと思案し始めた。

　いいこと、私にはあなたのように選択の余地はなかったのよ。たった十四歳で、まだ親の家にいて、まだ中学生だったもの。競馬に賭《か》けることもできなければ、パリにいくこともできなかった。釘付《くぎづ》けだったわ」

「辛《つら》かったにちがいない」ジェフは同情していった。

「そうよ。でも、なんとか切り抜けたわ。どうしようもなかったもの。無理にでも、また幼い少女になるしかなかった……最初の人生で経験したことをすべて忘れようと努力してね。大学とか、結婚とか……子供とか」

彼女は言葉を切って、床に目を落とした。ジェフはグレッチェンを思い出した。そして、手を伸ばしてパメラの肩にさわった。彼女は体をすくめてその手を避け、彼は手を引っ込めた。

「とにかく」彼女は話を続けた。「数週間——二、三カ月——たつと、最初の人生は心の中に引っ込んでしまったように思われた。ちょうど、長い夢だったみたいにね。私は学校に戻り、全てをもう一度学び始めた。まるで、以前にまったく勉強をしたことがなかったように。私は最初の時とは正反対に、とても内気になり、本の虫になった。決してデートにも出掛けず、大勢の子供たちとぶらつくのも止めた。それらの友人が何年か先にどんな大人になるか、それについての記憶やイメージがあることに耐えられなかった。私はそのすべてを拭《ぬぐ》い去り、そんな知識はないと自分で思おうとした」

「だれかに……この話をした？」

彼女はビールを一口飲んで、うなずいた。「最初に幼年時代に戻って、悲鳴を上げたエピソードの直後に、両親が私を精神分析医のところに連れていった。面接を数回重ねた後、この女医なら信用できると思ったので、経験したことを説明し始めた。すると、彼女はにこにこして、励ますようなことをいい、とても物分かりの良い振りをした。でも、全部幻想だと思っていることが、私にわかった。もちろん、私もそう信じたかった……そういうことだったのかと。でも、ケネディ事件が起こる一週間前に、その事件について話してしまったの。

すると、女医は完全に気が動転して、ものすごく怒り、それ以上私を診るのを拒否してしまった。私がその暗殺についてそのように詳細に描写したという事実と、そして、私のこの〝幻想〟が、この上もなく恐ろしい破壊的なかたちで、突然、現実になったという事実を、女医はどう処理していいかわからなかったのね」

パメラは黙って、ちょっとジェフを見た。「これは私をも怯《おび》えさせたわ」彼女は続けた。

「彼が射《う》たれることを知っているだけでなく、射つのがリー・ハーベイ・オズワルドだということを確信していたから。あのネルソン・ベネットという人物のことは全く聞いていなかった——もちろん、あなたがダラスにいって、あのように干渉することは知らなかった——そして、この後、私の現実感覚はまったく変わってしまった。ちょうど、自分が未来のことを何もかも知っていると一分間だけ感じて、それから全く突然に、絶対的に何も知らないということになったみたいだった。自分が存在していたのは、別のルールで動く、別の世界だった。何が起こるかもしれない――両親が死ぬかもしれないし、核戦争が起こるかもしれない……いや、最も単純なレベルで、私は昔の自分とは、いや、以前に自分でこうだと想像していた人間とは、全く別人になるかもしれない。

私はバード大学ではなく、コロンビア大学にいき、生物学を専攻し、それから医学部にいった。このコースはとても辛かった。以前には科学は決して好きではなかった。最初の人生では、美術の教育しか受けなかったから。しかし、同じ理由で、この方がはるかに面白かった。なぜなら、以前に学んだことを、ただ繰り返すのとはちがっていたから。私は新しい存在として生きていくために、全く新しい分野を、新しい世界を学んでいた。

他人《ひと》と付き合っている暇はあまりなかった。しかし、コロンビア・プレスビテリアン病院での実習期間中に、ある若い整形外科医と知り合った……あのう、彼は必ずしも最初の夫に似ていたわけではないけれど、同じ激しさと、同じ種類の意欲を持っていたのよ。ただし、今度は、私たちには共通点があった。医学に対する献身という同じ態度があった。以前は、夫が毎日何をしているか、私はほとんど知らなかったし、彼は彼で、私はそんな事に関心がないと想像して、法律の仕事を私と話し合うようなことは決してなかった。でも、ディビッドの場合は――これが整形外科医の名前だけれど――正反対だった。私たちは何でも話し合うことができた」

ジェフは尋ねるように彼女を見た。「君、まさか――」

「いいえ。私に起こったことは決して話さなかったわ。そんなことを話せば、発狂したと思われたでしょう。私はまだ、それを心から追い出そうと努力していた。それらすべての記憶を埋めてしまって、そういうことは決して起こらなかったような振りをしていたかった。

私の実習期間が過ぎると、ディビッドと私はすぐに結婚した。彼はシカゴの出身で、私たちはそちらに帰った。彼は個人で開業し、私はメモリアル小児科病院の集中医療ユニットに勤務した。自分自身の子供をあのように取り返しのつかないかたちで失った後だから――そう、あなたもよく知っているわね――私は再び子供をつくるのを避けていた。でも、やがて、病院全体に、あふれるほどの代理の息子や娘を持つようになり、彼らは必死に私を求めた……とにかく、あれはこの上なく報われるところの多い職業だったわ。まさに、ニューロッシェルの欲求不満の主婦が夢見たのと、同じ種類の事をやっていたわけね。頭を使い、否定しがたい影響を世間に及ぼし、人命を救い……」彼女の声が小さくなって消えた。彼女は咳払《せきばら》いをして目をつぶった。

「それから、死んだ」ジェフは優しくいった。

「ええ。また死んだわ。そして、また十四歳に戻った。何一つ変化させる力がなかった」

彼は完全に理解できると、言おうとした。最も深刻な苦悩は、自分が手当てした幼い瀕死《ひんし》の病人が再びその苦しみを繰り返すのを、知っていることだと。彼らを救おうとする彼女の努力が水の泡《あわ》になってしまったと、知っていることだと。だが、言葉は必要なかった。苦悩はすべて彼女の顔に現れていた。そして、彼女の損失の深さを理解できるのは、この世では彼しかいなかった。

「一休みしようよ」ジェフは提案した。「どこかで食事をしない？　後の話は、食事をしてからでもいいじゃないか」

「いいわ」彼女は、さえぎられてほっとした様子でいった。「私がここで何か作ってもいいわ」

「それにはおよばない。太平洋岸ハイウェイを通ってきた時に、小さなシーフード・レストランがいくつかあった。あそこに行こう」

「私が料理してもいいのよ、本当に――」

ジェフは首を振った。「いや、出掛けよう。夕食は僕がおごる」

「では……また着替えをしなくてはならないわ」

「ジーンズでけっこう。恰好《かっこう》をつけたければ、靴をはくだけでいいさ」

出会って初めてパメラが微笑した。

二人は外のデッキの人目につかないテーブルで、大波を眺めながら食事をした。食べ終えて、コーヒー入りのグラン・マルニエを飲んでいると、太平洋に月が昇った。レストランの後ろの高いガラス窓にその影が映り、その白い球体と大洋の黒さが融合するように見えた。

「ごらん」ジェフはその幻影を指差していった。「そっくりだよ――」

「――『星の海《スターシー》』のポスターにね。知ってるわよ。あのアートワークのアイデアを私がどこから得たと思ってるの？」

「偉大な魂に」ジェフは微笑して、乾杯するようにリキュールグラスを上げた。パメラはためらったが、やがて自分のグラスを持ち上げ、彼のグラスにちょっと当てた。

「あなた本当にあの映画が好きなの？」彼女は尋ねた。「それとも、ただ私の正体を知るためのだしだったの？」

「その質問は不要だよ」彼は真剣にいった。「あれがどんなに良い映画か、自分で知っているじゃないか。僕は他の人々に劣らず感動した。もっとも、あれが出現したのを見て、こんなにショックを受けた人間は他にはいないだろうがね」

「ほら、分かったでしょう。聞いたこともない人がケネディ大統領を殺した時に、私が最初どう感じたか？　あれはどういうことかしら？　あなたが防ごうとして、あのようにしたのに、それでもなお暗殺が起こったのは、なぜかしら？」

ジェフは肩をすくめた。「可能性が二つある。一つは、ケネディを殺すために本当に大規模な陰謀があって、オズワルドは小さな廃棄可能な人物だった。だれか知らないがそれを計画したやつは、支障が起きた場合に備えてベネットを補欠として控えさせておいた。たぶん、代替要員はほかに大勢いたろう。誰が有罪判決を受けるにしても、そいつをジャック・ルビーに殺させるという点にいたるまで、なにもかも前もって準備されていた。構図からオズワルドが除去されたことは、そのすべての背後にいる人々にとって、ほんの些細《ささい》な不便にすぎなかったろう。僕が何をしようと、ケネディは死んだろう。なぜなら、彼らがだれであれ、あまりにも強力に組織されていたので、だれかが、いや何かが止めることはできなかっただろうから。

これが一つの可能性だ。そしてもう一つは、明細さに欠けるが、君と僕にとって、もっとずっと深い意味がある。僕が信じたいのはこちらの方だ」

「で、それは？」

「我々が未来の知識を利用して、歴史に何らかの大きな変化を引き起こすことは不可能だ、ということさ。我々にできることには限度がある。その限度がどんなものか、どのようにしてそれが押しつけられるのか、僕には分からない。しかし、そのような限度があると思う」

「でも、あなたは国際的複合企業を作り上げた。以前には全く関連がなかったいくつもの大企業を所有している……」

「そのどれ一つとして、全体的な物事の流れに本当に影響を与えはしなかった」ジェフはいった。「それらの会社はもともと存在していたし、同じ製品を作り出していたし、同じ人々を雇っていた。僕がした事は、利益の流れるチャンネルをちょっと僕の方向に変えただけだ。僕自身の人生での変化は途方もないものだったが、物事のより大きな枠《わく》組《ぐ》みの中では、僕のしたことは無意味だった。財界の外側では、たいていの人は――君も含めて――僕が存在していることすら知らなかった」

パメラは物思わしげにナプキンをひねった。「でも、『星の海《スターシー》』はどうなの？　この惑星の人口の半分はあれを知っているわ。わたしは新しい概念を導入したのよ。人類が自分自身を宇宙との関連において見る新しい方法を提出したのよ」

「『バラエティ』誌のアーサー・ナイトの説だね？」

彼女は赤面し、手で顔を覆った。

「僕は君に会いにくる前に、評論を全部調べたんだよ。あれはすばらしい映画だ。それは認める。しかし、基本的には、あれはやはり娯楽作品であって、それ以上のものではない」

彼女の目が彼にむかってきらりと月光を反射し、怒りと傷ついたプライドの光線を彼に投げかけた。

「それ以上のものかもしれないわ。ひょっとしたら、これをきっかけにして——」彼女は言葉を切り、自己を抑えた。「いや、それはどうでもいい。私たちの能力に対するあなたの悲観論には、私は同調できないわ。この話は、ここまでにしましょう。さて、私の第二の……〝リプレイ〟について話を聞きたい？　……サイクルのことを、あなたはリプレイと呼ぶんでしょ？」

「僕はそのように考えたのさ。他の名前に劣らず良い名前だと思うけど。話を続けたいんだね？」

「あなたはあなたの経験を話した。私の経験を、あなたに話してもいいのよ」

「それから、どうする？」

「分からない」彼女はいった。「これについて、私たちの態度はとても違うみたいね」

「しかし、ほかにこれを話し合う相手はいないんだよ」

「とにかく、これから話すことを最後まで聞いて。いいわね？」彼女は紙ナプキンを細かく引き裂いていたが、今はそれを丸めて灰皿《はいざら》に載せた。

「どうぞ」ジェフはいった。「もう一杯飲むかい？　それとも、ナプキンをもう一枚持ってこさせようか？」

彼女は鋭い目付きで彼を見て、その顔に皮肉の色が浮かんでいるかどうか探った。そして、浮かんでいないと見定めると、一つうなずいた。ジェフは空中で手を丸く動かして、もう一つグラン・マルニエを持ってくるように、ウェイターに合図した。

「二度目に死んだ時」パメラは話し始めた。「私は何よりかにより怒り狂った。気がつくと、両親の家で、また十四歳に戻っていた。原因はわからないにしても、何が起こっているかは正確にわかった。そして、ただひたすら何かを打ち砕きたかった。恐怖ではなくて、激怒で、金切り声を立てたかった。あなたが三度目の……リプレイの時に感じたみたいにね。すべてがひどい無駄のように思われた。医学部も、病院も、世話をしたすべての子供たちも……すべてが無意味だと。

私は家族に対して反抗的に、凶暴にさえなった。私は、母と父を一緒にしたよりも、大人として長い年月を過ごしたのに。結婚を二度もし、医者として働いたのに。ところが、ここでは私は法律的に子供であって、どんな権利も選択の自由もない。私は両親から金を盗んで家出をした。しかし、これはとんでもないことだった——だれもアパートを貸してくれなかった。就職することもできなかった……その年齢の少女が自力でできることは、夜の女になること以外になかった。でも、そんな種類の地獄に落ちるつもりはなかった。それで、打ちのめされ、信じられないほど孤独になり、ほうほうの態《てい》でウエストポートに帰った。学校に戻り、そのあらゆる瞬間を軽蔑《けいべつ》し、学科の半数に落第点を取った。なぜなら、同じ代数の公式を三度も暗記するのに耐えられなかったから。

両親は私を前に診てもらった精神分析医のところに送った。ほら、ケネディの暗殺のことを私が知っていたので、取り乱した女医のところよ。今度は、自分自身について本当のことは何もいわなかった。この頃《ころ》には、児童の発達と心理についての標準的な教科書を、ほとんど自分で学んでしまっていたから、自分が〝ある段階を通過しつつある〟思春期の子供であって、軽いノイローゼにかかっているが、正常の範囲を超えていない、という印象を与えるような答えを、女医に与えたの」

彼女はウェートレスが飲み物を持ってきて置くあいだ沈黙し、テーブルから充分に離れてしまうまで待っていて、それから物語を再開した。

「少なくとも正気の一部を保つために、私は初恋の人に、つまり絵画に、戻った。両親は私が要求する物を何でも買ってくれた。そして、私は作品を求めた。しかし両親は私の芸術を誇りにした。私がする事で、彼らにとって建設的だと認められる事は、それくらいしかなかったのよ。私が彼らのお酒の棚からジンを盗み飲みしても、夜遅くまで二十代の男たちと出歩いても、学校で学期ごとに仮及第になっても、彼らは気にしなかった。私を躾《しつ》ける努力を放棄しかけていたのね。私の不品行の背後に何か強力な意図的なものがあって、とても自分らの手に負えないと思ったんでしょ。でも、私には才能があった。これは間違いなく本物だった。そして、私は医者になるためにがむしゃらに努力したように、絵画についても猛烈な努力をした。両親はそれを無視できなかった。だれも無視できなかった。

十七歳で高校を中退すると、両親はボストンのある美術学校を見つけてくれた。その学校は、元の学校の成績がひどかったにもかかわらず、私の画帳を見て喜んで受け入れてくれた。そこで、私の才能が花開いた。ついに再び大人として生活を始めることができた。同じ学校の年上の女子学生の一人と共同で屋根裏部屋を借り、構図法の教師とデートを始め、夜も昼も絵を描いた。私の作品は奇怪なイメージや野獣的なイメージに満ちていた。黒い渦巻の中に転落する不具の子供たちとか、外科手術の傷から這《は》いだす蟻《あり》たちをフォトリアリズムでクローズアップしたものとか……女子学生が描いたなんて想像もできないほど強力な素材。だれも、私をどうすればよいかわからなかった。

二十歳の時にニューヨークで最初の個展を開いた。そこでダスティンに会ったのよ。彼は絵を二枚買ってくれた。それから、画廊が閉まった後に、一緒に飲みにいった。彼がいうには——」

「ダスティンだって?」ジェフが口をはさんだ。

「ダスティン・ホフマンよ」

「俳優の?」

「ええ。とにかく、彼は私の絵を好んでくれた。そして私は彼の作品にいつも感銘を受けた——『真夜中のカーボーイ』がこの年にちょうど封切られたばかりだった。私は『クレイマー・クレイマー』とか『トッツィー』のことを彼の前で口にしないように、いつも用心していなければならなかった。私たちはすぐに意気投合し、彼がニューヨークにいる時にはいつも会うことにし始めた。そして一年後に結婚した」

ジェフは驚いて、思わず茶化すようにいってしまった。「君はダスティン・ホフマンと結婚したのかい？」

「ええ、彼の人生の一つの流れの中でね」彼女はかすかに不快感をこめていった。「彼はとても良い人よ。頭がとても良くて。もちろん今は、私をただの作家兼プロデューサーとして知っているだけだけれどね。彼と私が七年間も一緒に暮らしたなんて、今の彼は知らないわ。ほんの先月、あるパーティでたまたま会ったんだけれど、あれほど親しくしていた人が、あれほど長い年月一緒に暮らした人が、まったく自分を知らないというのは、とても奇妙なものね。

とにかく、それは大体において良い結婚だった。互いに相手を尊敬していたし、それぞれの目的を支持し合った……私は絵を続け、その分野でまああの成功を収めた。一番有名な私の作品は『谺《こだま》する自我・過去と未来』という三部作よ。それは――」

「あっ、そうか！　僕はその作品をホイットニーの画廊で見た。三番目の妻のジュディとニューヨークに旅行した時だ！　彼女はそれをとても気に入った。だが、僕がなぜそれにぞっこん参ってしまったか、彼女には理解できなかった。おい、僕はそのプリントを買って、額に入れて書斎の机の上に掛けておいたんだよ！　前に君の名前を聞いたのは、あれだったんだ」

「とにかく、あれが私の最後の大作だった。どういう訳か、あれの後……私は枯れてしまったのよ。表現したいことがあまりにも沢山あったけれど、もはやそのすべてをカンバスの上に捕える気がなくなったか、または、捕えることができなくなったのね。芸術が私を見捨てたのか、あるいはその逆なのか、わからないわ。でも、一九七五年ごろに根本的に絵を描くのを止めたのよ。これは、私とダスティンが別れたのと同じ年だった。大喧嘩《おおげんか》をしたというわけじゃないの。ただ、終わったのよ。そして、両方ともそれを知ったのね。絵と同じようにね。

これはどうやら、あのリプレイの半分を経過して、自分が成就したあらゆるものがあと数年で抹殺《まっさつ》されることを知っていたという事実と、関係があるらしいわ。それで、私は一種の蝶《ちょう》になって世間を放浪し、ロマン・ポランスキとかローレン・ハットンとかサム・シェパードのような人々と遊び歩いたのよ。彼らには……束《つか》の間《ま》の共同体といった感覚があったの。決して親密になりすぎず、その時のムードとか滞在している国によって、何時《いつ》でも中止したり再開したりできる、興味ある友情のネットワークのようなものがね。そういうものは実は重要ではなかったのよ」

「重要なものなんか何もないんだ」ジェフはいった。「僕も一度ならず、そういう具合に感じたよ」

「これは気の滅入《めい》るような生き方よ」パメラはいった。「自由と解放の幻想を持っているけれど、しばらくすれば、すべてが滲《にじ》んで訳が分からなくなってしまう。いろいろな人間、都会、観念、顔……それらはすべて、決して明瞭《めいりょう》な焦点を結ばず、決して何処《どこ》にも通じない、変移する現実の一部なのよ」

「それはわかる」ジェフはいい、シャーラと一緒に、とりとめもなく、でたらめにセックスにふけった年月を思い出した。「そういう生き方は、我々の立場では適当のように思われる――しかし、それは理屈の上だけだ。現実はそううまくはいかない」

「そうね。とにかく、私はそういうように何年間かぐうたらな生活をしていて、それから時がくると、マジョルカの人里離れた静かな所に小さな家を借りた。そして一人きりで、ひたすら死を待ちながら一月《ひとつき》暮らした。そして、その一月《ひとつき》の間に、自分に約束した……決心した。この次は、つまり今のことね、物事が変わるだろう。世界に衝撃を与えて、物事を変えてやるぞと」

ジェフは懐疑的な表情で彼女を見た。「医者だった時に、そうしたじゃないか。ところが、次のリプレイが始まると、君が治療した子供たちは元の苦痛をすべて繰り返さなければならない運命にあった。何も変わらなかった」

彼女は苛立たしげに首を振った。「そのたとえは間違っているわ。病院で、私は少数の個人につぎはぎの修繕をしていた。純粋に医学的な仕事よ。それも限られた範囲でね。

善意のものだったけれど、無意味だった」

「それで今度は、全世界の魂をまとめて救済したい、というわけだね？」

「人類に、起こっている事に目覚めさせたいのよ。人類に教えて、このサイクルを知らせたいのよ。ちょうど、あなたと私がその事を知っているようにね。それだけが、私たち――私たちの一部、私たちみんな――がこのパターンから脱出できる唯一《ゆいいつ》の方法なのよ。そう思わない？」

「いいや」ジェフはいった。「そうは思わない。どうして君は――その知識を一つのリプレイから次のリプレイに持ち越すように、人々に教えることが可能だなんて思うのかね？　君と僕は、これで三度リプレイを経験した。そして、僕らは最初から、これが自分に起こっていると知った。だれにも教わらずにだ」

「私たちは他の人々を導くためにいるのだと信じるわ。少なくとも、自分自身について、そう信じるの。あなたが現れるなんて全く予想していなかった。私たちにどんなに重要な使命が託されているか、あなたは分からないの？」

「誰《だれ》によって？　それとも何によって？　神にかね？　この経験全体を通じて、僕はむしろカミュの意見に賛成したいな。もし神がいたら、わたしは神を軽蔑する、と」

「神とでも、霊《アートマン》とでも、何とでも、好きなように呼びなさい。『ギータ』を知ってるでしょ。

集められた魂は目覚める
霊《アートマン》の知識の中に
それは無知の者には暗夜である。
無知の者は自らの感覚的な生命の中に目覚める
それを彼らは日光だと思う。
だが見者《けんじゃ》にとってそれは暗黒である。

「私たちはその暗黒を照らすことができるのよ」彼女は思いがけない激しさでいった。「できるのよ、私たちは――」

「ねえ、その霊的な問題は一先《ひとま》ずお預けにして、君の話を済まそうよ。このリプレイの間に君は何をしたか？　あの映画をどうやって作ったか？　とか」

パメラは肩をすくめた。「困難ではなかったわ。なにしろ、大部分の資金を自分で提供するんだから。学校で時節を待ちながら、計画を練っていた。私のアイデアを大衆に伝えるには、明らかに映画が最も効果的な手段だった。そして、すでにダスティンや、前回のリプレイで知り合いになった全ての人々を通じて、映画産業に精通していた。それで、十八歳になると、あなたが話したのと同じ投資をし始めた。ＩＢＭとか、ミューチュアル・ファンドとか、ポラロイドとかに……六〇年代の市場はどんなだったか、あなたも知っているわね。めちゃくちゃに買っても、ほとんど損することはなかったし、未来のことを知っている者にとって、数千ドルを三、四年で何百万ドルに増やすことは簡単だった。

我ながら立派な脚本が書けたと思っているわ。でも、何年も何年もかかって構想を練らなければならなかった。いったん書き上げて、制作会社を組織してしまえば、後は適当な人々を雇うだけの問題だった。彼らがみんなどんな人々なのか、彼らがどんな力を持っているか、知っていた。それらはすべて私の計画通りにまとまった」

「そして、今は——」

「今は次の段階に進む時よ。世間の意識を変える時よ。私にはできるわ」彼女は身を乗り出し、彼をじっと見つめた。「私たちにはできるわ……もし、あなたが参加してくれれば」

12

「……明らかに集団自殺です。第一報は恐ろしい大量殺戮《さつりく》の場面を伝えてきています。

部落のいたる所に死体が散乱し、死んだ母親の腕にまだ抱かれている幼児の死体もあります。射殺されている犠牲者も少しはありますが、大部分は他に例を見ない死の儀式の中で、自らの命を絶った模様です――」

ジェフは短波ラジオのダイヤルに手を伸ばして、BBCのニュース放送から、ジャズ番組に波長を移した。

コーヒーポットが沸騰して鳴り始めた。彼はコーヒーをカップに注《つ》ぎ、それに余分の暖か味を加えるためにマイヤーのラムをちょっと垂らした。昨夜は新たに雪が降って六インチ以上も積もり、キッチンの窓のところに吹《ふ》き溜《だ》まりができて、その下半分がすでに雪で覆われている。今日の午後は、いよいよ雪掻《ゆきか》きをしなければならないだろうと、彼は思った。また、物置まで出ていって、杉《すぎ》の木の焚《た》きつけをもう一山割り、ホワイト・オークの薪《たきぎ》をもっと裏のポーチに運び上げなければならない時期がきている。だが、そういう仕事をする気にはならない。少なくとも今は嫌《いや》だ。

このジョーンズタウンの惨劇の週には、世間全体がいつも不安のとりこになる。そして、この忌《い》まわしい話を、ジェフはこれまでに三回繰り返して聞かされたが、いまだに、その一般的な感情の影響を受けるのかもしれない。それはともかくとして、今日彼が望むことは、薪がはじけるストーブのそばに坐《すわ》って、読書することだけだった。ハンナ・アーレントの『精神生活』の第二巻を途中まで読み進んだところで、次にはタックマンの『遠い鏡・多難な十四世紀』を再読する計画だった。どちらの本も今年出版されたばかりだが、彼が最初にこのタックマンの本を読んだのは二十年以上も前のことだった。それはジュディと子供たちをシベリア横断急行列車に乗せてソ連領アジアに連れていった夏のことだった。その本の表紙を見ただけで、広大なステップ地方、ノボシビルスク郊外の無限に続く白樺林《しらかばばやし》、そして、幼いエイプリルが、列車の通路にある時代ものの黄色いサモワールに異常な興味を示したことなどの記憶が、いっぺんに蘇《よみがえ》った。女車掌がゆっくりと燃える泥炭《でいたん》の塊でサモワールを常に沸かしておき、モスクワからマンチュリアの北のハバロフスクに到《いた》る六千マイルの旅の間、熱いお茶をずっと食卓に出し続けたものだった。コップの金属のホルダーには、宇宙飛行士とスプートニクの絵が刻まれていた。旅の終わりに女車掌はそれを二個、土産としてエイプリルにくれた。ジェフはこの養女が、アトランタのウェスト・ペイシズ・フェリー・ロードの家で、暖炉の前に気持ち良さそうに体を丸めて、そのホルダーに入れたコップから熱いミルクをすすっているのを見た覚えがある。それは彼が死ぬちょうど一週間前のことだった……

彼は咳払《せきばら》いをし、目を瞬《しばたた》いて思い出を追い出した。もしかしたら今日は雑用をやるのが一番いいかもしれない。ただこうやってキャビンに坐って、物思いにふけっているよりも、肉体を動かしているほうがいいかもしれない――

ジェフは耳をそばだてた。エンジンの音を聞いたように思ったのだ。いや、そんなはずはない。春までは、わざわざこんな方面に出掛けてくる馬鹿《ばか》はいない。もっとも、ジェフが短波で緊急信号でも出せば別だが。しかし、また聞こえた。たしかにもっと大きい唸《うな》りが、真《ま》っ直《す》ぐにこの道をやってくるように聞こえた。

彼はダウン・パーカを着、毛糸の帽子をかぶり、外に出た。マッツィーニ家になにか事故があったのだろうか？　だれかが病気になったとか、怪我《けが》をしたとか、ひょっとしたら火事かも？

泥《どろ》だらけのランドローバーがぎゅっと左折して、開いている門から走りこんできた時、彼の心にはっと思い当たることがあった。それから、運転者の真っ直ぐな金髪が見え、彼はやっぱりと思った。

「お早う」パメラ・フィリプスがいって、ごつごつした四輪駆動の自動車のステップに、ブーツをはいた足の片方を振り出した。「ひどいドライブウェイなのね、お宅のは」

「いつも、あまり出入りがないから」

「まあ、そうでしょうね」彼女はいって、車から飛び降りた。「どうやら、あそこで、ずっと昔に、地雷を踏んだあわれな車があったみたいね」

「聞いたところでは、ヘクターという男だそうだ。ジョージ・ヘクターとか。その人物は禁酒法時代に、T型フォードにウィスキーの携帯蒸留器を乗せていて、捕まらないようにあちらこちら移動して歩いていたそうだ。それが、ある晩に爆発したのさ」

「ヘクターはどうなったの？　彼もいっしょに吹っ飛んだの？」

「どうやら、怪我はなかったらしい。別の蒸留器を作らなければならなかった。しかし、携帯用の蒸留器というアイデアは放棄した。少なくとも、そう言われている」

「革新的アイデアもそこまで、というわけね？」彼女はきれいな冷たい山の空気を深く吸い込み、彼を見ながらゆっくり吐き出した。「で、あなたはどうしていたの？」

「それほど悪くはない。君は？」

「この前にあなたに会って以来、とても忙しかったわ。あれは……何と、三年半も昔になるのねえ」彼女は両手をごしごし擦《こす》り合わせた。「ところで、この辺りには淑女が温まる場所はないの？」

「ごめん。どうぞ中へ。コーヒーが沸いている。だって、突然の訪問なんだもの」

彼女は彼についてキャビンに入り、ジャケットを脱いで、ストーブのそばの椅子《いす》に坐った。ジェフはコーヒーを注ぎ、マイヤーの瓶《びん》を持ち上げて、どうすると目で尋ねた。パメラはうなずいた。彼は彼女のカップに芳醇《ほうじゅん》な黄金色の液体を垂らして、渡した。彼女はそれを掻き回して飲み、口と眉《まゆ》を使って旨《うま》いという表情を作った。

「どうしてここがわかった？」彼は彼女の向かい側の椅子に腰を下ろして尋ねた。

「それはね――レディングの近くにいると、あなたがいった。うちの弁護士が、サンフランシスコにいるお宅の仲買人に電話した。すると、彼は親切にも捜索範囲をもう少し狭めてくれた。私はここにやってきて、町じゅうを聞いてあるいた、というわけ。でも、方角を快く教えてくれる人に出会うまで、ちょっと時間がかかったわ」

「この辺の人はプライバシーに深い敬意を払っているからね」

「そうらしいわね」

「予告なしに、自分らの土地にだれかが上がってくるのを喜ばない人が大勢いる。特に赤の他人の場合はね」

「私はあなたにとって赤の他人ではないわ」

「それに近いよ」ジェフはいった。「ロサンゼルスでほとんど縁が切れたと思っていたがなあ」

彼女は溜め息をつき、膝《ひざ》の上に畳んで掛けている色褪《いろあ》せたデニムのジャケットの羊皮の襟《えり》を無意識に撫《な》でた。「私たちには共通点も多いけれど、逆の方向から進んできたのよ。あそこにいた時、終わり頃《ごろ》には、互いにうんざりしてしまったわねえ」

「ああ、そういう言い方もできるな。あるいは、君はあまりにも頑固《がんこ》で、自分自身の妄《もう》想《そう》の先を見通すことができなかった、とも言えるよ。そして――」

「ねえ！」彼女はぴしゃりといい、コーヒーのカップを短波ラジオの隣に乱暴に置いた。「ただでさえこんがらかっているのに、これ以上難しくしないでよ。あなたに会うために六百マイル車を走らせてきたのよ。さあ、話をしまいまで聞いて」

「わかった。話しておくれ」

「ねえ、あなたは今日、私を見て驚いたわね。でも、あなたが現れた時、私がどんなに驚いたか想像してみてよ。あなたは『星の海《スターシー》』を見た。私の事をあれこれ想像する時間があった。そして、明白な結論に達した。私がたぶんリプレイヤーだということも、あなたは知っていた。でも、私は、自分のようなものが他《ほか》にもこの世にいるとは知らなかった。わたしに起こっていることに――世界に起こっていることに、唯一《ゆいいつ》のありうべき説明を発見したと思った。私は正しいことをしていると信じた。

いや、まだ分からないわ。正しかったかもしれないし、正しくなかったかもしれない。今はまだ未決定の問題よ」

「なぜ？」

「これに、もう一垂らしラムを入れてもらおうかしら？　そして、コーヒーをもう少し」

「いいとも」彼は二人のカップにあらためて飲み物を注いで、椅子に戻《もど》り、耳を傾けた。

「あなたがロスにきた時には、私はすでに次の映画の脚本に着手していた。十月には撮影台本も整ったのよ。

当然、予算は問題ではなかった。監督にはピーター・ウィアーを当てたわ。彼はまだ『最後の波』を作っていなかったので、彼を使うなんて馬鹿だと、みんなに思われたわ」

彼女は皮肉な微笑を浮かべて、長い両手で湯気の立つカップを抱えるようにして、身を乗り出した。

「私の組織した特殊効果チームは面白かったわよ。先《ま》ず最初にジョン・ホイットニーを雇った。この頃には、彼はすでにコンピューター画像の基本原理を完全に確立していた。そして、彼の短編フィルムの多くは曼陀羅《まんだら》に焦点を合わせたものだった。私はこれを映画の中心イメージにしたいと思った。それで彼に完全な自由裁量権を与え、グレイ社のスーパーコンピューターのプロトタイプの第一号を支給した。

それから、ダグラス・トランブルをおさえた。彼は『２００１年』の特殊効果を担当した人物よ。そして、刺激を与えて、本来の時期よりも数年早くショウスキャンを発明させた。その方法でフィルム全体を撮影したの。たとえ――」

「ちょっと待った」ジェフが遮《さえぎ》った。「ショウスキャンて何？」

パメラは驚いた表情を見せた。それにはプライドが傷ついた表情もかすかに混じっていた。

「『連続《コンティニュアム》』を見ていないの？」

彼は申し訳なさそうに肩をすくめた。「レディングにはやってこなかったもの」

「そうね。この地域では、サンフランシスコとサクラメントでしか演《や》らなかった。上映する劇場を全部、特別に改装しなければならなかったのでね」

「なぜ?」

「ショウスキャンという方法は、映画のスクリーンに信じられないほど現実的なイメージを作り出すけれど、その効果を得るためには、特別な映写機が必要なの。あなた、映画の基本原理を知っているわね? 二十四こま、毎秒二十四枚の静止画像……網膜上で一つの映像が薄れると、次のが現れて、流れるような一連の動きの印象を作り出す。残像というやつね。実際には毎秒四十八こまになる。なぜなら、それぞれの映像が、錯覚を強めるために一回ずつよけいに繰り返されるから。でも、もちろん実際は欺《あざむ》かれるのは目ではなくて、脳よ。たとえスクリーン上で途切れない動きを見ていると思っても、もっと深い無意識のレベルでは、静と動に気づいている。そんなわけで、ビデオテープのほうがフィルムよりも、もっと鮮明で、〝本当らしく〟見えるのよ。それは毎秒三十こま記録されるから、ギャップがそれだけ少ないの。

ところが、ショウスキャンはその作用をさらにもう一歩進めた。毎秒六十こまも写すのよ。重複するこま無しでね。トゥランバルは、いろいろなスピードで撮影した映画を、いろいろなスピードで映写して、それを見る人間の脳波を脳波計を使って調べたの。そしたら、このスピードの場合が、反応が最も強いことが分かったの。どうやら、視覚皮質はその特定のスピードで、つまり、毎秒六十バーストの視覚入力で、現実を受け入れるようにプログラムされているらしいのよ。だから、ショウスキャンは脳への直接の導管《コンジット》のようなものね。立体映画とはちがうのよ。その効果はもっと微妙なものなの。その映像は深い認識の琴線を掻き鳴らすみたい。どういう訳か、真に迫った共鳴をするのね。

とにかく、それで、この映画全体をショウスキャンで撮ったの。コンピューター・グラフィックスの曼陀羅も、マンデルブロットのセットも、ホイットニー兄弟とそのチームが創《つく》り出したその他の効果も全部含めてね。その大部分はロンドンのパインウッド・スタジオで撮影したの。俳優は全《すべ》て才能ある無名の新人で、主に、ロイヤル舞台芸術アカデミー出身の人々を使った。スターの個性や存在感によって、映画のテーマや……メッセージが、覆い隠されるのがいやだったから」

彼女はコーヒーを飲み干して、重い茶色のカップの底を見つめた。「『連続《コンティニュアム》』は六月十一日に世界中で封切られ、そして、完全に失敗した」

ジェフは眉をひそめた。「と、いうと？」

「言った通りよ。あの映画は失敗だったの。一カ月ばかりは調子が良かったけれど、その後は入場者数がゼロに落ち込んでしまった。批評家の気に入らなかった。観客の気にもね。批評だけでも充分悪かったけれど、口コミはもっとひどかった。〝六〇年代の神秘主義の残飯〟というのが一般的な反応の集約ね。〝ごた混ぜ〟〝首尾一貫しない〟〝もったいぶっている〟という言葉もずいぶん投げつけられたわ。たいていの人があれを見にきた唯一の理由は、ショウスキャン・プロセスの目新しさと、コンピューター・グラフィックスのためよ。それらはうまくいったけれど、あの映画で人々が喜んだのは結局それだけだったのね」

長い、ぎごちない沈黙が流れた。「気の毒に」ジェフはとうとういった。

パメラは苦笑いをした。「おかしいでしょ？　この映画が与えるかもしれない潜在的に危険な衝撃、それが引き起こすかもしれない地球的変化が心配だからといって、あなたはこれ以上私に関《かか》わることを断ったわね……そしたら、結局世界はこれを無視し、陳腐なジョークのように扱ったわ」

「何がまずかったんだろう？」彼は優しく尋ねた。

「一つには時期が悪かったのね。自己中心世代《ミー・ジェネレーション》、ディスコ、コカイン、なにもかも。宇宙の調和とか、存在の永遠の連鎖などについて、だれもも説教を聞きたいとは思わなかったのね。そういうものは六〇年代でもう充分だった。今みんながやりたがっているのはパーティだけなのよ。でも、これは主として私の落ち度だわ。批評家たちは正しかった。悪い映画だった。抽象的すぎたし、難解すぎた。筋がない。真の登場人物がいない。観客が自分と同一視すべき人物がいなかった。あれは純粋に哲学の練習問題だった。実質のない、わがままな〝メッセージ映画〟だった。民衆は遠巻きにしてそばに寄ってこなかった。彼らが悪いんじゃないわ」

「ちょっと自分に辛《つら》く当たっているんじゃないかなあ？」

彼女は目を落としたまま、手の中で空のカップを回した。「事実を直視しているだけよ。痛烈な教訓を得たわ。でも、それを受け入れる気持ちになった。私たち二人とも受け入れるべきものがたくさんあり、失わねばならないものもたくさんあるのね」

「君にとって、あれがどんなに大切なものか知っている。自分がやっていることが正しいと、君がどんなに強く信じていたか、僕《ぼく》はよく知っている。それは尊敬するよ。たとえ、その方法に同意できなくても」

彼女は彼を見た。その緑色の目は、今までに彼が見たことがないほど和らいでいた。「ありがとう。そういってもらうと、とてもうれしいわ」

ジェフは立ち上がり、ドアのそばのフックからパーカをはずした。「コートを着たまえ」彼はいった。「君に見せたいものがある」

二人は岡《おか》の頂上の新雪の上に立った。そこは彼が初めて『星の海《スターシー》』を見る前の週に、灌漑《かんがい》施設を掃除していた場所だった。今はピット川は鮭《さけ》ではなくて、氷で一杯になっており、バック山の木々は重い白い荷物を負っていた。遠くで、荘厳《そうごん》な円錐形《えんすいけい》のシャスタ山が、十一月の空に出会うために背伸びをしていた。

「あの山の夢をよく見たものだよ」ジェフは彼女にいった。「あれが何か重要な事を僕に伝えようとしている夢だ。僕が経験したすべての説明をね」

「まるで……この世のものではないみたい」彼女はつぶやいた。「神聖でさえあるわ。そのような幻影があなたの夢に君臨するのは理解できるな」

「この辺りのインデアンは実際にあれを神聖なものと考えていた。火山だからというだけではない。火山なら、カスケード連山の他の峰にはもっと活発で、周囲にもっと直接的な影響を及ぼしたものもある。しかし、それらの峰のどれもシャスタ山と同様な魅力を備えていなかった」

「今でもそうよ」パメラはささやいて、その静かな山を見つめた。「あそこには……力がある。感じ取れるわ」

ジェフはうなずいて、彼女と同様に遠方のその荘厳な山のスロープを見つめた。「いまだにあの山を崇拝する——インデアンではなくて、白人の——宗教団体がある。彼らはこの山はイエスに、復活に、関係があると思っている。また、あの山の地下のマグマのトンネルの中に、異星人か、人類の支流が生きていると信じている人々もいる。奇妙で、馬鹿げた考えだ。しかし、どういうわけかシャスタ山はそういう種類の考えをはぐくむらしいんだ」

強風が冷たくなり、パメラが震えた。ジェフは反射的にその肩に手を回して引き寄せ、暖めてやろうとした。

「僕に——僕らに——起こっている事について」彼はいった。「これまでに、ほとんどありとあらゆる説明を考え出してしまった。たとえば、タイムワープだとか、ブラックホールだとか、発狂した神とか、どんなに不気味な説明であってもね……シャスタ山に異星人が住んでいると考えている人々がいると今いったけれど、実は僕自身も、これはすべて地球外生物が行っている何らかの実験だと、以前には確信していた。同じ考えが、君にも一度や二度は浮かんだにちがいない。『星の海《スターシー》』にその要素が認められるよ。もしかしたら、それが真相かもしれない——もしかしたら、僕らはこの迷路の出口を探さなければならない高等な鼠《ねずみ》なのかもしれない。あるいは、一九八八年の末に核戦争で人類が全滅して、それまでに生きていたあらゆる男女の霊魂の総体の意志が、人類の絶対の終焉《しゅうえん》がくるのを避けるために、この道を選んだのかもしれない。わからないがね。そして、それが大切なんだ。わからないということが。そして、僕は結局、それを理解する力もないし、それを変える力もないということを受け入れるようになった」

「だからといって、不審に思い続けてはいけないということにはならないわ」彼女は彼に顔を寄せていった。

「もちろん、そうさ。僕もそう思う。絶えずこのことを考えている。しかし、答えを求めて身を焦がすようなことは、もうなくなった。もうずっと前からだ。我々のジレンマは、どんなに異常なものであるにしても、基本的には、この地上を歩いたあらゆる人間が直面したジレンマと異なるものではない。我々はここにいる。なぜいるのか知らない。我々はなんでも思索することができ、無数の異なった道を通じてその秘密の鍵《かぎ》を追求することができる。しかし、もっと近寄ってその錠を開けることは決してできないだろう。

　僕らは比較を絶する贈り物を受けているんだよ、パメラ。今までにだれも知らなかったような、生命の、認識の、潜在能力の、贈り物をね。それをあるがままに受け入れようじゃないか？」

「だれだったか——プラトンだと思ったけれど——こんなことをいったわ。〝検証されない生命は生きるに値しない〟と」

「その通りだ。でも、生命はあまり詮索《せんさく》しすぎると、自殺とまではいかないにしても、狂気に通じるよ」

　彼女は無垢《むく》の雪の上についた自分たちの足跡を見下ろした。「あるいは、単に失敗に通じるのね」彼女は静かにいった。

「君は失敗してはいない。世界を一つにまとめようと試みた。そして、その過程で壮大な芸術作品を創造した。その努力、その創造——あれらの行為は自立している」

「たぶん、私がまた死ぬまではね。次のリプレイまではね。その時に全部消滅してしまうんだわ」

　ジェフは首を振り、彼女の肩をしっかり抱いた。「消滅するのは君の仕事の産物さ。

しかし、その闘争、努力への献身……そこに真の価値があるし、これは残る。君の内部に」

彼女の目に涙が溢《あふ》れた。「でも大変な喪失よ、大変な苦痛よ。あの子供たち……」

「すべての生命は喪失を含んでいる。この問題を処理することができるようになるまでに、僕は長い長い年月を要した。そして、完全にこれに忍従することは決してないだろうと思う。だからといって、世界に背を向けなければならないとか、自分の能力と存在の限りをつくして努力するのを止《や》めていいということにはならない。我々は自分自身にたいして少なくともそのくらいのことはしてやらなくてはならないし、また、それから生じるある程度の良いものを受け取る価値があると思うんだ」

彼は涙の筋のついた彼女の両方の頬《ほお》にキスし、それから唇《くちびる》に軽くキスした。西の方のデビルズ峡谷の上空で、二羽の鷹《たか》がゆっくりと輪を描いた。

「きみ空を翔《と》んだことあるかい？」ジェフが尋ねた。

「セイルプレーンで、グライダーで、ということ？　いいえ、一度もないわ」

彼は両手を彼女の腰に回してぎゅっと抱きしめた。「翔ぼうよ」彼は彼女の黄褐色《おうかっしょく》の柔らかい髪に向かってささやいた。「一緒に空を翔ぼう」

レベルストークを過ぎると、列車は陰気な大氷河に沿ってスピードを上げ、ロッキー山脈への登りにかかった。米杉《べいすぎ》と米栂《べいつが》の密生する森林が周囲の山腹を覆っていた。そして、一つのカーブを曲がると、二つの氷河に捕えられたヒースの原が、突然、目に飛び込んできた。ピンクや紫色の花が柔らかな春の微風にひらひらとそよいでいた。それらの儚《はかな》い美しさは、取り巻いている非情な氷の壁に向かって、無言の非難を浴びせているように見えた。

花には一種のエロチックな性質がある、とジェフは思った。風に吹かれる花々が、負けることを知らない氷河を、弱々しく愛撫《あいぶ》する。それらの震える色彩は、あまりにもよく似ている。女性の唇に、あるいは……

彼は隣の席のパメラに微笑《ほほえ》みかけ、手を彼女のむきだしの膝に載せた。そして、スカートの縁の下に指を滑りこませた。そして、内股《うちもも》を優しく撫《な》でると、彼女の頬が赤く染まった。彼女はだれか見ていないかと展望車の中を見回した。だが、他の乗客の目は列車の外を通り過ぎていく景色に釘《くぎ》付けになっていた。

ジェフの手が這《は》い上がり、湿った絹に触れた。そして割れ目を優しく押すと、パメラは小さなうめき声を洩《も》らし、レザーの座席に背を押し当て、上体を弓なりに反らせた。彼はゆっくりと手を引き抜き、指先を軽く足の下の方に向かって滑らせた。

「散歩したいかい？」彼が尋ねると彼女はうなずいた。彼は彼女の手を取り、展望車を出て、列車の後ろの方に導いていった。ラウンジ・カーと食堂車との間で立ち止まり、揺れる金属板の上で、二人一緒に危うくバランスを取りながらキスをした。開いた窓から吹き込む風は、この日の朝にバンクーバーを出た時よりも、少なくとも十五度は冷たかった。彼の腕の中でパメラは震えた。

彼らの寝台車は空っぽだった。他の人はみんな展望車か食堂車のパノラマのような眺《なが》めを求めて、出ていってしまったらしかった。ジェフは自分たちのダブルの個室に入ると、折畳み式のベッドの一つを下ろした。パメラは窓の日避《ひよ》けを引き下げようとして手を伸ばした。彼はそれを止めて、彼女を引き寄せた。

「景色からインスピレーションを受けようよ」彼はいった。

彼女はじらし、抵抗した。「開けたままでいると、私たちの方が景色の一部になってしまうわよ」

「少しの鳥と鹿《しか》以外にはだれも見ていない。君を日なたで見たいんだ」

パメラは後ずさりした。すると、雪をのみ込んだ川と切り立った氷河の断崖《だんがい》の、移り変わっていく景色を背景にして、彼女は額縁に納まったように見えた。彼女はブラウスを脱いで、腕から滑り落とし、スカートのベルトを外した。衣服がふわりと床に落ちた。

「どうして景色を見ていないの？」彼女は微笑して尋ねた。

「見ているよ」

彼女は残りの衣服を滑り落とし、窓の外を猛烈なスピードで通り過ぎていくごつごつした荒野の前に、裸で立った。ジェフも服を脱ぎながら、彼女の体に熱心な視線を走らせていたが、やがて彼女に近寄り、抱き締め、待ち切れない様子で、開《あ》いた窓のそばの柔らかい椅子に彼女を押しこんだ。彼らの顔に午後の日光がちらちらと射し、線路を走る車輪の轟《とどろ》きが一定のリズムで彼らを揺すった。

列車はモントリオールに着くのに四日四晩かかった。そして、一週間後に彼らはまた列車で西に帰った。

「中世はどうかしら？」パメラは尋ねた。「中世だったら、どうなるか想像してみて。恐ろしいほど同じ事を何度も何度も繰り返すことになるでしょうね」

「中世は、たいていの人が想像するほど、何から何まで恐ろしい時代ではなかったんだよ。僕はやはり大戦と、それに到るまでの年月を考えてしまうなあ。そのほうがずっと怖いと思う。僕の想像はいつも一九三九年のドイツに戻《もど》ってしまうんだ」

「その場合には、少なくとも、逃げ出して合衆国にいくことができたわ。そうすれば安全だとわかっているのよ」

「ユダヤ人なら、そうはいかないよ。たとえば、もし、すでにアウシュビッツに入っていたらどうだろう？」

これが、今月の彼らのお気に入りの話題だった。歴史上の別の時代の人物だったら、リプレイの経験はどんなものになるだろうか。そして、彼らが熟知しているのとは全く掛け離れた、一連の反復される世界的事件や状況に、どのように対処したら一番良いか。二人の間にいったん会話の水門が開くと、話題に際限がないように思われた。いろいろな推測、計画、思い出……。自分自身の多彩な生活を詳細に振り返り、一九七四年にロサンゼルスで用心深く出会った最初の時に、互いに語り合った簡単な履歴を詳しく話し合った。ジェフはシャーラと同棲《どうせい》していた時期の空虚な狂気について、そして、モンゴメリー・クリークでの何年かの孤独な生活の、心の傷を癒《いや》す静謐《せいひつ》について語り、その代わりに彼女は、医者という職業への献身のはつらつとした感覚について語り、その修業を完全に活《い》かす機会がもう二度と再びやってこないことを知った時の欲求不満について語り、そして、その後の『星の海《スターーシー》』を作った時の創造的な爽快感《そうかいかん》について語った。

背の高い、顎髭《あごひげ》を生やした若い黒人がローラースケートをしながら彼らの横をすりぬけ、東五十九丁目の歩道の人込みの間を巧みに縫いながら、セントラル・パークの入口に向かっていった。その肩に担《かつ》いだ大きなパナソニックのラジオから、ブロンディの『コール・ミー』の、脈打つようなジョルジォ・モロダーの編曲が鳴り響いて、アウシュビッツの地獄に蘇ったらどうだという、ジェフの仮定の質問に対するパメラの返事を掻き消した。

彼らは北カリフォルニアのジェフのキャビンと、トパンガ渓谷《けいこく》のパメラの家との間を、一年間以上、交互に行き来した後に、六週間ニューヨークに滞在していたのだった。もう二人は同棲しているので、二つの隠れ家の人里離れた環境は、ますます都合のよいものになった。追いつくべき最新情報があまりにも多く、分け合うべき極めてプライベートな考えや感情があまりにも多かった。しかし、彼らは世間から完全に引退してしまったわけではなかった。ジェフは道楽半分に危険負担資本に手を出し始めており、以前のリプレイで適当な資本の供給を明らかに得ることができなかった小さな会社や製品で、成功か失敗か予測のつかないものを後援していた。一つの机上の玩具《がんぐ》——小さな磁石がついた合成樹脂の立方体が透明な粘液の中に浮いていて、それがゆっくりとバレーのように踊るもの——はすでに大きな人気を博していて、一九七九年のクリスマスに〝愛玩石《ペット・ロック》〟のように大流行した。しかし、パメラの友人の二人の映画カメラマンが提案したホログラフィック・ビデオ装置については、これまでのところ、うまくいっていなかった。そのカメラには常に技術的な問題がつきまとった。たぶん、この理由で、このアイデアはいつも失敗に終わってきたのだろう。しかし、そんなことはどうでもよかった。これらの計画の不確実なところが、まさにその予想のつかないところが、彼にアピールしたのだった。

パメラの方は、新たな興味と自由の感覚をもって、映画制作にふたたびのめりこんでいた。もはや、人類を、意識と存在の新しいレベルに引き上げるという、自らに課した使命に縛られることなく、ちぐはぐな男女の時期外れの恋愛事件について、軽いけれども辛口のロマンチックな喜劇を書き上げていた。ダリル・ハンナという若い新人女優を、主役に抜擢《ばってき》し、テレビ喜劇の俳優であるロブ・ライナーに監督としての全責任を負わせるように、パメラは主張した。例によって、彼女がこのような実績のないタレントを選んだことで、彼女の友人たちはびっくりした。しかし、この計画のプロデューサーであり唯一の出資者でもある彼女は、これらの事柄《ことがら》について最終的な決定権を保持した。彼女は、この映画の制作準備とロケハンの監督をするために、ジェフといっしょにニューヨークにきていたのである。撮影は数日中に、六月の第二週に、始まるだろう。

彼らは右折して五番街を北に向かって歩きながら、歴史的幻想の会話を再開した。

「もしダ・ビンチが、私たちと同じ機会を与えられたらどうなるか、考えてみて」パメラは深く考えながらいった。「彼が別の人生で制作したかもしれない彫刻や絵画を」

「仮にそうなったとして、おそらく世界は、彼のそれぞれの存在ごとに、別の時間の線上に続いただろう。そして、我々のそれぞれについても同じようになっているだろう。二十世紀の現実のある一つの版では、彼はむしろ芸術作品よりもその発明品によって記憶されているかもしれない。もし彼が発明品に手を加えて、改良する時間を与えられていたらね。他の版では、彼は思考の中に引《ひ》き籠《こも》ってしまって、注目すべきものは何一つ後世に残さなかったかもしれない。同様にして、君が『星の海《スターシー》』の作者として記憶されるであろう未来があるかもしれないし、また、未来社が大会社として存続してきた未来があるかもしれない」

「存続してきた？」彼女は眉をしかめた。「〝存続するであろう〟とはいわないの？」

「ああ」ジェフはいった。「もし、時間の流れが継続的なら——つまり、世界の残りの部分に関するかぎり、君と僕が経験し続けているこの環《ループ》を無視して、それぞれの環《ループ》から、我々がリプレイのたびに動き出させる変化に応じて、新しい現実の線が枝別れしていき、途切れずに続いていくとすれば——歴史は、我々がリプレイを経験するたびに、二十五年ずつ先に進んでいるはずだ」

　彼女は唇をきっと結んで、しばらく考えた。「でも、もしそうだとすると、それぞれの時間の線はややこしいことになるでしょうね。それぞれの枝は、私たちが死んだ一九八八年からそれぞれの道を進み続けているでしょう。でも、それに先立つ枝は、それよりも二十五年先にいっていることになるわけね」

「その通りだ。いちばん最近の僕らのリプレイの世界、つまり、君がダスティン・ホフマンと結婚し、僕がアトランタに住んでいた世界では、我々が死んでからまだ十七年しかたっていないことになる。年号は二〇〇五年だ。我々が知っている大部分の人々はまだ生きているだろう。

　しかし、最初のリプレイ——君がシカゴで医者をしており、僕がコングロマリットを築いた世界――を出発点にすれば、四十二年たっている。つまり、二〇三〇年になる。娘のグレッチェンは五十歳を超えており、たぶん彼女自身の成人した子供がいるだろう」

ジェフは、自分のただ一人の実子がまだ生きており、しかも、客観的には自分よりも十歳年上であり、自分自身はいまだかってその年齢になったことがないと気づいて、興奮が醒《さ》め、沈黙した。

パメラは彼に代わってその推測に結末をつけた。「そして、私たちの本来の生活の時間の線上では、六十七年が経過したことになるわ。私たちが育った世界は、二十一世紀の後半に踏み込んでいる。私自身の子供たちは……七十歳代になっている。驚いたわね」

彼らの推測ゲームは、どちらが予想していたものよりも、もっと深刻な、もっと当惑的なものになってしまった。この時、彼らはシェリー・ネザランド・ホテルの前にさしかかっており、そこでは、身なりのよい三十代後半の金髪の女性が、十代の少年を連れて、ドアマンがタクシーを呼ぶのを待っていた。しかし、二人はそれぞれ別々の回想に沈んでいたので、それにほとんど気づかなかった。

その女性は、ジェフとパメラが通りすぎると、軽い好奇心を抱いたように、眉間《みけん》にしわを寄せた。その表情の何かが、ジェフの忙《せわ》しい心に突然印象を刻んだ。

「ジュディ？」彼はためらいがちに言い、ホテルの日よけの下に立ち止まった。

女は一歩後にさがった。「心当たりがないんですが――いや、待って」彼女はいった。「あなたエモリーにいませんでした？　エモリー大学、アトランタの？」

「ええ」ジェフはそっといった。「いました。あなたと同窓でした」

「あのう、たった今、どこかで会った人のように感じたんです。私としたことが……」

彼女は昔からそうしていたように、顔を赤らめた。もしかしたら、シボレーの古い車の後ろの席での一夜か、または、門限の直前のハリス・ホールの外のベンチを思い出したのかもしれない。だが、名前を思い出せなくて困っているのが、ジェフに分かった。そこで、彼はすぐに助け舟を出した。

「ジェフ・ウィンストンですよ」彼はいった。「時々一緒に映画にいったり、モウズ・アンド・ジョウズの店にビールを飲みにいったじゃありませんか」

「ああ、そう、ジェフだわ。覚えてます。その後どうしてました？」

「元気です、とても元気です。パメラ、こちらは……大学時代の知合いの、ジュディ・ゴードンさん。ジュディ、こちらは友人のパメラ・フィリプスさん」

ジュディは目を丸くした。すると一瞬、十八歳の顔になった。「映画監督の？」

「プロデューサーです」パメラはいって、愛想《あいそ》良《よ》く笑った。彼女は、ジュディがだれか、そして別のリプレイでジェフにとってどんなに大切な女性であったか、よく知っていた。

「これは奇遇ですわね？　シーン、どう思う？」ジュディはそばに立っている、ひょろりと背の高い若者に尋ねた。「こちらは私の古いスクールメイトの、ジェフ・ウィンストンさん。そして、こちらのお友達は映画プロデューサーのパメラ・フィリプスさんよ。これは息子のシーンです」

「お目に掛かれて、とても光栄です、フィリプスさん」少年は予想外に熱情をこめていった。

「お話ししたいと思っていました……あのう、『星の海《スターシー》』がものすごく良かったと言いたかったんです。あの映画は僕の人生を変えました」

「あのね、これは冗談ではないんですよ」ジュディが満面に笑みをたたえた。「この子は、初めてあれを見たのが十二歳の時でした。それ以後、十数回は見にいったにちがいありません。あれ以後、この子はイルカに夢中で、彼らとどうやって会話をするかという話ばかりしていました。でも、それは一時の関心ではなかったんです。シーンはこの秋に大学にいきます。カリフォルニア大学サンジエゴ校です。何を専攻するつもりか――自分でおっしゃい」

「海洋生物学です。そして、副専攻科目として言語学とコンピューター科学を取ります。将来はリリー博士について異種間コミュニケーションを研究したいんです。そして、もしそのようなことになれば、あなたに感謝しなければなりません、フィリプスさん。これが僕にとってどんなに大切なことか、とてもおわかりにならないでしょう。でも、もしかしたら、おわかりですね。そう望みます」

　こめかみに白髪《しらが》が混じり始めた背の高い男が、荷物を積んだ車を押してくるボーイの後について、ホテルから出てきた。ジュディは夫をジェフとパメラに紹介し、一家はニューヨークでの休暇を終えたところだと説明した。そして、ジェフかパメラさんはアトランタに出掛けることがありますか？　もしあったら、必ずお立ち寄り下さい。今の姓はクリスチャンセンです。これが住所と電話番号です。今度の映画は、何というタイトルですか？　必ず見にいって、友達みんなに宣伝しますよ、などといった。

　タクシーが走り去った。そして、ジェフとパメラはしっかりと腕を組んだ。そして微笑みながら五番街をピエールの方に歩いていったが、彼らの目には、お互いの悲しみを認識した表情が浮かんでいた。彼らがかつて知っていて、そして今はもう知ることのない全《すべ》ての世界に対する悲しみを。

　ジェフはグラスにモンテシーリョをもう一杯注いで、傾いた夕日が西の海岸線の険しい断崖をひときわ明るく照らし出すのを眺めた。いくつかの漁船が、別荘がある山腹の下を通り、それから、アーモンドの森とオリーブの木が青々と茂っているもう一つの岡の向こうを通って、赤い屋根のあるプエルト・デ・アンドライチの村に帰っていくのを眺めた。まだ暖かい十月の風が向きを変えると、突然、地中海の匂《にお》いが開けた窓から入ってきた。そして、その匂いは、後ろのキッチンでぐつぐつ煮えている香ばしいパエリヤの匂いと入り混じった。

「もっとワインを飲むかい？」彼は声をかけた。

パメラは大きな木のスプーンを片手に持ったまま、キッチンのドアの間から上半身だけ出して、首を振った。「コックは素面《しらふ》でいるわ」彼女はいった。「少なくともディナーがテーブルに載るまではね」

「本当に手伝わなくていいのかい？」

「えーと……それじゃ、ピミエントをスライスしてもらおうかしら。ほかのものは、もうほとんどできているわ」

ジェフはのんびりとキッチンに入っていき、その赤ピーマンを千切りにし始めた。パメラは彼に味見をさせるために、浅い鉄鍋《てつなべ》にスプーンをひたしてパエリヤをちょっとすくって差し出した。彼はその濃厚な赤い粥《かゆ》をすすり、柔らかいイカの切り身を嚙《か》んだ。

「お米にサフランを入れ過ぎたかしら？」彼女は尋ねた。

「これで申し分ない」

彼女は満足そうに微笑し、皿《さら》を取るように彼に合図した。彼はそうしたが、キッチンが狭苦しいので二人で動き回るのは困難だった。この小さな山腹の家は、貸し別荘屋の用語で〝別荘《ヴィーラ》〟であるにすぎず、その大袈裟《おおげさ》な呼び方にくらべて、実物はもっとずっと小さくて粗末だった。しかし、パメラは心に一つの単純な目的を抱いて、この仮の住処《すみか》に入ったのだった。ジェフはこの事実をできるだけ小さく考えようと努力したが、無視することはむずかしかった。

彼女はジェフの目に浮かんだ表情に気づくと、その頰《ほお》に軽く指先を当てた。「さあ」彼女はいった。「食事の時間よ」

彼が皿を差し出すと、彼女は湯気の立つパエリヤをすくい入れ、その濃厚なシーフードのシチューの上に、グリンピースと彼が刻んだピミエントの千切りを載せた。二人はそれぞれ御馳走《ごちそう》を持って、表の部屋の窓際《まどぎわ》のそばの食卓に戻った。パメラは蠟燭《ろうそく》をともし、ローリンド・アルメイダの『アランフェス協奏曲』のテープを掛け、ジェフはそれぞれの新しいグラスにワインを注いだ。彼らはずっと下の漁村に次第に灯《ひ》がともっていくのを眺めながら、黙って食べた。

食事が済むと、ジェフは皿を洗い、パメラはマンチャのチーズに薄切りのレモンを添えた小皿を出した。彼は気乗りのしない様子でそのデザートをつまみ、スニフターに注いだソベラーノのブランディを飲んだ。そして、自分たちがこのマジョルカにきている理由を考えるのを避けようと、再び努力したがうまくいかなかった。

「僕は朝ここを発《た》つよ」彼はついにいった。「車で送ってくれなくてもいい。船でパルマに戻り、空港までタクシーでいくから」彼の手を取った。「あなたが留《とど》まってくれればいいと、私は思っているのよ」

彼女はテーブル越しに手を伸ばして、彼の手を取った。「あなたが留《とど》まってくれれば

「わかってる。ただ、君に……辛《つら》い思いをさせたくないだけだ」

パメラは彼の手を握りしめた。「耐えられるわ。あなたのために、そばにいることができる。一緒にいることができる……。でも、もし私が先だったら、あなたに私を見させたくはないでしょうね。だから、あなたの感情は理解できるわ。それを尊重するわ」

彼は咳払いして、土の色合いを帯びた部屋の中を見回した。蠟燭の薄暗い光で見ると、これはまさにそれに相応《ふさわ》しい場所だ、死のための場所だと、思わないわけにはいかなかった。彼女がかつて死んだ場所。四半世紀前に、そして今から二週間足らず後に、彼女自身の心臓がふたたび止まった直後に、再び彼女が死ぬであろう場所。

「どこにいくの？」彼女はそっと聞いた。

「たぶん、モンゴメリー・クリークにいく。人里離れた場所を選ぶというのは、良い考えだと思うよ……あれを迎えるのにね。特別の場所を」

彼女は喜びを思い出したような、優しく温かい晴れやかな表情で微笑した。「あなたのキャビンに私が初めて訪ねていった時のこと、覚えてる？　あのね、私とっても怖かったのよ」

「何が？」ジェフは自分も笑いながら尋ねた。「何が？」

「たぶん、あなたが。あなたが何というか、どんな反応をするか、と思ってね。ロサンゼルスで最後に会った時、あなたは私をとても怒っていたでしょう。そして、まだ怒っていると思ったのよ」

彼は両手を彼女の手に重ねた。「君をそんなに怒っていたわけじゃない。ただ、君のしていることが、どんな結果を引き出すか心配していただけだ」

「今はわかっているわ。でも、あの時には……。あなたがだしぬけに星の海社《スターシー》のオフィスに現れた時には、私は一体全体どう振る舞ったらよいかわからなかったわ。自分がどんなに孤独になるか、どんなに絶望的になるか、分かってさえいなかったのだと思うわ。あの時はただ、自分のような人間に会うことは決してないだろうと、自分の経験を信じてくれるような人さえも現れないだろうと思っていたのよ。まして、経験を共有する人が現れるなんて夢にも思っていなかったわ。あなたはあの土地に、あなたの山と農場に、引《ひ》き籠《こも》ってしまっていた……一方、私は別の種類の心理的障壁を築いていた。外側に焦点を向けた障壁、非常にあけっぴろげな形の孤独。世界を救済しようという試みは、自分自身の心理的要求からの自己流の逃避だったのね。それを——あなたに対しても、自分自身に対しても——認めるのはつらい事だった」

「君にその勇気があって嬉《うれ》しいよ。それで僕は、自分自身の感情や恐怖から隠れる必要はないと教えられたんだ」

パメラは目と顔に優しさをたたえて、彼をしげしげと眺めた。「私たち、たしかに飛《ひ》翔《しょう》したわね？　本当に翔《と》んだのよ」

「ああ」彼はささやいて、凝視を返した。「またすぐに翔ぼうよ。その気持ちを捨てないで。忘れないで」

ジェフは船尾に立って、村とその後ろの山が遠ざかっていくのを眺めた。木の桟橋《さんばし》の上にいるパメラの姿がもはや見分けられなくなるまで眺めていた。それから、目を上げて、赤と白の小さな斑点《はんてん》のように見える彼女の小さな別荘を眺め、それもまた薄れて見えなくなるまで見つめていた。

沖の風が目を刺すので、彼はフェリーの囲いのある部分に移り、ビールを買い、まばらにいる季節はずれのフランス人やドイツ人の観光客から離れて、一人座席に着いた。

本当に終わったわけではない。彼はパメラに、そう思いなさいといったし、また、自分自身にも無理にそういってきかせた。終わりかけているのは、このリプレイだけだ。二人はまたすぐに一緒になり、あらゆることを新たにスタートできるのだ。しかし、ああ、この特別な現実を去るのは何と辛いことか。彼と彼女が互いに知り合い、愛し合うようになったこの世を去るのは。二人はここまでやってきた。これだけのことをやり遂げた。彼は映画での彼女の偉業を、我がことのように誇りに思った。『星の海』が、そして、それ以来何年かにわたって彼女が作った感動的なひどく人間臭い喜劇やドラマの成功の連鎖が、全く存在せず、また、決して存在することのない世界に、これから入ると思うと、胸も張り裂けんばかりの思いがした。

彼は何年も前にニューヨークで話し合った、時間の線の考え方にあくまでも執着した。彼女の芸術的遺産が生き続け、これから何世代にもわたって観客を感動させ、啓発し続けるであろう現実の枝が、必ずどこかに存在するだろうと、確信した。たぶん、ジュディの息子のシーンは、地球の海洋と陸地に住む二つの知的生物が互いに会話する方法を、本当に発見するだろう。もしそうなれば、惑星の知恵を分け合うという至高の贈り物は、パメラの洞察力《どうさつりょく》から直接に発したことになるだろう。

これは心に抱くに値する希望であり、大切に育《はぐ》むべき夢である。だが今は、二人は新たな希望に、新たな夢に、まだ生きたことのない別の人生に、心を集中させなければならないだろう。

ジェフは上着のポケットに手をつっこんで、乗船の時に彼女から渡された、小さな、平たい包みを取り出した。注意深く包み紙を取り、彼女がくれた物を見ると、感動で喉《のど》がつまった。

それは絵だった。彼の地所の岡から見たシャスタ山を精密に描いた細密画だった。そして、その山の上のうららかに晴れた空に、華麗な羽毛の生えた翼に乗って飛翔する二人の姿があった。それは、まるで神話上の生き物が本当に生を受けたように、現実においても神話においてもいまだかつて達成されたことのない目標に向かって、一緒に永遠の歓喜の飛翔をするジェフとパメラの姿だった。

彼はその芸術と愛の、小さな作品をしばらくの間見つめていた。それから、また包んで、ポケットにしまった。そして、目を閉じて、パルマ湾の波を切って進む船の音に耳をかたむけ、死ぬために帰る旅路の最初の行程に、静かに身をゆだねた。

13

早朝の鈍い灰色の光が、ルーバーのある窓と青緑色のカーテンの間から射《さ》しこんだ。ジェフが目を開けると、細身のシールポイントのシャム猫《ねこ》が、キングサイズのベッドの足の方に、のんびりと寝ているのが見えた。彼が身動きすると、そいつは頭を上げて、一つあくびをし、それから、迷惑そうに、そして明らかに尋ねるように「ルーウルル？」といった。

ジェフは起き上がり、ベッドサイドのランプをつけて、部屋の中を見回した。向こうの壁際《かべぎわ》にステレオのコンソールとテレビがあり、その横に模型の飛行機やロケットの棚《たな》。右手の壁に本棚。左手の窓の下には、整頓《せいとん》された化粧だんす。何もかもきちんと整頓され、手入れが行き届いている。

ああ、ちくしょう、と彼は思った。これは、オーランドの実家の少年時代の部屋だ。何かが狂った。ひどく狂った。なぜ、エモリー大学の寮の部屋にいないのか？　ひょっとして、今度は子供として戻《もど》ってきたとしたら、どうしよう？　彼は掛《か》け布団《ぶとん》をめくって自分自身の体を見下ろした。いや、陰毛がある。それどころか、朝の勃起《ぼっき》さえしている。顎《あご》を撫《な》でた。髭《ひげ》でざらざらする。少なくとも思春期前ではない。

彼はベッドから跳び出し、あわてて隣のバスルームに入った。猫が後をついてきた。こんな時間に起きるのなら、それだけ早く朝食にありつけると期待しているのだ。ジェフは明かりをつけて鏡を覗《のぞ》いた。容貌《ようぼう》は、十八歳の頃《ころ》に見慣れたものと一致している。では、一体、家で何をしているのか？

彼は色褪《いろあ》せたジーンズとTシャツを着、古いスニーカーに素足をつっこんだ。ベッドのわきの時計は七時十五分前になろうとしている。たぶん母はもう起きているだろう。彼女は一日の家事を始める前に、静かに一杯のコーヒーを飲むのをいつも好んだ。

彼は猫の首を撫でた。もちろん、こいつはシャーという名前で、僕《ぼく》が大学三年在学中に、車に轢《ひ》かれて死んだやつだ。外に出すなと家族にいわねばならない。そのイラン王の名に恥じない威厳のある動物は、廊下を歩いていくジェフの横を小走りについてきた。ジェフはテラゾの床のフロリダ・ルームを通り抜けて、キッチンに入っていった。母がいた。『オーランド・センティネル』紙を読みながら、コーヒーを飲んでいる。

「まあ、驚いた」彼女は眉《まゆ》を上げた。「何てこと、宵《よい》っぱりのふくろうが、早起きのこま鳥と一緒に起きるなんて？」

「眠れなかったんだよ、母さん。今日は片づける事がたくさんあるんだ」彼は今日は何年何日か聞きたかったが、やめておいた。

「よほど大切な用事があるらしいわね。夜明けに起きてくるなんて。長年、あんたに早起きをさせようと努力してきたのに、うまくいかなかったのよ。これは、女の子に関係があるにちがいない。図星でしょ？」

「まあね。新聞をちょっと見せてくれない？　もう読んじゃったのなら、第一面を？」

「全部いいわよ。どうせ朝食の支度を始めなければならないから。フレンチ・トーストにする？　それとも卵とソーセージ？」

彼は「何もいらない」と言い掛けたが、ひどく空腹であるのに気づいた。「えーと、卵にソーセージをもらおうかな。それから、オートミールを少しくれる？」

彼女はふざけて、侮辱されたように顔をしかめて見せた。「まあ、私があんたに、オートミール抜きの朝食を上げたことがあったかしら？　オートミールでその肋骨《ろっこつ》は貼《は》りついているのよ」

ジェフは母親の、昔ながらの朝の食卓の冗談を聞いてにやりとし、新聞を受け取った。彼女は食事の支度に取り掛かった。

主な記事は、サバナでの市民権運動の衝突と、合衆国北東部の皆既日食についてだった。一九六三年七月中旬だ。夏休みだ。だから、オーランドの実家にいるのだ。とすると、予定よりも、三カ月近く遅れている！　パメラは、どうして僕から連絡がこないか、ひどく心配しているにちがいない。

彼は母親の、ゆっくり食べなさいという注意に耳も傾けずに、あわてて朝食を食べた。キッチンの時計をちらりと見ると、ちょうど七時を回ったところだった。父と妹がいつなんどき起きてくるかわからない。彼は家族の議論に巻き込まれたくなかった。分かり切ったことを、ああしろ、こうしろと言われるんだから。

「母さん……」

「え？」彼女は後から起きてくる人たちのために、さらに卵を用意しながら、上の空で答えた。

「あのねえ、二、三日、町から出なくちゃならないんだ」

「何ですって？　どこへ？　マーティンに会いにマイアミまでいくつもりなの？」

「いや、どうしても、あのう、ちょっと北へいかなくちゃならないんだよ」

彼女は疑わしそうに彼を見た。「どういう意味よ、〝ちょっと北へ〟とは？　そんなに早くアトランタに帰るの？」

「コネチカットにいかなくちゃならないんだ。でも、そのことを、父さんに話したくないんだよ。それから、旅費として、余分な現金が要るんだがなあ。後ですぐに返すからさ」

「いったいコネチカットに何があるの？　いや、誰《だれ》がいるの？　というべきね。学校の女友達？」

「うん」彼は嘘《うそ》をついた。「エモリー大学の子だ。家族がウェストポートに住んでいる。一週間ほど泊まりにこないかと、招待されているんだ」

「それ、どの子？　コネチカット出身の女友達がいるなんて、聞いていないわよ。あのジュディという、テネシーの可愛《かわい》い女の子と付き合っているとばかり思っていたのに」

「あれはもう止《や》めた」ジェフはいった。「期末試験の前に別れたんだ」

母親は心配そうな顔をした。「その話はしなかったわよ。だから、帰って以来ずっと食欲がなかったの？」

「いいや、母さん、問題ないんだ。大した事じゃないよ。ただ、別れたというだけさ。今は、ウェストポートのこの子が本当に好きなんだ。そして、会いにいく必要があるんだよ。協力してくれないかなあ？」

「その子は九月に学校に戻るんじゃないの？　それまで待てないの？」

「本当に今、会いたいんだ。ニューイングランドにはまだ行ったことがないしさ。彼女はボストンまでドライブしようかといっている。むこうの両親と一緒にね」彼はこの時代の道徳観と、母親自身の礼儀作法の観念を思い出して、あわてて付け加えた。

「さあ、ねえ……」

「頼むよ、母さん。僕にはとても大切なことなんだ。本当に重要なんだよ」

彼女はいらいらして首を振った。「何でも重要で、何でもすぐにやらなくちゃ気の済まない年齢なんだから。お父さんは来週の魚釣《さかなつ》り旅行をとても楽しみにしているのよ。あなただって知っているじゃないの——」

「釣りは、帰ってきてからいこうよ。ねえ、僕は何とかして、あそこまで行かなくちゃならないんだ。行く先を、母さんに知らせておきたかっただけさ。でも、余計な金を少し貸してもらえれば、とても助かるんだがなあ。もし、だめというなら——」

「まあ、あんたも大学へいくほどの年齢だから、どこへ行こうと自由だけれど。私はただ心配しているだけよ。それが母親の役目だからね……お金を貸すのもそうだけど」彼女はウィンクして財布を開いた。

ジェフは少しばかりの衣服をスーツケースに放《ほう》り込み、母親にもらった二百ドルの金を、巻いたソックスの中に押し込んだ。そして、父と妹が起きてこないうちに家を出た。

古いシボレーは曲がったドライブウェイの、父親の大きなビュイック・エレクトラと母親のポンティアックの後ろに、駐車してあった。その車は、キーを回すといつものように咳《せき》をし、それからエンジンが掛かって唸《うな》り出した。

彼は両親が住んでいる郊外の新興住宅地を後にし、小さなコンウェイ湖を迂回《うかい》していき、ホフナー・ロードとオレンジ・アベニューの交差点にきて、しばらく考えた。ケープへのビーライン高速道路はもうできているだろうか？　思い出せなかった。もし完成していれば、北に向かう州間道路九五号線へ一直線にいける。今朝はロケットの打上げについて、新聞に何も出ていなかったから、ココとタイタスヴィルの辺りの交通はそれほど込んでいないはずだ。しかし、その高速道路がまだできていなければ、穴ぼこだらけの古い二車線の道路で、長時間動きが取れなくなるだろう。結局、彼は安全策をとって、町に入り、デイトナに向かう州間道路をいくことにした。

ジェフはその眠たいような小さな町の中を通っていった。ここはまだ、きたるべきディズニーブームの影響を受けていない。そして、四十マイル離れたNASAの存在の波及効果をわずかに感じ始めたばかりだ。九五号線には、意外に早く入ることができた。ラジオをつけて、ジャクソンビルにあるWAPE局に合わせると、〝かわいい〟スティーヴィ・ワンダーが『フィンガーチップス、パートII』をやっており、それからマービン・ゲイが元気よく『プライド・アンド・ジョイ』を歌った。

三カ月。いったいどうして今回は三カ月も無駄《むだ》になったのだろう？　これにどんな意味があるのだろう？　まあ、今それを心配しても始まらない。これは自分のコントロールを超えている。当然のことながら、パメラは当惑していることだろう。でも、少なくとも、もうすぐ彼女に会うことができる。それに意識を集中しろと、彼は長々と続く松林と雑木林の間を走っていきながら、自分に言い聞かせた。

正午までにはサバナに着いた。そこには州間道路にちょっとした切れ目があって、スピードが鈍った。しかも、その優雅な古い都市の道沿いに、ヘルメットをかぶって怖い顔をした警官が立ち並んでいた。ジェフは、今週ここでデモがあり、その後で人種差別主義者の暴動があったことを知っていたので、バリケードのそばを注意して通っていった。そのすべてがもう一度始まるのを見るのは辛《つら》かった。しかし、その血なまぐさい対決を避ける以外に、彼としてはどうしようもなかった。

三時少し過ぎに、サウス・カロライナ、フロレンス郊外の、ハワード・ジョンソンの店の一つで車を止め、急いでサンドイッチを食べた。もう、フロリダの平地とジョージアの海岸は後になり、今は、愛車の強力な古いV8エンジンの速度計を、制限速度七十マイルの標識よりも一段階上に保って、田舎の丘陵地帯を走っていった。

母校であるバージニアの寄宿学校への脇道《わきみち》のそばを通る頃には、もう暗くなっていた。

ここは、彼にとって喪失と無益な行為の聖画像《イコン》そのものになっている、あの小さい木の橋がある所だ。彼は何年も前に、無計画な巡礼の旅に出て、それを見たものだった。ハイウェイからレンデル先生の家の明かりが見えた。彼の、若くて美しい恩師であり、一時のへつらいの対象であった人は、夫と子供のために夕食の支度をしていることだろう。あの子供の誕生が、思春期のジェフの嫉妬心《しっとしん》に怒りの火を灯《とも》してしまったのだった。彼は風光明媚《ふうこうめいび》な尾根にあるその平和な家庭のそばを猛スピードで飛ばしながら、あなたの家族を愛して上げなさい、と心に思った。この世には苦痛が満ちているから。

彼はリッチモンドの北のトラック休憩所で、フライドチキンとスィートポテトの遅い夕食をとり、魔法瓶《まほうびん》を買い、ウェートレスに頼んでブラックコーヒーを詰めてもらった。環状道路でワシントンを迂回し、真夜中直後にバルチモアに着いた。フィラデルフィアとトレントンを通過する夜明け前の交通事情がわからないので、それを避けて、デラウエア州ウィルミントンで、九五号線からジャジー・ターンパイクに乗り換えた。夜が更《ふ》けるにつれて、それぞれのリプレイの最初にいつも感じるように、自分自身の若さにあふれたスタミナに、あらためて舌を巻いた。三十代か四十代なら、この自動車旅行を少なくとも二日に分割しなければならなかったろう。そして、そのペースでいってもなお消耗したことだろう。

午前四時のジョージ・ワシントン橋はほとんど人けがなかった。ジェフはラジオをボリューム一杯に上げて鳴らし続けた。ディスクジョッキーのカズン・ブルーシーが、エセックスの歌う『イージアー・セッド・ザン・ダン』に相《あい》の手《て》を入れている。ニューイングランド高速道に乗ってニューロッシェルを通っていくと、出会う以前のパメラのイメージが心を満たした。彼女は最初の人生でここに住み、家族を育て……ここで死んだ。それが人生の終わりだと思いながら、たくさんの人生が始まったばかりだということを知らずに。

彼女がマジョルカのあの家で迎えた今度の死はどんなだっただろう？　自分がモンゴメリー・クリークのキャビンで、今度は互いに戻ってくる相手があると知りながら迎えた死と同様に、今までより安らかで、より受け入れやすいものなら良かったのだが、と彼は思った。だが、どんなに一時的であっても彼女が苦しむことを、くどくどと考えたくなかった。さしあたり、その部分は終わり、一緒に期待して待つべき限りない未来があるから。

ジェフがウェストポートに着くと、東の空に朝の光が射し始めた。彼はシェルのスタンドの電話帳でパメラの家族の住所を調べた。まだその家に訪ねていくには、あまりにも時間が早すぎた。そこで二十四時間営業のコーヒーショップを見つけ、時間をつぶすために、『ニューヨーク・タイムズ』を最初から最後まで無理に読んだ。サバナはまだ緊張状態にあると書いてあった。ラルフ・ギンズバーグは雑誌『エロス』の出版に対する猥褻罪《わいせつざい》の判決を不服として、控訴している。そして、学校の強制的な祈禱《きとう》に反対する、最近の最高裁判所の裁定について、論争が起きている。

ジェフは腕時計を見た。七時二十五分。八時では早すぎるだろうか？　その頃なら、家族はもう起きているはずだ。たぶん、朝食を食べているだろう。食事の邪魔をしていいだろうか？　それでもいいじゃないか、と彼は思った。おそらく、パメラは彼を友達だといって紹介するだろう。そして、家の人は朝食を一緒にどうかと誘ってくれるだろう。彼は落ち着かない気分でコーヒーを飲みながら、八時二十分前までねばった。それからコーヒーショップのレジで、書き留めておいた住所の方角を尋ねた。

フィリプス家は二階建てのネオコロニアル・スタイルで、木陰の多い中の上クラスの通りにあった。国中のほかの何千もの町の、ほかの何千もの家と、何ら変わるところはなかった。ただジェフが、そこで起こった奇跡的な出来事について知っているというだけの違いである。

彼はドアベルを鳴らし、Tシャツの裾《すそ》をジーンズの中に押し込んだ。着替えをしてくるべきだった、少なくともトイレを見つけて、髭を剃《そ》ってくるべきだった、という考えが突然浮かんだ――

「はい？」

その女性は、はっとするほどパメラに似ていた。ただヘアースタイルが違っていた。パメラは直毛でダッチボーイ・カットにしており、ジェフはそれをとても好きになったものだったが、この婦人はちょっと逆毛を立てて頭髪全体をふくらましていた。年齢は、最後に見たパメラの年齢と同じくらいだった。そして、とまどった表情をしていた。

「あのう、パメラ・フィリプスさんのお宅ですか？」

女は眉をしかめ、唇《くちびる》をちょっと結んで、穏やかな驚きの表情を見せた。それはジェフがパメラの顔にしばしば見たことのある表情だった。「まだ起きていません。学校のお友達ですか？」

「いや、学校のというわけじゃありません。でも——」

「だれだい、ベス？」家の中から男性の声がした。「エアコンの修理の人かい？」

「いいえ、パムのお友達よ」

ジェフは不安そうに足を踏み変えた。「こんなに朝早くお邪魔してすみません。でも、是非ともパメラさんとお話ししたいんです」

「まだ起きているかどうか、それさえわからないんですよ」

「ちょっと中で待たせていただければ——決してご迷惑をお掛けするつもりはないのですが……」

「じゃ……とにかく、入ってお坐《すわ》りなさい」ジェフは小さな玄関に入り、彼女の後について快適にしつらえられた居間に入っていった。そこでは、グレイのピンストライプのスーツを着た男性が、鏡の前でネクタイを直していた。

「もし、あいつが今朝きたら」その人は言っていた。「伝えてくれ。サーモスタットが――」鏡にジェフの姿が映ったので、彼は言葉を切った。「パムの友達かね？」彼はジェフの方に向き直って尋ねた。

「はい、そうです」

「あの子は承知しているのかね？」

「はい……そう信じております」

「〝信じて〟いるとは、どういう意味だ？　予告なしで他人の家を訪ねるには、ちょっと早すぎはせんか？」

「まあ、ディビッド……」妻がたしなめた。

「あの人は、僕《ぼく》がくるのを待っています」ジェフはいった。

「そんな話は聞いていないぞ。ベス、今朝だれかがくるようなことを、パムは昨夜いっていたかね？」

「そういう覚えはないけれど。でも、きっと――」

「君、名前は？」

「ジェフ・ウィンストンといいます」

「そんな名前を、パムから聞いた記憶はないぞ。君はどうだ、ベス？」

「ディビッド、そんな失礼なことをいっては、この人に気の毒よ。シナモン・トーストでもいかが、ジェフ？　今作ったばかりなの。コーヒーも入れたてのがあるけど？」

「いや、結構です。朝食は食べてきたので」

「どこで、家《うち》の娘を知ったのかね？」パメラの父親が尋ねた。

ロサンゼルスです。寝不足とコーヒーの飲み過ぎと、そして千マイルの高速道路のおかげで朦朧《もうろう》とした頭で、ジェフは思った。僕が彼女を知ったのは、モンゴメリー・クリークです、といいたかった。ニューヨークです、マジョルカですと。

「どこでパムに会ったかと聞いている。あの子のクラスメートにしては、少し歳《とし》を取っているな」

「僕たち……共通の友人を通じて会ったんです。テニスクラブで」これならよさそうだ。彼女は十二歳以来テニスをしているといっていたから。

「それはだれのことかね？　パメラの友達なら、たいてい知っているが――」

「お父さん！　お父さんの車に、わたしのグリーン・スタンプ帳なかった？　ほとんど一杯になっているやつよ。こんな時に見えなくなっちゃって――」

彼女は階段の上に立っていた。十代の娘のひょろ長い手足が、白のバミューダ・ショーツと黄色いポロシャツからにょっきりと出ていた。見事なブロンドの髪を二つに分けて、耳の上で結んでいる。

「ここに降りてこられるかい、パム？」父親がいった。「面会人がきてる」

パメラはジェフを見ながらゆっくりと階段を降りてきた。ジェフは、駆け寄って抱き締めて、彼女が経験しているとわかっている苦痛を、キスによってすっかり拭《ぬぐ》い去ってやりたいと思った。しかし、そんな時間はなかった。彼はにっこり笑った。すると彼女も微笑《ほほえ》み返した。

「この若者を知っているかね、パム？」

ジェフの愛情のこもった目と出会った彼女の目は、若さと希望にあふれていた。

「いいえ」彼女はいった。「そうは思わないわ」

「テニスクラブで会ったといっているがね」

彼女は首を振った。「もし会ったなら、覚えているはずだけど。あなた、デニス・フィットマイアーを知っている？」彼女は無邪気にジェフに尋ねた。

「マジョルカ」ジェフは緊張のあまりかすれた声でいった。「絵画、あの山……」

「わからないけど？」

「だれだか知らないが、もう帰ったほうがいいぞ」父親がさえぎった。

「パメラ。ねえ。パメラったら……」

彼女の父親はジェフの腕をしっかりとつかんで、ドアの方に引っ張っていった。「いいか、お前」静かだが、命令口調でいった。「どういうつもりか知らないが、もう二度とこないでもらいたい。娘にかまうな。この家でも、学校でも、テニスクラブでも、どこでもだ。いいな？」

「お父さん、これはすべて誤解です。ご迷惑かけてすみませんでした。でも、パメラは本当に僕を知っているんです。彼女は――」

「家の娘の知合いは、みんな〝パム〟と呼ぶ。〝パメラ〟とは呼ばない。それから言っておくが、彼女は十四歳だ。わかったか？　なぜそれを言うかわかるな？　お前が未成年者に迷惑を掛けているという事実について、〝誤解〟があるとは言わさんぞ」

「だれにも迷惑をかけたくありません。ただ――」

「では、警官を呼ばないうちに、とっとと出て失《う》せろ」

「お父さん、パメラは間もなく僕を思い出します。連絡が取れるように電話番号を残していきますから――」

「この家を後にする以外には、何も後に残さなくていい。さあ」

「こんな具合にお会いすることになって、とても不運でした、フィリプスさん。将来は気持ちよくお付き合いできるようになるのを、心から願っています。そして――」

パメラの父親は彼を乱暴に外の階段に押し出し、その面前でぴしゃりと扉《とびら》を閉めた。

居間に通じる窓から、ジェフのところに大きな声が聞こえた。パメラは戸惑って泣き出し、母親は静かにしてと懇願し、父親は耳障りな声で、保護と非難の言葉を交互に繰り返した。
ジェフは歩いて車に戻り、運転席に坐って、疲れてジンジン鳴っている頭をハンドルの上に載せた。それからしばらくたってエンジンを掛け、南に向かった。

親愛なるパメラ、
昨日は君を混乱させ、ご両親を当惑させて、すまなかった。いずれ、間もなく、君は理解してくれると思う。その時がきたら、フロリダのオーランドにいる僕の家族を通じて、僕に連絡してほしい。電話番号は五五五の九五六一。僕の居場所は家族が知っている。
どうかこの手紙を失《な》くさないように。どこかに安全に隠しておくこと。この手紙が必要になれば、自然に君にわかる。
この上もなく愛している
ジェフ・ウィンストンより

七月と八月は、無気力の惰性と、そして、フロリダ特有の〝猛暑の候《ドッグデイズ》〟の蒸し暑さの、落ち込み穴だった。この暑さが和らぐのは、ほとんど毎日午後にやってくる激しい雷雨の時だけだった。ジェフは父親と釣りにいき、妹に車の運転を教えた。だが、ほとんどの時間を自分の部屋で、電話が鳴るのを待ちながら、『弁護士プレストン』や『ディック・バン・ダイク・ショウ』の再放映を見て過ごした。

母親は、彼の怠惰を——友人や女の子や、地方のドライブインを回ってある く真夜中のドライブへの興味を突然、失ってしまったことを——心配し、苛立《いらだ》った。ジェフは家を出たかった。抑圧的な親の心配と、オーランドの何ともやりきれない退屈さから逃れたいと思ったが、どこにも行く場所はなかった。あまりにも慣れてしまった行動の自由は、金がないためにひどく制限された。ダービーもベルモント競馬もすでに終わってしまい、他《ほか》に直接の収入源はなかった。

パメラから便りがないまま、夏が終わった。ジェフはうわべはエモリー大学の第二学年を始めるために、アトランタに帰った。そして、学生寮の一室を割り当ててもらうためだけに、コースに必要な単位を全部受講する手続きを取った。だが、どの授業にも出席などしなかった。学生部長室からの脅迫的な手紙も無視して、十月まで時節を待った。

フランク・マッドックは前年の七月に卒業して、今はコロンビア大学におり、この昔のパートナーと一度も出会うこともなく、法学部で勉強を始めていた。ジェフは自分に代わって喜んでワールド・シリーズに賭《か》けてくれる、別の賭博《とばくず》好きな放蕩《ほうとう》学生を四年生の中から見つけた。それも、一定の手数料を取るだけで引き受けてくれる人を。どんなに有利な率でも、このような明らかに馬鹿《ばか》げた賭けの歩合を、欲しがる者はなかった。ジェフは二千ドル足らずの金額を賭けて、十八万五千ドル儲《もう》けた。これで、少なくとも当分は金の心配がなくなった。

彼はボストンに移り、ビーコン・ヒルにアパートを借りた。歴史はいつもながらのペースで進んでいった。サイゴンのゴ・ディン・ジェム政権が倒れ、ジョン・ケネディがまたもや殺された。バチカン議会がカトリックのミサを非ラテン語化した。そして、ビートルズがアメリカの心を喜ばせるためにやってきた。

ジェフは三月に入って、フィリプス家に電話した。これは、たまたま、ジャック・ルビーがリー・ハーベイ・オズワルド殺害の罪で死刑の宣告を受けた週に当たっていた。もちろんネルソン・ベネットなどという人物は登場しなかった。電話口にパメラの母親が出た。

「もしもし、パムを……お願いします」

「お名前をうかがえますか？」

「アラン・コクランといいます。学校の友人です」

「ちょっと待って、見てきますから」

ジェフは不安そうに電話のコードを巻いたり伸ばしたりしながら、パメラが電話に出るのを待った。彼はこの偽名を記憶の底から持ち出したのだった。この名前の人物と高校時代にデートしたと、パメラが何時《いつ》かいっていたのを思い出したのである。しかし、この時点で彼女はその少年と果たして出会っているだろうか？　それを知るすべはなかった。

「アラン？　こんちは、何か用？」

「パム、どうか電話を切らないでくれ。僕はアランではないが、君に話があるんだ」

「では、誰《だれ》なの？」彼女の子供っぽい声には、不快感よりもむしろ好奇心が現れていた。

「ジェフ・ウィンストンだよ。去年の夏のある朝に、君の家に立ち寄ったら——」

「ああ、覚えている。お父さんは、絶対にあなたと口をきいてはいけないといったわ」

「お父さんがそう感じるのも理解できる。この電話のことを、お父さんに告げる必要はないよ。ただ……君がもう何かを思い出し始めたかと思って」

「どういう意味？　例えば、どんなことを？」

「ああ、たとえば、ロサンゼルスのこととか」

「ええ、覚えているわよ、確かに」

「本当？」

「ええ、十二歳の時に両親とディズニーランドにいったわ。思い出さないわけないじゃないの？」

「もうちょっと別のことをいっているんだがなあ。例えば、映画なんか。『星の海《スターシー》』ってやつは？　心当たりがあるかい？」

「見た覚えはないわ。ねえ、あなたとても変よ。わかってるの？　とにかく、どうして私と話をしたくなったのよ？」

「好きだからさ、パメラ。それだけだ。こういう呼び方をしてもいいかい？」

「ほかの人はみんなパムと呼ぶのよ。それに、あなたと口をきいてはいけないといわれているの。もう切ったほうがいいわ」

「パメラ――」

「なーに？」

「僕の手紙、まだ持ってるかい？」

「捨ててしまったわ。もし、お父さんが見つけたら、あの人、発作を起こしたでしょうよ」

「それはいいんだ。もうフロリダにはいないから。今はボストンに住んでいる。君に、僕の番号を書き留めるつもりがないことはわかっている。でも、電話帳に載っているからね。万一連絡を取りたくなったら――」

「私がそうしたくなるなんて、どうして思うのよ？　あなた、本当に変よ」

「そうだろうな。でも、忘れないで。夜でも昼でも、いつでも電話してきていいんだよ」

「もう切るわ。もう電話をよこさないでね」

「ああ。でも、君からすぐに便りがあるのを待ってるよ」

「さよなら」彼女は、この奇妙な質問をするしつこい若者に、若い好奇心を刺激されて、もの足らなさそうな口調でいった。だが、好奇心では何の役にも立たないと、ジェフはさよならを言いながら悲しい気分で思った。彼はまだ彼女にとって他人のままだった。


ハーバード生活協同組合の店員は売上金額をレジに打ち込み、お釣りと、今買った『キャンディ』の本をジェフに渡した。外に出ると、広場は新学年の準備をする学生たちで混雑していた。それを見て、忙しくて身なりにかまっていられない連中だ、とジェフは思った。それから、『ビートルズがやってくる　ヤァ！　ヤァ！　ヤァ！』を上映している大学劇場の方を見ると、一人の髭面《ひげづら》の若い男が、マリファナの入った五ドルのマッチ箱を控え目に呼び売りしているのが、目に入った。今はすでに、レアリーとアルパートという二人の学者がハーバードから追放されて、川向こうのエマーソン・プレースに、彼らの短命な〝内的自由のための国際連盟〟を設立してから、一年半たっている。彼らが記憶されるであろう六〇年代の到来は、エモリー大学よりもこのケンブリッジの町の方が早かった。とはいえ、時代の変革はまだ完成したとはいえず、一人の孤独な抗議者がハーバード広場に立って、ベトナムへのアメリカの関与の増大を公然と非難するパンフレットを静かに配っているだけだった。新聞を売っているキオスクのそばに置かれたテーブルで、二人の学生が〝ストップ・ゴールドウォーター〟そして、ジョンソンへの支持を意味する〝ＬＢＪ　６４〟と書いたバッジを渡していた。彼らの幻滅は遠からずやってくるだろう。ジェフはＭＴＡの駅の階段を降りて、トロリーのように旧式な地下鉄の列車に乗った。ケンモア広場を過ぎると列車は地上に出て、チャールズ川にかかるロングフェロー橋を渡った。右手には、足場の上で新しいプルーデンシャル・センターの仕上げ作業をしている労働者の姿が見えた。出っ張った窓で評判の悪いジョン・ハンコック・タワーが建つのは、まだずっと未来のことである。

その未来をこれからどうしようか？　と彼は思った。これからの長い空虚な年月を再び孤独ですごすのだろうか？　四回目のリプレイが始まってから、一年以上になる。そして、心から愛する人と――経験と理解力が自分自身のものとマッチする人と――このサイクルを共に過ごすことができると予想していたが、その希望のすべてが消え失せた。パメラは依然として見知らぬ子供のままであり、以前には自分が――自分たちが――誰であり、何であったか知らずにいる。

たぶん、東洋の宗教についての彼女の考えの一部は、二人のどちらにとっても測りがたい形で、正しかったのかもしれない。もしかしたら、彼女はこの前の存在で完全な悟りを開き、その魂か本質か何かは、何らかの種類の涅槃《ねはん》に入ったのかもしれない。とすると、今ウェストポートに住んでいるあの無邪気な幼い娘は、いったいどういうことになるのだろうか？　あの人物はただの肉体の殻《から》——今は完全な精神の脱け殻——本物のパメラ・フィリプスの幻影であって、この存在期間を目的も無く動いていくのだろうか？　もしかしたら、彼女の目的は、いや、その人形の目的は、演劇か映画の中で生きているように動かされる小道具、つまり魂のないロボットに喩《たと》えられるかもしれない。これらのリプレイを発動させた想像を絶する外部の力は、何億人もの登場人物が無傷で存在し、世界が正常な元のパターンのままに続いているという幻想を維持するためにのみ、偽《にせ》のパメラを使っているのかもしれない。しかし、だれの便宜のために？　欺《あざむ》かれるべき観客はだれか？　ジェフか？　彼は自分が、これが起こった最初の人間だと思っていたし、また、パメラに会うまでは、自分がその唯一《ゆいいつ》の人間だと思っていた。しかし、おそらく彼は、この際限のない反復を知るようになった最後の人か、あるいは、少なくとも最後の人々の一人なのかもしれない。パメラは、地上のすべての人間が起こっている事を認識するまで、これらの年月が反復し続けるだろうという仮説を立てた。しかし、ことによったら、そうではなくて、この理解は、突然の惑星規模の覚醒《かくせい》というよりむしろ、一ぺんに一人ずつのペースで起こるように企図されているのではないだろうか？　そして、それぞれの人が真理を見るにつれて、初めてその男か女は、かつて現実と考えられていたものの無限の反復から解脱《げだつ》して、上昇を始めるのではないだろうか？

とすると、人類の歴史は、過去も未来もすべて、贋物《にせもの》にすぎないということになるかもしれない。植えこまれた偽の歴史や記録、来《きた》るべき世界という偽りの希望。人類の創造——見えない何らかの力によって予《あらかじ》め選ばれ、すでにしかるべき場所にセットされた人類の文化とテクノロジーとそして年代記——は一九六三年に起こったのかもしれない……そして、この地上の人類の総合寿命は客観的な時間では、一九八八年かまたはその直後より先には伸びていないのかもしれない。このリズミックな輪《ループ》は人間の経験の全体を包含しているのかもしれない。そして、この事実を認めることが、ある個人が認識の頂点に達したことの証明になるのかもしれない。

ということは、ジェフも、その他のあらゆる人も、測り知れない長い時間にわたって、文字通り、時の始まりからずっと、知らずにリプレイを繰り返してきたことになる。そして、これは彼の最後のサイクルかも知れないのだ。ちょうど、この前のサイクルがパメラの最後のものであったように。とすると、人口の残りは前意識状態で存在しているか、または、パメラがそうであるように、真の魂や精神が肉体から解脱してしまった、機械的な行為を反復する人形として存在しているかどちらかである。そして、出会ったどの人が、いわば、まだ〝眠って〟いるのか。そして、どれが、地球という広大なステージの一部として後に残っている、呼吸している生人形《いきにんぎょう》であって、その魂はすでに別の存在のレベルに進んでいってしまったのか、知るすべはない。

これは一度に吸収するには難しすぎた。しかし、これが真実だと仮定しても、彼にとってこのリプレイの残りの年月はまだ少なくとも二十五年残っているから、その間にこの観念と格闘すればいい。当面は、これまでに知った唯一の完全な伴侶《はんりょ》を失ったまま、これらの年月を、その日暮らしをしながら、どうやって処理していくか決めることに着手しなければならない。

ジェフは次の駅で下車し、花屋やコーヒーハウスの前を通ってチャールズ通りを歩いていった。タークス・ヘッドという店の開いた扉から、フォークシンガーの鼻にかかった歌声が流れてきた。そしてロフトという店の外の看板が、週末に、普通の道具を楽器として使うジャグバンドの演奏があると予告していた。チェスナット通り界隈《かいわい》には落ち着いた古い家並があり、その多くはアパートになってしまっているが、それでもやはり都会的な落ち着いたたたずまいを見せている。

どうしたらよいだろう？　モンゴメリー・クリークに帰って、理解不可能な宇宙の性格について考えながら、この生命――たぶん、これが最後のやつだ――の残りを過ごそうか？　それとも、たとえ完全に無駄になるとしても、人類の運命を改善すべく最後の試みをすべきかもしれない。未来社を慈善事業基金として再建し、何億ドルもの金をそっくりエチオピアかインドに注《つ》ぎこんだりして。

彼は千もの競い合う思考と、うまくいきそうもない選択肢《せんたくし》の潮《うしお》に向かって心を泳がせながら、二階にあるアパートへの階段を上っていった。もし、あっさり諦《あきら》めて自殺をしたら、どうなるだろう？　そしたら――

ドアの下に差し込まれた電報の黄色い角が、廊下に突き出ていた。彼はそれを拾い上げて、開いた。

イチニチジュウ　デンワヲ　シテイタ。ドコニ　イッテイタノ？　ワタシ　モドッテキタ。モドッテキタ。モドッテキタ。スグ　ココニキテ。アイシテイル。

パメラ

彼がウェストポートの家の玄関前に車を止めたのは、十一時を過ぎていた。ローガンからブリッジポートまで飛行機でこようとしたのだが、すぐに出発する便がなく、車でいったほうが早いと判断して、この小旅行を記録的な短時間でやってのけたのだった。

パメラの父親が戸口に出た。そしてジェフは、これは容易なことではないと直感した。

「言っておくが、家内がそうしろと言い張るから、この面会を許すのだぞ」その男は前置き抜きでしゃべり出した。「そして家内も、パメラが、お前と話をさせなければ家出をするといって脅かしたからこそ、納得したのだ」

「こんなことになってしまって、本当にすみません、フィリプスさん」ジェフはできうるかぎり真剣な態度でいった。「去年も申し上げたように、お宅の皆さんに迷惑を掛けるつもりは毛頭なかったのです。すべてが不幸な誤解だったのです」

「何がどうあろうと、繰り返しは許さない。弁護士に相談したが、週末までには規制命令を出してもらうことができるとのことだ。そうすれば、娘が十八歳になる以前にお前が娘に近寄れば、逮捕されることになる。だから、何か娘にいいたいことがあれば、今夜いったほうがいい。わかったか？」

ジェフは溜《た》め息《いき》をつき、半ば開いたドアの隙間《すきま》から奥を覗こうとした。「今、パメラに会わせてくれますか？　どんな迷惑も掛けるつもりはありません。彼女と話す機会がくるのをずっと待っていたのです」

「入れ。彼女は居間にいる。一時間与える」

パメラの母親は明らかに泣いていた。目の縁が赤くなり、挫《ざ》折感《せっかん》にさいなまれている様子だった。ソファの隣に坐っている十五歳になる娘は、対照的に落ち着き払っていた。もっとも、そのこぼれそうな笑顔は、少なくとも彼女が感じているはずの歓喜に満ちた安堵《あんど》感《かん》を、必死に抑えていることを物語っていたけれども。髪は結んでいなかった。彼女はブラシを使って、頭髪を大人の時にやっていたのとほぼ同じスタイルにまとめていた。カシミアのセーターに、ベージュのウールのスカート。ストッキング、ハイヒール。

そして、巧みに薄化粧をしていた。だが、この前に会った時以来、彼女に起こった変化は、その外観よりもっとずっと深部におよんでいた。その油断のない機敏な目の中に、これは実際に自分が十年間愛し同棲《どうせい》していたあの女だと、ジェフに瞬間的に感じさせるものがあった。

「やあ、こんちは」彼も満面に笑みを浮かべて、いった。「翔《と》びたいかい?」

彼女は笑ったが、そのしわがれた笑い声には、成熟した皮肉と世慣れた態度が満ちていた。

「お母さん、お父さん」彼女はいった。「これは親友のジェフ・ウィンストンよ。きっと前にも会ったことがあると思うけど」

「前にはあんなことをいっていたのに、どうして突然、この……男を知っているなんて、言い出すのかね?」父親もまた、パメラの声や態度の激変に気づいており、一夜にして彼女が大人になってしまったという不可解な事実に、彼がひどい不快感を覚えていることが、ジェフにわかった。

「きっと、去年は記憶に断絶があったにちがいないわ。さあ、一時間だけこの人と二人きりでいていいと約束したわね。さしつかえなければ、そうさせてもらいたいんだけど」

「家から出てはいけない」父親は怖い顔で二人にいった。「居間から出てもいけないぞ」

フィリプス夫人は娘の隣からしぶしぶ立ち上がった。「何かあったら、お父さんと私は書斎にいますからね、パム」

「ありがとう、お母さん。心配ないわよ。約束するわ」

彼女の両親は部屋を出た。ジェフは彼女に腕を回し、力一杯、といっても息が詰まらない程度に、抱き締めた。「驚いたなあ」彼はその耳元でしわがれ声でいった。「どこへいってたんだい？　何があったんだい？」

「わからないの」彼女は首をのけ反らせるようにして彼を見ながらいった。「ちょうど予想どおり、十八日にマジョルカのあの家で死んだのよ。そして、今朝リプレイが始まったばかりなの。今年は何年か知って、びっくり仰天したわ」

「僕も遅れた」ジェフはいった。「しかし、それは三カ月だけだった。もう一年以上も君を待っていたんだよ」

彼女は彼の顔に触り、優しい同情のまなざしを注いだ。「知ってる」彼女はいった。「両親から、あの夏の出来事を聞いたから」

「じゃ、覚えていないんだね？　そうだ、もちろん覚えていないだろう」

彼女は悲しげにうなずいた。「あの時期についての私の記憶は、元の存在からのものと、それ以後に反復されたリプレイのものばかりなの。私の立場からいうと、最後にあなたを見たのは十二日前のことで、プエルト・デ・アンドライチの桟橋《さんばし》の上だったわ」

ばよかったのに」

「あの細密画は」彼は温かく微笑していった。「完全だった。取っておくことができれ

「取ってあるわよ」彼女は静かにいった。「あれが最も必要な場所にね」

ジェフはうなずき、また彼女を抱き締めた。「それで……ボストンにいる僕を、どう

やって見つけたんだい？」

「ご両親に電話したの。私がだれか薄々知っていらっしゃったみたい――少なくとも、

漠然《ばくぜん》とはね」

「コネチカット出身の女子学生を知っているって、最初にここにくる時にいったから」

「ねえ、ジェフ、あなたを知らないと私がいった時は、ずいぶん困ったでしょうね？」

「そりゃ困ったよ。でも今は君が戻ったので、君が十四歳の時に実際にどんな子供だっ

たか、ちらりと見ることができて喜んでいるくらいだ」

彼女はにやりとした。「あなたが誰であっても、可愛《かわい》らしい少年がきたと、私はきっ

と思ったでしょうよ。実は、ちょっと驚いているの。あなたを知ってると、両親に嘘を

いわなかったことを」

「三月に電話した時、君は僕のことを〝変だ〟といったぜ……しかし、確かにある種の

関心を示したな」

「きっと、そうでしょうよ」

「パム？」父親が廊下から呼び掛けた。「問題ないだろうな？」

「ええ、全然ないわ」彼女は答えた。

「後四十五分だぞ」父親は念を押して、奥の部屋に戻っていった。

「こいつは、面倒なことになりそうだな」ジェフは心配そうに眉をひそめていった。

「君は法律的に未成年者だ。お父さんは、僕が君に会うのを禁じるために、規制命令を要請するといっていた」

「知ってるわ」彼女は悲しげにいった。「私も悪かったのよ。今日の午後、あなたから電話か訪問があるはずだといった後、ここで一波乱あったの。両親がこれ以前にあなたのことを知っていたとは、私知らなかった。私があなたの名前を口にした時、父はかんかんになったわ。そして、残念ながら、私の反応もちょっとばかりまずかったと思う。もっとこの年齢の私から、両親があんな言葉を聞いたことは決してなかったでしょう。もっとも、二度目のリプレイは別だけど。あの時には反抗的になったから。そして、もちろん、そのことはあの人たちは覚えていないわけだし」

「お父さんは本気で、僕らを引き離しておくつもりだろうか？　もしその気になれば、あの人は本当に物事を困難にすることができるよ」

「不幸にして、彼は本気よ。私たち当分の間、辛《つら》い目を見るかもしれないわ」

「ことによったら……一緒に家出してもいいんだが」

パメラは皮肉に笑った。「だめよ。そのルートは前に一度試みたのよ。覚えてるでしょう？　あの時は成功しなかった。そして、今度もしないでしょう」

「ただ、今の僕は金を持っているし、必要があればもっと入手することが可能だ。路頭に迷うようなことはないよ」

「でも、私はまだ未成年者よ。それを忘れないで。もし二人でいるところを捕まったら、あなたはとても困った立場になるわ」

ジェフはにやりと笑って見せた。「性的魅力のある未成年の女子、というやつだな。それと関係した男は刑務所行きだ。こいつはいいや」

「間違いなくそうなるわね」彼女はまぜかえした。「でも、これは冗談ではないのよ。特に、この時代ではね。〝愛の夏〟がくるのはまだ三年先だし、一九六四年の人々はこの種の事を非常に硬く考えていたのよ」

「その通りだ」彼は同意し、がっくりした。「では、一体どうしようか？」

「しばらくの間、待たなくてはならないでしょうね。あと数カ月で十六歳になる。たぶん、その頃には、両親は少なくともデートを許してくれるでしょう。私が胡麻《ごま》をすって、今のところは従順な娘の役割を演じていれば」

「ちくしょう……こちらはもう、君と一緒になるのを一年半も待っていたんだぜ」

「他《ほか》にどうしようもないと思うわ」彼女は同情的にいった。「私だって、あなたに劣らず、この状況を嫌《きら》っているのよ。でも、とりあえず、ほかによい方法はないと思うわ」

「うん」彼は認めた。「ないな」

「それまでの間、あなたどうするつもり？」

「ボストンに戻ろうかな。あそこは良い町だし、ここからそう遠くない。それに、もうあの町になんとなく落ち着いてしまっている。たぶん、蓄えをせっせと増やすことになるだろう。一緒になれた時に、金の心配をしなくてすむようにね。少なくとも電話してもいいかい？　手紙を出してもいいかい？」

「まだ、まずいわよ。こちらに私書箱を作って、文通できるようにするわ。そして、私の方からできるだけしばしば電話する。放課後に、家の外からね」

「何とまあ、君は本当にまた高校に戻るんだな？」

「しかたがないわ」彼女は肩をすくめた。「それは我慢できる。今までに何度もやったもの。どんなテストの答えも知っていると思うわ」

「君がいなくて淋《さび》しい思いをするよ……忘れないでくれよ」

彼女は長く情熱的なキスをした。「私だってそうよ。同じよ。でも待てば、その苦しみを上回る良い事があるわ」

14

パメラは角帽の飾り房を直し、満員の講堂を眺《なが》め、両親と並んで坐《すわ》っているジェフを見つけた。母親は誇らしげに幸福そうに微笑《ほほえ》んでいた。パメラがジェフの目をとらえてウィンクすると、彼は皮肉な笑顔を返した。彼らは二人とも、この儀式が皮肉な喜劇的なものだと知っていた。かつて開業医であり、成功した画家であり、また有名な映画のプロデューサーであった彼女が、やっと高校の卒業証書を授かったのだから。それも、三回目のを。

これにはかなりの粘り強さが必要だった。そして、過去三年間が彼女にとってどんなに退屈なものであったかジェフが理解していることが、彼女にとって嬉《うれ》しかった。彼自身は二度目のリプレイの間に、大学レベルの学問の世界に逆戻《ぎゃくもど》りした経験があった。だが、このように何度も高校の課程を繰り返すのは、比較を絶する地獄の責め苦の一つといってよかった。

しかし、予想どおり彼女の忍耐は報いられた。彼女が十六歳になり、行儀の良いAクラスの生徒になり、しかも、同年代の仲間とみなされるグループの少年たちと外出することに興味を示さずにいると、両親の心がいくぶん解けた。ジェフは週末に使うためにブリッジポートにアパートを借りた。そして、毎週、金曜日と土曜日には、彼女が必ず真夜中までに両親の家に帰るように、几帳面《きちょうめん》に取り計らった。彼女の父母に関するかぎり、この若いカップルはたくさんの映画を見たことになっていた。そして、たとえそのことについて質問があっても、彼らは『モーガン！』『ジョージー・ガール』『わが命つきるとも』などの映画の筋書きを容易に話して聞かせることができた。これらのすべてを少なくとも二回は、過去の人生で見ているからである。

いったん親たちの否定的圧力がやわらぎ始めると、この取り決めは、奇妙な具合に、何となく面白く感じられるようになった。一緒にいる時間が制限され、情熱を内密にする必要から、性感をそそるエロチックな緊張が生じた。彼らはこれまでに親密であったことがなかったかのように、新鮮な若い肉体で愛し合った。これまでに、このような肉欲的喜びを互いに――いや、実際にだれとも――共有したことはなかった。

たとえ彼女の両親が、彼女のジェフとの性的な関《かか》わり合《あ》いについて、いくらかの疑いを抱いたとしても――そして、今では確かに抱いているに違いないが――そのことについては驚くほど沈黙を守っていた。彼らのジェフに対する最初の用心深い寛容は、間もなく受容に道を譲り、それから承認に、そして最後には完全な好意に、変わっていった。彼が十八歳で彼女が十四歳の時には、四歳という年齢差は、彼女の両親の目から見れば大きすぎて非常に心配なものだった。しかし、二十二歳と十八歳になると、それは月並みの差でしかなかった。それに、今はこうしてLSDがはびこり、支離滅裂な時代になってしまったので、このようなクリーンカットの礼儀正しい裕福な若者と、彼女が安定した関係を確立したことで、その両親は明らかにほっとしていた。

最後の人に卒業証書が渡されると、彼女の周囲の巣立ちしたばかりの卒業生はものすごい歓声を上げてステージから飛び出した。しかし、パメラは冷静に、ジェフと両親が待っているほうに歩いてきた。

「おう、パム」母親がいった。「ステージではとても奇麗だったわよ！　だれと較《くら》べても恥ずかしくなかった」

「おめでとう」父親がいって抱擁した。

「帽子とガウンを返してこなくちゃならないの」パメラはジェフにいった。「そうしたら、出発できるわ」

「本当にこんなに早くいってしまうのかい？」母親は残念そうに尋ねた。「泊まって夕食を食べて、明朝早く出発すればいいのに」

「木曜日の晩にジェフの家族が待っているのよ、お母さん。本当に、今夜はワシントンまでいっていなくちゃならないのよ。ちょっと、これ持っていて」彼女はジェフにそういって、巻いた卒業証書を渡した。「すぐ戻るからね」

女生徒のロッカールームで、彼女は黒い木綿のガウンを脱ぎ、青いスカートと白のブラウスに着替えた。他《ほか》の女生徒の何人かが恥ずかしそうに彼女におめでとうといい、彼女も少女らにおめでとうといった。だが、彼女は女生徒たちの一般的な仲間意識から微妙に外れていて、ボーイフレンドや夏休みの計画や、秋に入学する予定のいろいろな大学などについての、興奮した話には加わらなかった。これらの少女は彼女の元の人生での友達だった。そして、その時には、パメラは彼女らの無分別な行為にも、ひやかしにも、大人の女性へのためらいがちな第一歩にも、すべてに参加したものだった。しかし、今回は、一回目のリプレイの冒頭で高校生活を繰り返した時と同様に、パメラと少女たちの間には一種の深淵《しんえん》が横たわっており、少女たちは理解できないままに、何となくその深淵の存在を認識していた。パメラと両親との間には、家を出てジェフと一緒になる前に高校を出るという約束ができていた。彼女はそれを果たすために、思春期の社交的側面を無視して、ほかの少女たちから一定の距離を保ちながら、必要なことをやってのけたのだ。待ち兼ねていた日がやってきた。そして、彼女は別れのぎごちなさを最小限度にとどめることができればよいと願っていた。

彼女は着替えを終えると、次第に人けが無くなっていく講堂に待っている両親と、そしてこの人生の残りを共有する人のところに、戻っていった。

「では」父がジェフと話していた。「クォーター銀貨を持っているべきだと、君は本当に思うんだね？」

「はい、そうです」ジェフは答えた。「長期の投資としては最も確実です。おそらく十年か十二年後には、充分な儲《もう》けがありますよ」

父の質問は緊張を和らげるためのものだと、パメラは理解して、感謝した。この会話によって、父が個人的に、ジェフを目先がきく創造的な投資家として尊敬し、また、娘の面倒をよく見てくれる人物と考えていることが再確認できた。この銀の含有率九十パーセントのダイム貨幣とクォーター貨幣は、すでに段階的に回収されて姿を消してしまっているが、その前にジェフ自身は数千ドル分買って持っており、彼女の父親にもそうするように勧めたのだった。これは論理的で保守的に見える経済活動であって、うさん臭いほど急激な高騰で父親をびっくりさせることもなく、また、あまりにも曖昧《あいまい》で危なっかしく見えて彼を心配させることもなかった。しかし、これは時期がくれば確実に収益があがるはずだった。特に一九八〇年一月に、ハント兄弟が不法に銀市場を秘密に操作して、この貴金属の相場が一オンス五十ドルに跳ね上がるはずだから。ジェフはパメラに、その時がきたら父親に連絡して、続いて起こる大暴落の前にそれらの貨幣を必ず処分させると、いっておいた。

「オーランドには長く滞在するのかね、おまえ？」母親が尋ねた。

「ほんの数日よ」パメラはいった。「それからキーズまでドライブして、たぶん二、三週間ボートを借りるわ」

「どこに行くか決めたかね……夏が終わったら？」

二人にとって、これが痛いところだった。物質的には、彼女もジェフも何一つ不足がないことを両親は知っていた。しかし、彼女が大学進学を拒んだことを、彼らは嘆いていたのだった。

「いいえ、お母さん。ひょっとしたらニューヨークに家を持つかもしれないわ。まだはっきり決めたわけではないけれど」

「ニューヨーク大学に登録するなら、まだ間に合うんだよ。ほら、あそこはあなたの統一テストの成績を見て、無条件で入学を認めるといってくれたんだからね」

「考えてみるわ。全部車に積んだ、ジェフ？」

「全部荷作りし、ガソリンも満タンにし、出発準備オーケーだ」

パメラは父母に抱きついたが、目に浮かんでくる涙を止めることができなかった。彼らは、自分たちの愛情の籠《こも》った指導も躾《しつけ》も、ずっと昔に不要になってしまったことを知らずに、ただ彼女にとって良かれと思って、いろいろと言っているのだ。パメラはそのことで彼らを非難することはできなかった。だが今は、少なくとも、彼女とジェフは真に自由になった。自由に自己を発揮できるようになった。これまでずっと、人の目を欺《あざむ》くほど若々しい外見の下に抑えこまれていたが、ついに、独立した成人として熟知した世界に飛びこんでいく自由を得た。すべての忍耐が終わった、今日は幸先《さいさき》の良い日なのだ。

　彼女は優雅な一連の動作で水から上がり、ボートの後部にある短い梯子《はしご》を上って船に上がった。その時ジェフがタオルを投げ、彼女はそれを受け取った。

「ビールは？」彼は尋ねて、クーラーに手を差し入れた。

「もらうわ」パメラはいいながら、裸体にその大きな青いタオルを巻きつけ、頭髪をいきおいよく振った。

　ジェフはドス・エキスの瓶《びん》を二本開け、一本を彼女に渡し、カンバスのデッキチェアに寝ころがった。「水泳、うまいじゃないか」彼はにっこりした。

「うーん」彼女は満足そうに認め、氷のように冷たい瓶を顔に押し当てた。「あの水、まるでジャクージの泡風呂《あわぶろ》みたいよ」

「ガルフ・ストリームさ。暖流がここからずっと大西洋を横切って流れているんだ。僕《ぼく》らは、ヨーロッパが再び氷河期に入るのを防いでいる、熱の吹出し口の真上に坐っているわけだ」

　パメラは太陽に顔を向け、目をつぶり、新鮮な潮風を吸い込んだ。突然、物音がして、白昼夢が破られた。見上げると、一羽の大きい白鷺《しらさぎ》が優雅に弧を描いて船の上を飛び、空気力学的に、長い脚と先の細くなった嘴《くちばし》を対称的に伸ばして、彼らが今朝、錨《いかり》を降ろした名もない砂州の岸に向かって、急降下していった。

「ああ」彼女は溜《た》め息《いき》をついた。「この場所を離れたくないわ」

ジェフは微笑して、ドス・エキスの瓶を上げ、無言で同意を示す乾杯をした。

パメラは船の横腹のほうに歩いていき、手すりによりかかって、自分が今上がってきたばかりのきらきら輝く青緑色の海を見つめた。ずっと遠い、西の方の静かな海面が、通りかかった道化者のイルカの群れのために沸き返った。彼女はしばらくそれを見つめていて、それからジェフの方を向いた。

「私たち、避けていることがあるわ」彼女はいった。「話し合う必要があるのに、話し合っていないことが」

「何のことかな？」

「今度、私がリプレイを始めるのに、どうしてこんなに時間が長くかかったか、ということよ。一年半も失ったのよ。このことを、あまり長い間無視していたわ」

その通りだった。お互いにあまりにも慣れっこになってしまっていた循環パターンからの、この厄介《やっかい》な逸脱について話し合ったことがなかった。今まで、ジェフは彼女を取り戻したことだけで、もう充分に感謝したい気持ちだったし、また彼女は、高校を卒業するという骨の折れる仕事と、そして、自分には彼が必要だということを両親に納得させるという微妙な駆引きに専念していたので、彼女もこの心配事を心の奥に押し込めていたのだった。

「なぜ今それを持ち出すんだ？」彼は日に焼けた眉間《みけん》にしわを寄せて尋ねた。

彼女は肩をすくめた。「遅かれ早かれ、考えることになるわ」

彼は懇願するような目付きで彼女を見た。「しかし、後二十年間はその心配をしなくていいんだよ。その時まで、生活をエンジョイすることはできないのかね？　現在を楽しむことは？」

「これを無視することは決してできないのよ」彼女は優しくいった。「完全にはね。わかってるくせに」

「我々が考えて、この原因が分かるなんて、どうして思うのかね？　リプレイについてほかに何一つ説明できずにいるのにさ。そのことはもう決着がついたと思っていたのになあ」

「私は必ずしも原因や理由のことをいっているのではないの。でも、ずっと考えていて、これはただの一時的な異常ではなくて、全体のパターンの一部かもしれないと思うのよ」

「どうして？　僕自身、今度は三カ月遅く戻ってきたのを知っている。しかし、以前にはこんなことは、僕らのどちらにも起こらなかったんだよ」

「さあ、どうかしら。たしかに、それほどひどくはなかったわ。でも事実……リプレイに歪《ゆが》みが生じているのよ。ほとんど最初からね。今は、それが加速し始めているんだわ」

「歪みだって？」

彼女はうなずいた。「考えてみてよ。あなたの二度目のリプレイの冒頭では、寮の部屋にいなかったでしょ。ジュディと一緒に映画館にいたのよ」

「でも、同じ日だと思う」

「ええ、でも……おそらく八、九時間、後なのでは？　そして、私が最初に戻ってきた時は、午後早くだった。でも、次の時は夜中だった。たぶん十二時間ほど遅れたのよ」

ジェフは考えこんだ。「三度目――つまり、今度のやつの前のリプレイが始まった時、僕はマーティンの車にジュディと乗っていた……」

「それで？」彼女が催促した。

「僕は単純にそれは同じ夜のことだと想像していた。『鳥』を見て、帰ってくる途中だとね。なにしろ、娘のグレッチェンを失ったことで気が動転していたから、周囲のことにあまり関心を払っていなかった。ひたすら酒を飲んで、二、三日のあいだ酔っぱらっていた。しかし、あの時には、ケンタッキー・ダービーがとても早くやってきた。フランク・マッドックに賭《か》けを頼んだのは、出走のほんの一日前のことだった。すごく慌てていたから、少なくともその機会を逃がさずにすんで、ほっとしたことを覚えている。ドンチャン騒ぎのおかげで、時間の経過を見失っていたが、ことによったらリプレイの始まりが二日か三日遅れていたかもしれないぞ。まったく別の夜にジュディと家に帰ってきたところだったかもしれない」

パメラはうなずいた。「私もあの時には、カレンダーに注意していなかった」彼女はいった。「でも、私のリプレイが始まった時、両親が家にいたことをはっきり覚えているわ。つまり、あれは週末だったにちがいないのよ。そして、その前のは火曜日に始まったわ。四月の最後の日だった。だから、歪みはたぶん四日におよんでいたのよ。もしかしたら五日かもしれないわ」

「どうして、二、三日から——何カ月にもジャンプするんだろう？　君の場合には一年以上もだよ？」

「たぶん、幾何級数的になっているのよ。それぞれのリプレイの間の時間の相違を正確に知れば、計算できると思うわ。もしかしたら……次の歪みがどのくらいになるか予想できるかもね」

死のこと、そしてその次の死のこと、そして、たぶんもっと長い別離の期間のことが念頭に浮かぶと、突然、二人の間に沈黙の帳《とばり》が下りた。白波の先の遠い浜辺を、孤独で超然とした鷺たちがひょろ長い脚であちこち歩き回り、餌《えさ》を漁《あさ》っていた。西の方のイルカの群れは移動してしまって、海面はまた静かになっていた。

「そんなことといっても、もう手遅れじゃないかな？」ジェフはいった。それは質問というよりもむしろ陳述だった。「僕らはそれらの逸脱を決して正確に再構成することはできない。あの頃《ころ》は、そういうことに全く関心を払っていなかったから」

「その理由がなかったからね。すべてが、あまりにも新しい事だったから。それに、歪みも小さかったし。互いに、ほかにもっと考えるべきことがあったしね」

「では、推論してみても始まらないよ。もし幾何級数的になっていて、何時間から何日へとエスカレートしてきたのなら、どんなに大雑把《おおざっぱ》に見積もっても、今度は何年も食い違うことになるだろう」

　パメラは彼をじっと長い間見つめた。「もしかしたら、だれかほかの人が、歪みにもっと注意を払っていたかもしれないわね」

「〝だれかほかの人〟って？」

「あなたと私はほとんど偶然に出会った。なぜなら、あなたがたまたま『星の海』に反応して、新しい物だと思い、私との面会を手配することができたから。でも、ほかにもリプレイヤーはいるかもしれないわ。それも大勢。協力してその人たちを追跡する努力は、一度もしていなかったわね」

「どうして、ほかにもいると思うんだね？」

「実在すると知っているわけじゃないわ。でも、私はあなたと出会うなんて思ってもみなかったのよ。もし、私たち二人がいるなら、もっといてもおかしくないじゃないの」

「もしいれば、もうそろそろ噂《うわさ》を耳にしてもいいんじゃないかな？」

「必ずしも、そうとばかりはいえないわ。私の映画はすごく広く一般に浸透したし、あなたが最初の回にケネディの暗殺に干渉したことも、かなり顕著な影響をおよぼした。でも、それ以外には、私たちのどちらかが社会に対して、いったいどのくらい強い衝撃を与えたでしょうね？　あなたの未来社の存在だって、たぶん財界の外ではあまりよく知られていなかったでしょう。私だって、医学部の勉強に忙しかった時や、その後でシカゴの小児科病院に勤務していた時には、知らなかったのよ。たぶん――他のリプレイヤーに起因する――あらゆる種類の小さな局地的変化が生じていても、私たちがそれに気づかずにいる、というだけのことかもしれないわ」

　ジェフはその事をしばらく考えた。「もちろん、僕もその事をしばしば考えた。しかし、いつも自分自身の経験に夢中になっていたから、それについて何かをするというところまでいかなかった――『星の海』を見て、君を発見するまではね」

「そろそろ、この事で行動を起こすべき時よ。最初にあなたが私を見つけた時に、私が成就しようとしていた事よりも、もっと単純で、もっと直接的な事をね。もし世間にほかの人たちがいれば、みんなで多くを学べるわ。分かち合うべきことがたくさんあるはずよ」

「そうだね」ジェフは微笑していった。「ただ、今のところは、僕が何かを分かち合いたいのは、君一人なんだよ。こうして一緒になるのを、ずいぶん長い間待っていたんだから」

「本当に長かったわね」彼女は微笑み返して、青いテリークロスのタオルを外し、日の当たっている木のデッキに落とした。

彼らは次の新聞に小さなディスプレー広告を出した——ニューヨーク・タイムズ、ポスト、デイリー・ニューズ。そして、ロサンゼルス・タイムズ、ヘラルド・エグザミナー。そして、ル・モンド、レクスプレス。そして、朝日新聞、読売新聞。そして、ロンドン・タイムズ、イブニング・スタンダード、サン。そして、オ・エスタード・デ・サンパウロ、ジョルナル・ド・ブラジル。それから、彼ら自身がさまざまなリプレイの間に関心を持った特殊分野を考慮して、次のような雑誌にも定期的に広告を載せた——米国医学協会誌、ランセット、および、ル・コンクール・メディカル、ウォールストリート・ジャーナル、フィナンシャル・タイムズ。そして、ル・ヌーベル・エコノミスト。デイリー・バライエティ、カイエ・デュ・シネマ。プレイボーイ、ペントハウス、メイフェアー、それにリュイ。

世界中で二百種以上の新聞や雑誌に、対象とされる少数の、未知の、そしてたぶん存在しない人々を別にすれば、一般人には完全に無意味で、表面的には特に害のない広告が掲載された。


ウォーターゲートを覚えていますか？　ダイアナ妃を？　シャトルの事故を？　ホメイニを？　『ロッキー』を？　『フラッシュダンス』を？

もし覚えていれば、あなたは孤独ではありません。NY一〇〇一、ニューヨーク、私書箱一九八八号にお便りください。


「また百ドル札を同封したのがあったぞ」ジェフはいって、その封筒を傍《わき》に放《ほう》った。「どうして、こんなに大勢、我々が物を売っていると思う人がいるんだろう？」

パメラは肩をすくめた。「たいていの人がそうね」

「もっと悪いのは、我々が何かコンテストをやっていると思っている人々だ。こいつは問題になるかもしれないぞ」

「どうして？」

「用心しないと、郵政当局とごたごたが起きるぞ。この広告は目玉商品のようなものではないと説明する同文の手紙を書いて、これらすべての人々に送らなければならないだろう。特に金を同封してきた人々にはね。必ず全額を返済する必要がある。苦情が出ては困るからな」

「でも、だれにも、何も、提供していないのよ」パメラが文句をいった。

「たとえ、そうであってもだ」ジェフはいった。「一九六七年の郵政監察官に〝ウォーターゲートとは何か？〟と聞かれたら、どう説明するつもりだい？」

「そうだわねえ」彼女は別の封筒を開き、手紙をざっと読んで、笑った。「これ、聞いて」彼女はいった。「〝貴会の記憶訓練講座について詳しい説明書を送ってください。あの広告に書いてあることを、私はどれ一つ覚えていません〟だって」

ジェフは彼女とともにくすくす笑った。これらの成り行きの全《すべ》てについて彼女がユーモアのセンスを保っていることが嬉しかったのだ。この調査が彼女にとってどんなに重要か、彼は知っていた。彼女のリプレイ開始日の時間的歪みは明らかに彼のものよりもずっと進んでおり、もしもこれが、四、五日の遅れから一挙に十八カ月に跳躍するカーブに沿って進むとすると、次に繰り返される彼女の生命の存続期間は非常に切り詰められるかもしれない。二人はそれを決して話題にはしなかったけれども、ことによったら彼女が全く帰ってこないという可能性があることを、どちらも知っていた。

過去四カ月間に、広告の答えを何百通も受け取ったが、その大部分はこれがコンテストであるか、または、雑誌の購読予約からオカルト集団〝薔薇《ばら》十字会〟にいたるまでの、何らかの売込み口上であろうと想像していた。じれったいほど曖昧な答えもあったけれど、追跡調査の結果、無価値だと判明した。すべての中で最も思わせ振りで、しかも気になったものは、署名も返送用の宛名《あてな》もない、オーストラリアのシドニーの消印のある、一行だけのメッセージだった。それには「今度はだめだ。待て」と書いてあった。

ジェフはこの努力全体に失望し始めた。試みることには意義があった。そして、思いつくかぎりの最善の方法でやったと、彼は感じた。だが、希望するような結果を生まなかった。たぶん、この世には、実際にほかのリプレイヤーはいないか、または、たとえ存在するとしても、返事を出さないことに決めているのではないかと思われた。しかし、ジェフはもはや、これに関しては自分とパメラしかいないのだ、そしてずっとそのままでいるだろうと、今まで以上に固く信じるようになった。

彼はこの日に届いた手紙の束からもう一通の封筒を開いた。そして、ほかの価値の無い混乱した返事と同様に投げ捨てることになるだろうと思いながら中を見た。ところが、第一行目が彼を引き止めた。彼はびっくり仰天しながら、その短い手紙の残りを読んだ。

親愛なる誰《だれ》かさん、
チャパキディック島の事件を忘れたな。エドワード・ケネディの秘書が水死した事件だよ。あれがもうすぐ起こるはずだ。それからタイレノール毒薬混入事件はどうした。それから、大韓航空の七四七型機をソ連が撃墜したのは？　これらのことはみんなが覚えている。

話をしたければ、いつでもおいで。来《きた》るべき古き良き時代の思い出話に花を咲かせよう。

スチュワート・マカウワン
ウィスコンシン州　クロスフィールド
ストラスモア・ドライブ　三八二

ジェフはその署名を見つめ、住所を消印と対照して調べた。それらは一致した。「パメラ……」彼は静かにいった。

「うん？」彼女は開けようとしていた封筒から目を上げた。「また、おかしいのがあった？」

ジェフは微笑している彼女の美しい顔を見た。それは、時間の流れからあまりにも奇妙に外れてしまった所で、彼が知り、また愛していた顔であり、最初は成熟していて、今は若々しくなった顔だった。漠然《ばくぜん》と不吉な予感がした。まるで、二人が共有している親密さが今にも侵されるのではないか、相互の独自性がよそ者によって打ち砕かれるのではないか、というような感じだった。彼らは探し求めていたものを見つけた。だが、こうなると、そもそもこの探求を始めるべきだったかどうか、全く確信が持てなくなった。

「これを読んでごらん」彼はそういって手紙を渡した。


車を運転して、マジソンから南に三十五マイルほどいったクロスフィールドに入ると、くすんだ灰色の空から小雪が降り出した。大型のプリマス・フュアリーのパッセンジャーシートに坐っているパメラが、落ち着かない様子でクリネックスを細かい筋に引き裂き、それを一つ一つ小さく丸めてダッシュボードの灰皿《はいざら》に入れた。ジェフが、この彼女の神経質な習慣的動作を見るのは、十九年昔であり五年未来になるある夜に、マリブのレストランで初めて出会った時以来だった。

「まだ、一人だけだと思っているの?」彼女は、小さな町の、街路の両側に立ち並ぶ冬枯れの樺《かば》の木を眺めながら尋ねた。

「たぶんね」ジェフは雪を透かして、黒と灰色の町名標識を見ながらいった。「〝みんな〟がタイレノール殺人事件や大韓航空機のことを覚えているというのは、特別な意味はないと思う。それは、彼がリプレイヤーのグループを集めているとかいうことではなくて、きっと、それらの事件が起こった後の一般大衆のことをいっているのだと思う」

パメラはそのクリネックスを引き裂き終え、もう一枚に手を伸ばした。「これが事実であることを望んでいるのか、その逆を望んでいるのか、自分でもわからなくなったわ」彼女は当惑した口調でいった。「ある意味では、私たちが経験したことを理解してくれる人々が、一つのネットワークを形成しているとわかったら、信じられないほどほっとするでしょう。でも、まだ……あれほど良く知っている苦痛が、それほどたくさん集積されていると思うと、どう処理していいかわからないし、リプレイについての、その人々の知識を全部聞く心の準備もできていないし」

「それを聞くのが目的だと思ったがな」

「ただ、ちょっと怖いだけよ。こうして、あまりにも目標の近くにきたと思うとね。このスチュワート・マカウワンという人が、電話帳に載っていればよかったのにね。手掛かりが、この手紙だけでなくて、電話を掛けてどんな人かもっとよくわかれば、もっとずっと気が楽なのに。こうして前触れもなく会いにいくのは、とても嫌《いや》だわ」

「きっと彼は待っているよ。もともと、我々は彼の招待を断わるつもりはなかった。これほど苦労して見つけたんだから」

「あれがストラスモアよ」パメラは左手の山腹をくねくねと上がっていく道を指差していった。車はすでにその交差点を通り過ぎていたので、ジェフはUターンをしてその広い人けのない通りに入った。

三八二番地は岡《おか》の反対側の一軒屋で、三階建てのビクトリア様式の家だった。実際それは広大な屋敷で、粗削りの砂岩の壁の向こうに、手入れのよい敷地が広がっていた。その威圧感のある門を入っていくと、パメラはもう一枚のクリネックスを引き裂き始めた。だが、ジェフは彼女の痙攣《けいれん》する手を押し止《とど》めて、激励するように温かい笑顔を向けた。

彼らは、次第に激しくなる雪から逃れる屋根があることを感謝しながら、広いポルチコの下に車を止めた。玄関の扉には装飾のある真鍮《しんちゅう》のノッカーがついていたが、ジェフは別にドアベルを見つけて押した。

白い胸当てのある地味な茶色のドレスを着た、上品な婦人が戸口に出た。「何か御用ですか？」彼女はいった。

「ミスター・マカウワンは御在宅ですか？」

婦人は二焦点の鼻眼鏡の上の眉《まゆ》をひそめた。「ミスター……」

「マカウワン。スチュワート・マカウワンさんです。ここに住んでいらっしゃらないんですか？」

「あら、まあ、スチュワートですね。もちろん住んでおります。お約束ですか？」

「いいえ。でも、きっと私たちを待っていると思います。ニューヨークから友達がきたとお伝えくだされば、きっと――」

「お友達？」彼女の渋面が深まった。「スチュワートのお友達なんですか？」

「はい、ニューヨークからやってきました」

婦人は面食らった様子だった。「ですが……まあ、とにかく外は寒いですから、中に入ってお掛けください。ちょっと待ってくださいね。すぐ戻ります」

ジェフとパメラは彼女が廊下の奥に姿を消すと、広い黴臭《かびくさ》い玄関のふかふかした背の高い長椅子《ながいす》に腰掛けた。

「一人だけではないわね」パメラがささやいた。「どうやら、彼はこの家を所有してさえいないようよ。あのメードは彼の苗字《みょうじ》を知らなかった。これは何らかの種類のコンミューンみたいなもので――」

ツイードのスーツを着た、背の高い、白髪の男が廊下から現れ、その後ろにあの小太りの鼻眼鏡の婦人がいた。「あなたがたはスチュワート・マカウワンのお友達ですって？」男はいった。

「私たちは、あのう……あの人と文通をしているのです」ジェフは立ち上がって、いった。

「それで、文通を始めたのはどちらの方から？」

「あのう、私たちはマカウワン氏の急な招待を受けてやってきたんですよ。はるばるニューヨークから会いにきたんです。ですから、どうぞお取り次ぎを――」

「そのスチュワートとの文通というのは、どんな種類のものでしたか？」

「それはあなたとは関係ないことだと思いますが。彼にお聞きになればいいでしょう」

「スチュワートに関することはすべて、私に関係があるのです。私は彼を預かっているのです」

ジェフとパメラはすばやく目配せを交わした。「どういうことですか、預かっている、というのは？　あなたはお医者さまですか？　彼は病気なのですか？」

「重症です。あなたがた、どうして彼の病気に関心があるのですか？　ジャーナリストですか？　患者のプライバシーを侵害する者は許しませんよ。もし、新聞社か雑誌社の方なら、即刻お引き取りください」

「いや、どちらも記者ではありません」ジェフはベンチャー・キャピタルのコンサルタントと称する名刺を渡し、パメラを同僚だといって紹介した。

男は油断のない緊張した顔の表情をゆるめ、謝るような微笑を浮かべた。「失礼しました、ウィンストンさん。ビジネス関係の方だとわかっていたら……私はジョウル・ファイファー医師です。スチュワートの利益を守ろうとしただけなので、ご了解ください。ここはとても限定的な、とても口の固い施設なのです。そして、いかなる――」

「では、ここはスチュワート・マカウワンさんの家ではないのですね？　何かの病院ですか？」

「治療センター、とでもいいましょうか」

「彼は心臓が悪いのですか？　あなたは心臓病の専門医なのですか？」

医師は眉をしかめた。「あの人の背景を御存知ない？」

「はい、知りません。彼と私たちとの関係は厳密に……ビジネス方面だけなのです。投資に関してです」

ファイファーは了解し、うなずいた。「他の障害はともかくとして、スチュワートはすばらしい市場感覚を保持しています。現在おこなっている経済活動を、私は奨励しているのです。もちろん今は彼の利益はすべて信託に入りますが。でも、いずれは、病気がこのまま快方に向かえば……」

「ファイファー先生。というと、つまり――ここは精神病院なのですか？」

「病院ではありません。私立の精神医学ユニットです」

そうか、とジェフは思った。そうだったのか。マカウワンはある種の事柄《ことがら》を、見当違いの人々に喋《しゃべ》りすぎたのだ。それで、施設に入れられてしまったのだ。ジェフがちらりとパメラを見ると、彼女もすぐにぴんときたことがわかった。二人とも、自分たちの経験をあまり公然と告白すると、部外者に狂人と思われるかもしれないという危惧《きぐ》の念《ねん》を抱いていた。そして、今ここに、その危険の生き証人がいた。

医師は彼らの目配せの意味を取り違えた。「スチュワートの症状を不利に解釈されると困るのですが」彼は心配していった。「保証いたしますが、彼の経済的判断はこれまでずっと完全無欠でした」

「それは問題にならないでしょう」ジェフはいった。「彼にとって……さぞ困難があったことと推察します。しかし、彼がポートフォリオを健全に運用し続けていることは、私たちも充分に承知しています」この嘘《うそ》はファイファーの心配を一掃したようだった。マカウワン信託はこの施設の運用費用の大きな部分を担《にな》っており、ことによったら、その筆頭基本財産でさえあるかもしれないと、ジェフは想像した。

「今、彼に会えますか？」パメラが尋ねた。「前以《まえもっ》て事情がわかっていたら、当然あなたを通じて予約を取ったでしょうが、こうしてもう、はるばるやってきてしまったことを考慮していただいて……」

「もちろんです」ファイファー医師は請け合った。「ここには、決まった面会時間はありません。今すぐお会いになってけっこうです。マリー」彼は後ろにひかえている白髪の婦人を振り返って、いった。「スチュワートを居間のほうに降ろしてくれませんか？」

ファイファー医師が彼らを案内した部屋の窓のアルコーブには、黄色いレースのドレスを着た美しい若い女が腰掛けていた。彼女は降る雪を見つめていたが、彼らが歩み入ると、期待するように振り返った。

「こんにちは」若い女がいった。「私に会いにいらっしゃったの？」

「スチュワートに会いにお出《い》でになったのだよ、メリンダ」医師は優しく女にいった。

「いいのよ」彼女は陽気な笑顔を見せていった。「水曜日に、だれか私に会いにくるんでしょ？」

「そう、お姉さんが水曜日にみえるだろう」

「でも、私スチュワートのお客さんに、お茶とお菓子を出してもいいでしょ？」

「もし、お客さんがほしいとおっしゃれば、いいよ」

メリンダは白い雪景色の見える居場所から下りた。「お茶とお菓子を召し上がりませんか？」彼女は礼儀正しく尋ねた。

「はい、ご親切に」パメラはいった。「ありがとう」

「では、持ってまいります。お茶はキッチンに、お菓子は私の部屋にありますの。母が作ったんです。お待ちくださいませ」

「もちろん待たせていただきます、メリンダさん。ここでね」

彼女は部屋の横のドアから出ていった。そして、階段を駆け上がっていく足音が聞こえた。ジェフとパメラはあたりを見回した。煉瓦《れんが》の暖炉の回りに、坐り心地の良さそうな革張りの椅子が半円形に並んでいる。暖炉には二本の丸太が赤々と燃えている。壁には繊細なユリ紋様のある、色調を抑えた青い壁紙が貼ってあり、反対側の隅《すみ》のマホガニーのテーブルの上にはティファニー・ランプが下がっている。そのテーブルにはオオカバマダラ蝶《ちょう》のジグソーパズルがやりかけで置いてある。フラシ天の濃紺のカーテンが、雪の積もった山頂の景色が見えるように開いてある。

「これは素敵なところですね」ジェフはいった。「これでは、とても病院とは見えませんねえ――」

「何に見えます?」医師は微笑した。「ええ、できるだけ正常で快適な環境を維持するように努めています。ごらんの通り、窓に格子《こうし》はありません。職員はだれも制服を着ておりません。このような雰囲気《ふんいき》は患者の回復過程を早め、退院の準備ができた人の、日常生活への復帰をずっと容易にすると信じています」

「スチュワートはどうですか? 早くここを出られると思いますか?」

ファイファーは唇《くちびる》を引き締めて、窓の外の降りしきる雪を眺めた。「彼はここに移されて以来、すばらしい回復を示しています。私はスチュワートには大きな希望があると思っています。当然、面倒な問題がありまして、多くの法律的障害を克服しませんと――」

三十代初め頃の、優型《やさがた》の顔色の悪い男が、ジーンズに灰色のウールのセーターを着た筋骨たくましい若者に伴われて、入ってきた。顔色の悪い方の男は、青のスラックスに、ぴかぴかに磨《みが》かれたイタリア製のカジュアルシューズ、そして、オープンネックの白いドレスシャツを着ていた。額の生《は》え際《ぎわ》が後退し始め、頭のてっぺんの髪が少し薄くなりかけている。「スチュワート」医師は屈託ない口調でいった。「思いがけないお客さまが見えたよ。きっとビジネス仲間だね。ニューヨークからだ。ジェフ・ウィンストンさんに、パメラ・フィリプスさん。こちらがスチュワート・マカウワンです」

若禿《わかはげ》の男は愛想《あいそ》良《よ》く笑って手を差し出した。「とうとうやってきたね」彼はそういって、まずジェフの手を握り、それからパメラの手を握った。「この瞬間を長い間待っていたんだ」

「その気持ちはわかります」ジェフは静かに答えた。

「では」ファイファー医師がいった。「私は席を外しましょう。残念ながら、このマイクは残らねばなりません。法廷が我々に課した条件なのです。これはどうしようもありません。でも、彼は邪魔にはなりませんよ。いくらでも内密のお話をなさってください」

たくましい職員はうなずいて、ティファニー・ランプの下のテーブルにつき、医師が出ていくと、ジグソーパズルをやり始めた。

「お掛けなさい」スチュワートはいって暖炉のそばの椅子を指差した。

「なんと」ジェフはすぐに同情していった。「辛《つら》いだろうね、これでは」

スチュワートは肩をすくめた。「それほどでもないよ。他の場所にくらべれば、ずっと、ずっとましだ」

「場所のことではなくて、これが君に起こったことがさ。最善の努力をして、できるだけ早くここから出られるようにして上げる。ニューヨークに優秀な弁護士がいるから、飛行機で明朝ここにくるように手配しよう。彼がすぐに解決してくれるよ」

「心配してくれて、ありがとう。多少時間がかかるだろうがね」

「いったい、どうして――」

「お茶とお菓子をどうぞ」メリンダが銀の盆をもってドアから入ってきて、陽気に告げた。

「ありがとう、メリンダ」スチュワートがいった。「とても親切だね。友人を紹介するよ、ジェフさんとパメラさんだ。この人たちは僕自身の時代、つまり一九八〇年代からやってきたんだよ」

「まあ」少女は楽しそうにいった。「スチュワートは未来のことを何でも話してくれるんですよ。左翼過激派の『シンバイオニーズ解放軍』のことや、それに誘拐《ゆうかい》されて、メンバーになってしまった、大富豪の娘のパティ・ハーストのことなど。それから、カンボジアで起こったことや――」

「今その話は止《や》めましょう」ジェフは彼女をさえぎり、肩越しに職員の方を見た。彼は明らかにジグソーパズルに没頭していた。「お茶とお菓子をありがとう。では、盆をこちらに」

「もっとお上がりになるようでしたら、表の部屋にいますからね。お会いできて嬉しかったわ。後で未来のことをうかがえますか?」

「まあね」ジェフはそっけなくいった。娘はにっこり笑って出ていった。「まずいよ、スチュワート」ジェフは彼女がいってしまうと、いった。「そんな話をすべきではなかった。彼女に打ち明けたりしてはいけなかったんだ。まして、我々のことを話すなんて。彼女がだれかに洩《も》らしたら、どうなると思う?」

「俺《おれ》たちがここで話すことは、実際だれも注意を払わないよ。おい、マイク」彼が声を掛けると、その職員がこちらを見た。「一九七二年から三年連続ワールド・シリーズに勝つのは、どこか知ってるかい? オークランドだぜ」

職員はぽかんとして、うなずき、パズルに戻った。

「ほらね?」スチュワートはにやりとした。「聞いてさえいないんだ。オークランド・アスレティクスが実際に勝ち始める頃には、俺が予言したことなんか、あいつは覚えていないだろうよ」

「それにしても、良いアイデアだとは思わない。君をここから出そうという我々の計画が、ますます難しいものになるだろう」

顔色の悪い男は肩をすくめた。「ここも、そこもないよ」彼はパメラに向かっていった。

「あんた『星の海《スターシー》』を作っただろう？」

「ええ」彼女は微笑していった。「あれを覚えている人に会えてうれしいわ」

「とても、とても、よく覚えている。あれを見た後で、手紙を書こうと思ったくらいだ。あんたは反復者《リピーター》にちがいないと、すぐにわかった。そして、あの映画は、俺が知った多くの事を確認してくれた」目的意識を蘇《よみがえ》らせてくれた」

「ありがとう。今、知った事といったわね。どうかしら――あなたは……歪みを経験したかしら？　考えてみて、リプレイが、つまりリピートが、始まる日が加速されるのを？」

「ああ」スチュワートはいった。「今度の最後のやつは、一年近く遅れた」

「私のは一年半だった。ジェフのはほんの三カ月にすぎなかった。私たちそのことを考えているのよ。いろいろな開始時期の間のカーブを正確に描くことができれば、予言できるかもしれないでしょ……次のサイクルで、どのくらいの時間を失うことになるか。でも、それをするには非常に厳密にやらないとね。あなた、時間の経過を追跡――」

「いいや、できなかった」

「もし三人で気がついたことを比較すれば、あなたの記憶を刺激するかもしれないわね。少なくとも、誤差を減らす方向に進むかもしれないわ」

彼は首を振った。「だめだね。俺がリピーティングを始めた最初の三回は、意識がなかったんだ。昏睡《こんすい》状態だったのさ」

「何ですって？」

「一九六三年に自動車事故を起こした——あんたがた一九六三年へ戻り始めたんだろ？」彼はそう尋ねて、パメラからジェフに、またその逆に、視線を移した。

「そうだ」ジェフは確認した。「五月のはじめだ」

「その通り。それで、あの年の四月に事故を起こして、車をぶっつぶしてしまった。八週間、昏睡状態にあった。そして、気がつくたびにリピートしているんだよ。今まで、昏睡が関係していると思っていた。だから、わからないんだよ——なんてったっけ？開始時期の変化だったかな？」

「歪みよ」

「最初の三回の歪みが、何時間なのか何日なのか何週なのか、わからないんだよ。それとも、全然なかったのか」パメラの顔に浮かんだ失望の表情は、マカウワンにとってさえ明白だった。「悪いね」彼はいった。「もっと役に立ちたかったが」

「あなたのせいではないわ」彼女はいった。「きっと恐ろしかったでしょうね、そんな具合に病院に戻ってくるなんて。しかも、今——」

「すべてパーフォーマンスの一部さ。受け入れているんだ」

「パーフォーマンスですって？　わからないわ」

スチュワートは不審そうに眉をひそめて彼女を見た。「あんた船と接触したんだろう？」

「どういう意味かしら？　何の船？」

「アンタレス人の船さ。おいおい、『星の海』を作ったんだろう。俺もリピーターだ。その俺に対して、知らんふりするなんて」

「本当に君のいっている事がわからないんだよ」ジェフがいった。「つまり、こういうことかね？　君は接触した……このすべてを起こしている人々と、いや生物と？　それは地球外生物だと？」

「もちろんだよ。おやおや、俺はてっきり……では、あんたがたは慰撫《いぶ》工作をやっているんじゃないのかね？」彼のすでに青白い顔色が、いっそう青くなった。

ジェフとパメラは当惑して顔を見合わせ、彼を見た。二人とも、リプレイに異星の知的存在が、何らかのかたちで関与している可能性を考えたことがあった。しかし、実際にそうだという徴候はほんの少しも得ていなかった。

「最初から、すべての説明をしてもらわなくてはならないようだね」ジェフがいった。

マカウワンは相変わらず知らん顔をしている若い職員の方をちらりと見た。彼は部屋のずっと向こうの隅で、やっぱり背を丸めてジグソーパズルに熱中していた。マカウワンは椅子をジェフとパメラに近づけ、低い声で話した。

「リピーティング、つまりリプレイイングのことだけど――あいつらは全然気にしていない」彼はその職員の方を頭で示しながらいった。「あいつらを狼狽《ろうばい》させるのは慰撫工作なのさ」彼は溜め息をつき、ジェフの目を探るように覗《のぞ》きこんだ。「本当に一部始終を聞く必要があるのかい？　最初から？」

15

「シンシナチで育った」スチュワート・マカウワンは語った。「おやじは建設労務者だった。しかし、アル中だったから、いつも仕事があるわけではなかった。俺《おれ》が十五歳の時、彼は仕事中に酒を飲んだ。それで、ケーブルが外れて、片足を失った。その後の我が家の収入は、母親の稼《かせ》ぎだけになった――警察の制服を作る会社で出来高払いの仕事をしていたんだ――それと、俺がクローガーのチェイン店でバッグボーイをしてもらうチップとね。

俺がひょろひょろして、あまり肉体的に強くないので、おやじはいつも俺を責めた。おやじ自身は大男で力持ちだった。腕の太さときたら、あのマイクの腕の一倍半ぐらいあったね。片足を失った後は、家庭事情はますます悪化した。俺が発育不良にもかかわらず、少なくとも五体満足であるのが、彼にとって我慢ならなかったんだ。おやじは腕に荷物を抱えると、松葉杖《まつばづえ》を操ることができなくなるので、時々俺が代わって物を運ばなければならなかった。彼はそれが気に入らなかった。そして、しばらくすると本当に俺を軽蔑《けいべつ》するようになり、ますます酒びたりになった……

俺は十八歳で家出した。一九五四年のことだった。西にいき、シアトルまでいった。体はそれほど丈夫ではなかったが、目と手はしっかりしていた。ボーイング社に何とか職を見つけ、比較的簡単な航空機の部品を工作機械で作るのを覚えた。トリムタブ、つまり、補助翼の後縁につけるトリム修正のための小翼片なんかをね。そこで女に出会い、結婚し、子供が二人できた。それほど悪い生活ではなかった。

それから、六三年の春にあの事故を起こした。今話したやつだ。俺自身も少し酒を飲んだ。おやじみたいにではないけどね。職場からの帰り道でビールを少し、そして家に帰ってから一、二杯、という調子でね……そして、木にぶつかった時には酔っぱらってたんだ。八週間、意識がなかった。その後は何から何まで違ってしまった。震盪症《しんとうしょう》のために手と目の協調が狂ってしまい、もう仕事に打ち込めなくなった。何から何まで、おやじと同じことが、自分に起こっているみたいだった。酒の量が増え、女房《にょうぼう》子供を怒鳴りつけ……結局、女房は荷物をまとめて、子供を連れて出ていった。

その後間もなく家を失った。銀行が抵当流れにしたのさ。俺は路頭に迷い、放浪を始め、酒びたりになった。それが二十五年ちかく続いた。八〇年代の人が〝ホームレス〟と呼ぶ連中の一人だった。しかし、自分ではいつも知っていた。俺は――ただの怠け者《バム》だ、アル中だとね。そして、デトロイトの路地で死んだ。その時は、自分の年齢さえもわからなかった。しかし、後で計算してみたら、五十二歳だった。

それから目覚めた。あの同じ病院のベッドに逆戻《ぎゃくもど》りして、昏睡《こんすい》から醒《さ》めたところだった。まるでこのひどい年月の全《すべ》てを夢に見ていたようだったし、実際に夢を見ていたと、ずっと信じていた――とにかく、あの頃《ころ》の事はあまり覚えていない。しかし、覚えていることもあるにはあったから、間もなく、実際におかしな事が起こっているとわかってきた」

マカウワンは最初の人生の話をしているうちに、次第に疲れた目付きになってきていたが、突然その目をきらりと光らせてジェフを見た。「あんた、野球ファンかね？」彼は尋ねた。

「あの年にシリーズに賭《か》けたかね？」

ジェフはにやりと笑い返した。「賭けたとも」

「いくら？」

「たくさん。最初にケンタッキー・ダービーとベルモント競馬でシャトーゲイに賭けた。そして、たちまちかなりの額を稼いだよ」

「いくら賭けたんだね？」スチュワートはしつこく尋ねた。

「当時はパートナーがいた――別のリプレイヤーではなくて、ただの学校の友達だが――その男と共同で、百二十五ちかく賭けた」

「千ドル単位でだな？」

ジェフはうなずいた。するとマカウワンは長く低い口笛を鳴らした。「さっそく大山を当てたわけだ」スチュワートはいった。「俺の方は、掻《か》き集めた元手はせいぜい二百ドルばかりだった。女房はそれを見ると、急いで家出をしようとした――だが、二万ドルほど持って帰ってくると、その後はどこにも行こうとしなくなった。

それで、俺は賭け続けた――大きくて、わかり切ったやつばかりにね――ヘビーウエイトのチャンピオンシップとか、スーパーボウルとか、大統領選挙とか。すべて、一生涯《いっしょうがい》酒を飲み続けていたやつでも、その結果を忘れるはずのないものばかりにね。俺はそれっきり酒を止《や》めた。ビール一本飲んでいない。経験したすべてのリピートでだ。

そして、シアトルの北のスノーホーミッシュ郡の、オールダーウッド・メイナーにある大きな屋敷に引っ越した。立派なボートを買ってシルスホール・ベイ・マリーナに係留しておいて、夏ごとにピュージェット湾をあちらこちらクルーズするのに使った。ブリティッシュ・コロンビアのビクトリアまで出掛けたこともあるよ。まあ、お大尽の生活ってところだな。そのうちに――彼らから便りが届き始めた」

「というと……？」ジェフは質問の後半を宙に浮かした。マカウワンは椅子《いす》の上で前屈《まえかが》みになり、声を低めた。「アンタレス人からさ。これをやっている連中だよ」

「どうやって……彼らがあなたに連絡してきたの？」パメラはためらいがちに尋ねた。

「最初はテレビを通じてだ。たいていニュースの時にね。それでだんだん、すべてがパーフォーマンスだと分かってきたのさ」

ジェフは次第に苛立《いらだ》ってきた。「何がパーフォーマンスだったんだね？」

「何もかも。ニュースの中の物事すべてがさ。アンタレス人はこれが大好きなんだ。だから、何度も何度も繰り返して掛けるんだよ」

「彼らが何を好むんですって？」パメラが眉《まゆ》をしかめて尋ねた。

「血なまぐさい事件。銃撃とか殺人とか、そういうの全部。ベトナム、リチャード・スペック、こいつはシカゴで看護婦たちをやったやつだ。それから例の、女優のシャロン・テートを始め七人の女を殺害したマンソン事件、ジョーンズタウン……そして、テロリストたち――実際、彼らはテロリストに夢中だよ。イスラエルのロド空港。アイルランド共和国軍の爆弾事件のすべて。ベイルートの海兵隊司令部に突入したトラック爆弾、などなどだ。彼らは飽きることがないんだね」

ジェフとパメラはすばやく目配せを交わし、小さくうなずき合った。「なぜだね？」

ジェフはマカウワンに尋ねた。「なぜ宇宙人はこの地球上の暴力をそんなに好むんだね？」

「それはね、彼ら自身が弱くなっているからだよ。彼らは最初にそれを認めた種族だ。空間や時間をコントロールするほどの能力がありながら、あいつら虚弱なんだ！」彼は細い拳《こぶし》を固めて、カップや受け皿《ざら》がかたがた鳴るほど、テーブルを強く叩《たた》いた。屈強な職員のマイクがちょっと眉を上げてこちらを見た。だが、ジェフが手を振って、大丈夫という合図をすると、またジグソーパズルに戻った。

「やつらはもはやだれも死なない」スチュワートは熱の籠《こも》った口調で続けた。「そして、殺戮《さつりく》本能の遺伝因子を失っているから、彼らの故郷にはもはや戦争も殺人もない。しかし、脳の動物的な部分は、相変わらずそのすべてを必要としている。少なくとも、その代償を求めている。そこに、我々が登場する。

我々は彼らにとって、テレビとか映画のような娯楽なんだ。そして、二十世紀のこの期間は最上の部分だ。あらゆる時代の中で最もでたらめな殺戮の時代だ。だから、彼らが何度も何度も繰り返し掛けるんだよ。しかし、そのすべてがパーフォーマーであることを、舞台の役者であることを知っているのは、リピーターだけだ。マンソンはその一人だよ。あの目を見ればわかる。そして、アンタレス人もそういった。リー・ハーベイ・オズワルドもそうだ。そして、あの時最初にケネディをやったネルソン・ベネットもね。おい、今は仲間が大勢いるんだよ」

ジェフはできるだけ冷静で優しい声を保って、質問を続けた。「しかし、君や私やパメラはどうなんだね？」この男の理性の残りを呼び覚ましたかった。「我々はそんな恐ろしいことは全くしていない。なのに何故《なぜ》、リプレイを、いやリピートをしているのかね？」

「俺は俺なりに慰撫《いぶ》工作をしたぜ」マカウワンは誇らしげにいった。「怠けているなんて非難はお門ちがいだね」

ジェフは突然気分が悪くなった。そして、当然、尋ねなければならない次の質問をするのが嫌《いや》になった。「……その〝慰撫工作〟という言葉をさっきも使ったが、それはどういう意味かね？」

「おいおい、これは我々の義務じゃないか。我々すべてのリピーターは、アンタレス人が退屈しないように努めなくてはならない。さもないと、彼らはぴしゃりと切ってしまう。そうなったら世界が終わってしまうだろう。我々は彼らを慰めなければならない、楽しませなければならない。ずっと見ていてくれるようにね」

「それで――君自身はどのような事をやったのかね？　つまり、彼らを慰めたのかね？」

「俺はいつもタコマの小娘から始める。ナイフでやるんだ。こいつは簡単だ。そして、決して捕まらない。それから移動して、ポートランドで売春婦を二人ばかり、たぶんバンクーバーで……自宅に近い所では決してたくさんやらない。その代わりに、あちこち旅行する。海外までいくこともあるが、たいていはこの合衆国内でやる。テキサスでヒッチハイカーの連中を、ロスで浮浪児を、そしてサンフランシスコで……ウィスコンシンでまたやるなんて思ってくれるなよ。今度はここで、ずいぶん早く捕まっちゃったからな。しかし、あと四年か五年で出るよ。世間のやつはいつも俺が狂っているといい、結局こういう場所にぶち込まれてしまう。しかし、医者や仮釈放委員会を騙《だま》すのが本当にうまくなったよ。いつも結局、外に出てしまう。そして、また慰撫工作のパーフォーマンスに戻ることができるのさ」

渦巻《うずま》く雪の中を車で帰っていく時、パメラは車のドアフレームによりかかってすすり泣いた。

「私のせいだわ！」彼女は泣いた。涙を拭《ぬぐ》いもせずに、流れ落ちるにまかせた。「彼は『星の海』が——〝目的意識〟を与えてくれたといった。あの映画を通じていろいろな事を達成したいと願ったのに、結局、大量殺人者を激励することになってしまった！」

ジェフはプリマスのレンタカーのハンドルをしっかりと握って、凍った道を上手に通っていった。「あの映画のせいとばかりはいえないよ。あれよりずっと以前に、彼は殺人を始めている。いちばん最初のリプレイの時からだ。もともと精神異常者だった。その原因があの自動車事故か、それともリプレイのショックか、それとも、その二つが組み合わさったものなのか、わからないけれど。たぶん、たくさんの別々の因子がからんでいるのだろう。真相は藪《やぶ》の中《なか》だ。しかし、後生だから、彼のやったことで自分を責めないでくれ」

「彼は幼い少女を殺したのよ！　その子を殺し続けているのよ。刺し殺すのよ、毎回！」

「わかってる。しかし、君のせいではない。わかるだろ？」

「だれのせいでもかまわないわ。私たちが彼を止めなくては」

「どうやって？」ジェフは眉をしかめて、押し包む幕のような雪を透かして道路を見ながら、尋ねた。

「今度は彼を決して外に出さないようにするの。次の時には、殺人を始めないうちに、彼のところにいくの」

「彼が〝治癒《ちゆ》した〟と当局が判定すれば、我々が何といおうと、彼を釈放するだろう。医者や法廷が我々の言う事に耳を傾けるかい？　我々はマカウワンと同様にリプレイヤーです。ただ、我々は正常で、彼が異常なだけです、とでもいうのかい？　そんなことをいったらどうなるか、わかるだろうに」

「では、次の時に……」

「シアトルかタコマの警察にいって、郊外の高級住宅に住みヨットを持っているこの堅実な市民が、これから国中を放浪して、手当たり次第に殺人を始めます、とでもいうのかい？　だめだよ、パメラ。だめなこと分かっているだろうに」

「でも、何とかしなくちゃ！」彼女は懇願するようにいった。

「何をする？　彼を殺すかね？　そんなこと僕《ぼく》にはできないし、君にもできない」

彼女は目をつぶって、冬の嵐《あらし》の死のような白さを締め出し、声を立てずに泣いた。

「手をこまぬいて、見過ごすわけにはいかないわ」彼女は最後につぶやいた。

ジェフはマジソンに帰るハイウェイに入るために、用心深く左折した。「残念ながら、どうしようもない」彼はいった。「受け入れるしかない」

「このような事を、よくも受け入れられるわね！」彼女はぴしゃりといった。「罪のない人が死んでいく。この狂人に殺される。彼がそうすると、前もって知っていながら！」

「我々はいつも受け入れてきた。いちばん最初からだ。マンソン、バーコウィッツ、ゲイシー、ブオノとビアンキ……こういう種類の無目的な蛮行は、この時代の一部なのさ。我々はそれに慣れてきた。僕は次の二十年間に次々に現れる連続殺人犯人の名前を、半分も覚えていない。君だってそうだろう？」

パメラは目を赤く泣き腫《は》らし、歯をくいしばって、黙っていた。

「我々はこれらの、ほかの殺人者を一人も阻止しようとしなかったろう？」ジェフは尋ねた。

「最初の時に、僕がケネディの暗殺を阻止しようとしたのを別にすれば、そうしようという気持ちすら起こさなかった。ケネディの場合は、全く次元の違う出来事だった。我々は——単に君と僕だけでなく、この社会の誰《だれ》もが——蛮行とともに、でたらめな死とともに、生きている。自分の身に直接、脅威が降りかからなければ、ほとんどそれを無視している。さらに悪いことに、ある人々はそれを面白いとさえ感じ、代償的なスリルと感じる。少なくとも、ニュースビジネスの八十パーセントはそのためにあるようなものだ。毎日一定量の悲劇を、他人の血と苦悶《くもん》を、アメリカに供給するのが仕事なのさ。スチュワート・マカウワンの狂った幻想の〝アンタレス人〟とは我々のことだ。彼や、その他の、社会にいる全ての人でなしの殺人者は、実際に舞台にいる演技者なんだ。だが、血に飢えた観客は外宇宙のどこかにいるのではなくて、まさにここにいる。それを変えるとか、血の潮《うしお》の最小の滴《したた》りをくい止めるためにできることは、君にも僕にも何もない。我々はいつもやっていたように、いつもやるであろうように、それを受け入れ、できるだけ心の中から締め出して、生命の残りを過ごすだけさ。ほかのすべての絶望的な避けることのできない苦痛に慣れるように、これにも慣れることだね」

彼らの広告は反応を引き出し続けたが、成果は何もなかった。一九七〇年に、広告を載せる出版物の数を減らし、その十年間の半ばに、最大の発行部数を持つ一ダース足らずの新聞と雑誌だけに、月に一度だけ印刷されるようにした。

西ビレッジのバンク・ストリートにある彼らのアパートは、何列にも並ぶファイリング・キャビネットに占領された。ジェフとパメラは、広告に対する、ほんの少しでも見込みのありそうな返事を保存し、また、定期刊行物を毎日詳細に調べて、世界のどこかにいる別のリプレイヤーの仕業かもしれない潜在的に時代錯誤の事物を探して、その切抜きを貯《た》めていた。何らかの小さな出来事や製品や芸術作品が、前のリプレイの時に存在していたかどうか確かめるのは、いろいろな理由で困難なことが多かった。以前には、そのような些細《ささい》な事に、それほど熱心に注意を払っていなかったからである。さり気なく広告されている製品で、今まで知らなかったものがあると、その発明者や企業家に何度も連絡を取った。しかし、それらの一見有望そうな手掛かりは、例外なく駄目《だめ》だとわかった。

一九七九年三月に、ジェフとパメラは『シカゴ・トリビューン』紙でこんな記事を読んだ。

ウィスコンシン殺人事件の犯人　釈放される
医者は〝正常〟と語る

〔ウィスコンシン州クロスフィールド発、ＡＰ〕一九六六年にマジソンの女子学生会館で四人の若い女子学生を殺害したことを自白したが、精神異常の理由で無罪の判決をうけたスチュワート・マカウワンは、過去十二年間入れられていた私立の精神科治療施設から今日釈放された。この施設、クロスフィールド・ホームの監督であるジョウル・ファイファー博士は「マカウワンは独特の妄想《もうそう》パターンから完全に回復し、現時点では社会にとって何の脅威にもならない」と語った。

一九六六年二月六日、カッパ・ガンマ女子学生会館で四人の女子学生のばらばら死体が発見されたが、その日の早朝に会館の駐車場から出ていった車が、マカウワンのものだったという証人がおり、その結果マカウワンはこの事件の犯人として告発されたのだった。同日遅くに、ウィスコンシン州警察はチペワ・フォールズ町の郊外でマカウワンを逮捕した。彼の車のトランクから血のついたアイスピック、弓鋸《のこ》、その他の凶器が発見された。

マカウワンはその若い女性たちを殺害したことを認め、地球外生物によってそうするように指示されたと主張し、さらに、自分は何度も死から蘇《よみがえ》り、それぞれの〝前世〟で他の殺人を遂行したと主張していた。

彼は一九六四年と一九六五年のミネソタおよびアイダホでの同様の大量殺人事件の容疑者とされたが、これらの犯罪への彼の関与は確認されていない。一九六六年五月十一日、マカウワンは裁判に耐える能力がないと判定され、刑法上の精神異常者としてウィスコンシン州立病院に収容されたが、一九六七年三月に自費でクロスフィールド・ホームに移っていたものである。

パメラはジェフの腕にゴム管を巻きつけ、引っ張ってきつく締め、どの血管に注射をするか教え、また、注射針の斜めに削《そ》げた部分を上にして、筒を血管に平行にし、横から刺すように教えた。

「しかし、心理的中毒はどうかなあ？」彼は尋ねた。「戻ってきた時に、肉体から麻薬が消えていることはわかるが、感覚的にはまだ欲しがるんじゃないだろうか？」

彼女は、注射の練習として、彼が肘《ひじ》の内側に青く浮き出た血管に、無害な食塩水を手《て》際《ぎわ》よく注射するのを見守りながら、首を振った。「二、三度使用しただけでは、そんなことはないのよ」彼女はいった。「十八日の朝まで待って、鎮静状態を保つだけの分量を注射する。それから、一時二、三分前になったら、投与量を私が教えた分量まで増やして、注射する。そうすれば意識なしでいられるわよ……心停止の時にね」

ジェフは注射器の液体を全部腕に注入し、一呼吸おいて針を引き抜いた。それから、使った注射器を屑籠《くずかご》に放《ほう》り込み、アルコールを含ませた綿で注射の跡を揉《も》んだ。コーヒーテーブルの上には、そろいのなめし革のキットが二つ置いてあり、それぞれに新しい滅菌済みの針と注射器と、巻いたゴム管と、アルコールの小瓶《こびん》と、一箱の綿と、そして医薬用の上質のヘロインが入ったガラス瓶が四個、入っていた。この麻薬とそれを注射する道具を入手するのは困難ではなかった。ジェフの株の仲買人が信頼のおけるコカインの売り手を紹介し、その売り手はまた、次第に増えていく上・中流家庭のヘロインの需要を充分に満たすだけのストックを持っていた。

ジェフは金を掛けて細工を施した死のキットを見つめ、それから目を上げてパメラの顔を見た。その額にはごく細いしわが寄っていた。前の回に、この年齢の彼女を知っていた時には、口許《くちもと》と目尻《めじり》に小じわがあったが、額は少女時代と同様に滑らかだった。幸福な生涯と、ほとんど心労の絶えることのない生涯との差が、肌《はだ》にしわとなって刻み込まれたのである。

「あまり上手な仕事はできなかったなあ」ジェフはふさぎこんでいった。

彼女は微笑《ほほえ》もうとし、口《くち》ごもり、諦《あきら》めた。「ええ。だめだったわね」

「次の回には……」彼はいいかけたが、その声は途中で消えた。パメラは彼に向かって手を伸ばした。二人は手を握り合った。

「次の回には」彼女はいった。「その日その日の自分たちの願望にもっと注意を払うことにしましょう」

彼はうなずいた。「今回はなんとなくコントロールを失ったみたいだった。ただ滑っていくのにまかせてしまった」

「私はほかのリプレイヤーの捜索にのめりこみすぎたわ。あなたは優しくそれを容認してくれたけれど……」

「僕は君に劣らず成功したいと思っていたよ」彼はさえぎって、彼女の手を自分の唇《くちびる》のところに持ってきた。「あれはしなくてはならない事だった。こういう結果になったからといって、誰が悪いのでもない」

「それはそうだけれど……でも、振り返ってみると、ここ何年かはとても不活発で、とても受け身だったわね。くるかも知れない連絡を、取り逃がさないようにひたすら待って、ほとんどニューヨークから出さえもしなかった」

ジェフは彼女を引き寄せ、その肩を抱いた。「今度はまた主導権を取ろう」彼は約束した。

「我々が事を起こす人になろう――我々自身のために」

彼らはどちらも心の奥底にある事を口に出さずに、ソファの上で優しく体を揺すり合った。この新しい死の後に、パメラが彼と再会するまでにどのくらい時間がかかるか……いや、そもそも次のリプレイで、果たして二人が再会できるかどうか知るすべはないと、どちらも承知していた。

ヘロインの眠りはびっくりするほど出し抜けに中断された。ジェフは滝のように一面に流れ落ちる白熱の炎に取り巻かれていた。ミルク色の火でできた円筒形のナイアガラ瀑布《ばくふ》の中心に、説明のできない状態で宙吊《ちゅうづ》りになっていた。同時に、堪え難《たがた》い音量で演奏しているマリアッチバンドの、強烈なトランペットの音と誇張されたハーモニーが、耳に襲いかかった。「降誕祭《フェリス・ナヴィダード》おめでとう」

ジェフは今度は死んだ記憶がなかった。心臓が止まるたびにいつも感じるあの苦痛を思い出すことができなかった。麻薬は麻酔の役目を果たしたが、その鈍い眠りからの、このすさまじい未知の環境への転移を、決して容易にはしてくれなかった。彼が今再びまとっている新しい若い肉体の組織には麻薬の痕跡《こんせき》はなかった。そして、一瞬の不安定な猶予期間もなしに、いきなり完全に目覚めさせられてしまったのだった。

周囲を取り巻いている火の滝と音楽が、彼の打ちのめされた感覚を包囲攻撃し、失見当識という恐ろしい地獄の辺土に閉じ込めた。周囲の燃える瀑布を別にすれば、この場所に明かりはなかったが、その目映《まばゆ》い蛍光《けいこう》を背景にして、今では他の人々のシルエットを見ることができた。坐《すわ》っている人、立っている人、踊っている人。彼自身は小さなテーブルのところに坐っていた。震える手の中に冷たい飲み物があった。それをなめると、マルガリータの塩からい味がした。

「すげえ！」だれかが耳元で、強烈な音楽に負けずに、怒鳴った。「これは見ものだなあ！ 外側から見たら、どんなだろう？」

ジェフは飲み物を下に置き、首を回してだれが喋《しゃべ》ったか見た。下向きにほとばしる炎の白い輝きの中に、マーティン・ベイリーの骨ばった姿が見えた。エモリー大学の寮で同室だった男だ。彼はまた見回した。広い部屋の周囲から射《さ》し込《こ》む白熱の奇怪な光輝に目が次第に慣れてきた。ここはバーかナイトクラブだ。他の何十もの小さなテーブルに、笑顔のカップルが坐っている。ダンスフロアの横のマリアッチバンドはものすごく派手な服装をしている。そして、天井《てんじょう》から驢馬《ろば》や牛の形をした、派手な色彩の壺《つぼ》がぶら下がっている。ピニャータだ。これはキャンディや果物を入れた壺で、メキシコのクリスマスの余興に割って中身を食べるのだ。

メキシコ・シティ。クリスマス休暇、一九六四年。この年、彼はマーティンと物のはずみに旅行を思い立って、ここまでドライブしてきたのだった。二車線の路面に汚い牛がうろついている砂漠《さばく》の道路。先の見えない峠のカーブ。綿のような霧の中で、シボレーを追い越していくペメックスのガソリン輸送車。ゾナ・ローザの売春宿。太陽のピラミッドに登る長い石段。

この場所の窓の外の落下する光輝は、花火のショーだとわかった。この、ナイトクラブが最上階にあるホテルの屋根から、花火が滝のように流れ落ちているのだ。マーティンのいう通り、下の街路から見たらさぞ素晴らしいだろう。ホテルは火の針のように見えるだろう。町の夜空にそびえる三十階か四十階の燃える建物。

これは何だ、クリスマス・イブか、新年か？　その夜には、メキシコではこの種のディスプレイをやることになっている。どちらにしても、六四年が終わり、六五年が始まる。今度のリプレイでは、また十四カ月を失った。とすると、この前のリプレイでパメラが失ったのと同じ時間だ。今度はこれが彼女にとって、そして二人にとって、何を意味するか、神にしかわからない。

マーティンがにやりと笑って、いかにも若々しく親しげに彼の肩を叩いた。そうだ、この旅行は楽しかった、とジェフは思い出した。辛《つら》いことは何一つなかった。当時は、二人のどちらにとっても、生涯にまずくいくことなど一切ないと思われた。今日も楽しく、明日も楽しく——これが人生に対して感じていたことだった。少なくともジェフはこの旧友、マーティンの自殺を、リプレイのたびに、自分自身がどんな立場にあっても、阻止することができた。たとえ、その不首尾な結婚をとめることはできなくても、そして、もはやこの昔のルームメイトに終生の役職を提供できる多国籍企業がなくても、いつも早めに優良株を与えることによって、彼が結局陥るはずの破産を免《まぬか》れるように、助けてきた。

ここで、差し当たり自分に必要な金をどうやって調達するかという疑問が、ジェフの心に浮かんだ。彼にとって、昔からの、いざという場合の頼りである六三年度のワールド・シリーズは、もはやレコードブックに入っている。そして、短期的収益性においてこれに匹敵するような賭けは、他に多くはなかった。プロフットボールのシーズンはすでに終わっており、スーパーボウルの試合が始まるのは二年先のことだった。もし今日が大晦日《おおみそか》なら、明日のローズボウルでイリノイがワシントンに勝つ試合に、メキシコから賭けを申し込む時間があるかもしれないし、ないかもしれない。とりあえず、現在進行中のバスケットボールのスケジュールから何とか金を稼ぐことができれば、それで良しとしなければならないだろう。しかし、全米バスケットボール協会の選手権試合でボストン・セルティクスが八回ストレート勝ちをするシーズンでは、このチームに賭けてもそれほど儲《もう》かるとは思えなかった。

窓の外の火の滝の勢いが衰え、次第に小降りになって終わった。するとナイトクラブの薄暗い照明が戻り、バンドがだしぬけに『シエリト・リンド』の演奏を始めた。マーティンは二つ三つ先のテーブルの、細っそりしたブロンド娘に目をつけた。そして眉を上げて、その女の連れである赤毛の女に関心があるかと、ジェフに目で尋ねた。その女たちはオランダからの観光客だったと、ジェフは思い出した。彼とマーティンはこのオランダ娘たちを物にすることはできないだろうが、一緒に踊ったり飲んだりして充分に楽しく一夜を過ごすだろうし――過去にはそうして過ごしたものであった。ああ、いいとも、彼はマーティンに肩をすくめてみせた。

まあ、金銭問題に関するかぎり、この時点では、彼にとって金はそれほど重要ではなかった。どんなに時間がかかろうとパメラが現れるまで、食っていけさえすればよい。これから先はひたすら待機戦術だ。

パムは酔った。完全に陶酔境に入った。実際、ピーターとエレンが持ってきたこいつは、本当にすばらしい合成ヘロインだ。先月エレクトリック・サーカスというバーで彼がくれたマリファナを吸って以来、最高だ。しかし、あの時はストロボやら音楽やら、ダンスフロアの火食い芸人やら何やらで、実物以上に良く思えたのだろう。今も、音楽が素晴らしい。彼女はギタリストのクラプトンがあの激しいリフを弾き出し、それから『サンシャイン・オブ・ユア・ラブ』に入るのを聞きながら、そう思った。そして、小さなポータブルステレオがもっと大きな音で鳴ればよいとだけ願った。

彼女は素足で横坐りになって、ベッドの後ろの、壁一杯に貼《は》ってあるピーター・マックスの大きなポスターに寄り掛かり、『ディズレイリ・ギアズ』アルバムの裏表紙に入りこんだ。この目は本当にすごい。睫《まつげ》から直接花が生えていて、白目と虹彩《こうさい》にほとんど見えないくらいに曲名が書いてあり……そして、何と、もう一つ目がある。見れば見るほど、目だけしかないように見える。目につくのはそれだけだ。花にさえも目があるように見える。やぶ睨《にら》みで、猫《ねこ》の目か、東洋人の目のような……

「おい、これを見ろよ」ピーターが呼び掛けた。彼女が目を上げると、彼とエレンはテレビの音量を絞って、ローレンス・ウェルクを見つめていた。パムは年取った人々が対《つい》になって踊っている白黒の場面を見つめた。ポルカか何かだ。そして確かに、彼らがレコードに合わせて動いているように見える。それから画面は、ウェルクが小さな指揮棒を上下に振っているシーンに切り替わった。彼女は笑い出した。ウェルクは正しく拍子を取っていた。まるで、この爺《じい》さんがクリームを指揮して『ダンス・ザ・ナイト・アウェイ』を演奏しているように見えた。

「ねえ、あんたたち、歩こうよ」エレンはテレビに飽きて、しつこく誘った。「今夜はみんなあそこにいくんだよ」彼女は一時間ほど前から、みんなを誘って、部屋を出てアドルフの店までぶらぶら歩いて行く気にさせようとしていた。彼女は正しかった。大学バーにいけば、陽気に浮かれ騒いで楽しい夜が過ごせるだろう。この週の前半にはニューハンプシャーの予備選で、ユージン・マッカーシーが危うくジョンソンを破るところだった。そして、今日も今日とて、ボビー・ケネディが決心をひるがえして、結局、民主党の指名に立候補すると宣言したところだった。

パムはブーツをはき、ドアのフックから厚いウールのスカーフと、海軍が放出したピージャケットを外した。エレンはロビーに通じる螺旋階段《らせんかいだん》を、たっぷり時間を掛けて慎重に下りていった。彼女は麻薬の勢いで、この古いマンションを改造した学生寮を『風と共に去りぬ』のタラ屋敷に見立てて、その登場人物になりきっていた。戸外に出る頃《ころ》には、ピーターもゲームに加わって、隣接する幾何学庭園に迷い込み、重いインチキの南部訛《なま》りで、映画の台詞《せりふ》を、本物も想像上のものもごたまぜにして朗誦《ろうしょう》し始めた。しかし、麻薬に浮かれたフザケ芝居を続けるには、三月の風は冷たすぎたので、三人はすぐにさくさくと雪を踏んで歩き出し、キャンパスの端の、アナンデイル郵便局の向かい側にある、暖かく招いているように見える木造の建物に向かっていった。

アドルフの店は土曜の夜の常連でごった返していた。週末にニューヨークに行かなかった人はみな、遅かれ早かれ結局はここにきてしまうのである。ここは学校から歩いてこれる距離にある唯一《ゆいいつ》のバーであり、ハドソン川のこちら側で、むさくるしい、型にはまらない服装をしたバードの学生が、寛《くつろ》ぎ、完全に歓迎されていると感じる唯一のバーなのであった。一般に保守的なパキプシの北の地区では、市民と大学関係者との間に深刻な軋轢《あつれき》があった。町の永住者は年寄りも若い人も、バードの学生のどぎつく不調和な服装や行動を軽蔑した。そして、学内に麻薬がはびこり、性的な乱交が行われているというような噂が流れていた――その多くは想像以上に当たっていると、パムは面白く思った。

時には、町の若者がアドルフの店にやってきて、酒を飲み、〝ヒッピー娘〟を引っ掛けようとすることがあった。だが今夜は、そういう若者が見えないので、パムはほっとした。もっとも、一年中キャンパスをうろついている気味の悪いあの男はいるが、彼は問題ないように思われた。彼は単独行動者で、とても物静かだった。けっして人に迷惑を掛けることはない。彼が自分を見つめているように感じることもあるが、必ずしも後をつけてくるとか、何かするとかいうわけではない。しかし、図書館とか、美術学部のギャラリーとか、そしてここ. とか、彼女がいそうな場所に、週に一、二度、目的あり気に現れる……しかし、彼女に面倒を掛けることはけっしてないし、話しかけさえもしない。時には、微笑してうなずくこともあり、彼女もなんとなくちょっと微笑を返したりする。互いに認識しているということを示す程度に。そうだ、彼は大丈夫だ。あの頭髪を伸ばせば、魅力的でさえある。

スライとファミリー・ストーンがジュークボックスに掛かっていた。『ダンス・ツー・ザ・ミュージック』だ。表の部屋のダンスフロアは人でぎっしりと埋まっている。パムとエレンとピーターは群衆の間を縫って、坐る場所を探して歩いた。

パムはまだ麻薬に酔っていた。彼らはキャンパスから歩いてくる途中で、もう一本マリファナタバコを吸ったのだった。それで、バーの色とりどりの騒々しい場面が突然、彼女にとって一つの絵に、一連の絵に見えた。ひときわ目立つここのぐるぐる回っている房縁つきのベスト、あそこに渦巻く長い黒い髪、いろいろな顔、いろいろな体、そして音楽、そして雑音……そうだ、この楽しい馴染《なじ》みの店の〝音〟を画布に捉《とら》えてみたい。それを視覚的に翻訳してみたい。ちょうど、自分がこのように麻薬に酔った時にたびたび心に起きる、共感的変形のように。彼女はバーの中を見回し、人々や情景の細部を捉えた。そして、彼女の目はいつも出会うあの不思議な男に焦点を結んだ。

「ねえ」彼女はいって、エレンを小突いた。「だれを描《か》きたいか、わかる？」

「だれよ？」

「あそこにいるあの男の人」

エレンはパムが控えめに指差した方向を見た。「どれ？　あの保守的な男のことをいっているんじゃないでしょうね？　あの町の若者を？」

「ええ、彼よ。あの目には何かあるわ。まるで……何といっていいかわからないけど、とても年取った人の目みたい。あの人は見掛けよりもずっと年を取っていて、いろいろな物を見てきたみたいな……」

「そうね」エレンは辛辣《しんらつ》な皮肉をこめていった。「たぶん海兵隊くずれかなにかね。ベトナムで、自分が射《う》ち殺した赤ん坊や女の死体をたくさん見ているのよ」

「また正月《テト》攻勢の話かい？」ピーターが尋ねた。

「いや、パムがね、町の若者に熱を上げているの」

「物好きに」ピーターが笑った。

パムはむっとして、顔を赤らめた。「そんな事いわなかったわよ。あの人が面白い目をしているから絵を描きたい、といっただけよ」

『ドック・オブ・ザ・ベイ』がジュークボックスに掛かった。そして、踊っていた人たちの大部分がテーブルに戻った。この悲しく瞑想的《めいそうてき》なオーティス・レディングの曲をだれが掛けたのだろうと、パムは思った。これはレコードが発売されないうちに死んでしまった歌手の、皮肉な自筆墓碑銘みたいなものだ。もしかしたら、あの不思議な目をした男が掛けたのかもしれない。いかにも、あの男がのめりこみそうな音楽だ。

「ウェイステング　タイイイム……」ピーターがレコードに合わせて歌い、それから悪戯《いたずら》っぽく笑った。そして、腕時計を外し、芝居がかった仕種《しぐさ》で、半分入ったビールのジョッキの中に落とした。「時間を溺死《できし》させるんだ！」彼は宣言し、そのジョッキを上げて、ほかの人々のジョッキにかちかちと当てた。

「ボビイは利口なんだってね」乾杯が終わると、だしぬけにエレンがいった。「あの人は、ストーンズがここにやってくる時に、彼らにマリファナを納入する売人から、マリファナを買うんだってさ」

今度はピーターのお気に入りの話題に移った。「タバコメーカーのR・J・レノルズ社はこっそりと……何てったっけ、特許を取ったっていうのかな？　良いブランドネームを全部だぜ」

「商標登録」

「そう、そう、商標登録だ。〝アカプルコ・ゴールド〟とか、〝パナマ・レッド〟とかのマリファナの銘柄《めいがら》さえも……タバコの製造元はまさかの用意に、良い名前を全部登録しちまったんだよ」

パムはそのお馴染みの噂話を聞いて面白そうにうなずいた。「そのタバコの箱や広告はどうなるのかしら」

「箱はペーズリー模様」エレンが笑っていった。

「テレビ・コマーシャルは〝アシッド・ロック〟のヘンドリックスにやらせればいいや」ピーターが加わった。

彼らはぷっと吹き出し、いつものようにマリファナに酔った全員が参加する果てしない笑いの渦に巻きこまれた。パムはこれが大好きだった。彼女はあまり笑ったので、目に涙が浮かび、眩暈《めまい》がし、呼吸過剰に陥った。そして――

一体、今度はどこにいるのだろう、とパメラは思った。そして、なぜこんなに眩暈がするのだろう？　彼女は目を瞬《しばた》いて、不可解な涙の幕を取り除き、新しい環境を観察した。これは何と、アドルフの店だ。

「パム？」彼女が笑うのを止めたことに、エレンがふと気づいて尋ねた。「だいじょぶ？」

「だいじょぶ」パメラはいって、ゆっくりと深呼吸をした。

「幻覚でも見たんじゃないの？」

「いいえ」彼女は目を閉じて、精神を集中しようとしたが、心はじっとせず、漂い続けた。音楽の音がものすごく大きい。この部屋も、自分の衣服も、変な匂《にお》いがする――マリファナをやっていたのだ。アドルフの店にいって、いつもやっていたように。アドルフの店にいくことを、普通〝歩きにいく〟というのだった。落ち着いて、落ち着いて……

「もう一杯ビールを飲めよ」ピーターが心配そうな声でいった。「様子がおかしいぞ。本当にだいじょぶかい？」

「ぜったい、だいじょぶ」彼女は大学一年の冬の実習期間が終わるまでは、ピーターやエレンとは親しくならなかった。パメラが二年になると、ピーターは卒業し、エレンは退学して彼と一緒にロンドンにいってしまった。とすると、今は一九六八年か一九六九年にちがいない。

ジュークボックスに新しいレコードが掛かった。リンダ・ロンシュタットが『ディファレント・ドラム』を歌っている。いや、リンダ・ロンシュタットだけじゃない、ストーン・ポニーズが加わっている、とパメラは思った。しゃんとしろ、彼女は自分に言い聞かせた。ゆっくりと新しい環境に順応するんだ。頭の中のマリファナのために、すでに困難になっている状況を、なおさら困難にさせてはならない。どんな決定もしようとするな。今はあまり口をきいてもいけない。落ち着くまで待て。待っていれば――

おや、彼がいる。二十フィートも離れていないところに坐って、まっすぐこちらを見ている。昔の大学酒場の若々しい喧噪《けんそう》の中に、静かに坐っているジェフ・ウィンストンの、不条理な、在《あ》り得ない、素晴らしい姿を見て、パメラは信じられない気持ちで、息をのんだ。彼がこちらの目の変化に気づくのが、わかった。彼は温かく微笑した。歓迎と激励のゆっくりした微笑だ。

「ねえ、パム?」エレンがいった。「どうして泣いているの? どうやら、寮に帰ったほうがよさそうね」

パメラは首を振り、安心させようとして友達の腕に手を置いた。それからテーブルから立ち上がり、部屋を横切り、年月を横切って、待っているジェフの腕の中に飛び込んだ。

「入れ墨の淑女か」ジェフはくすくす笑って、彼女の内股《うちもも》のピンクの薔薇《ばら》にキスした。

「前には、ここにこんなものは無かったがなあ」

「入れ墨ではなくて、写し絵よ。洗えば消えるわ」

「男どもが舐《な》めて取るわけか?」彼はちょっと意地悪な表情をして、彼女を見上げた。

彼女は微笑した。「よかったら、あなたもどうぞ」

「後でね」彼はいって、体を上に滑らせ、枕《まくら》をしている彼女の横に並んだ。「何だかヒッピー娘と寝るような気分だな」

「まあね」彼女はいって、彼の胸をつついた。「もう少しシャンペンを注《つ》いでよ」

彼はベッドサイドテーブルの上のマムの瓶に手を伸ばし、それぞれのグラスに注ぎ足した。

「私が何時《いつ》リプレイを始めるか、どうしてわかったの?」パメラは尋ねた。

「分からなかった。だから、何カ月間も君を注目していたんだ。学年の初めに、ラインベックのこの家を借りた。それ以来ずっと待っていたんだよ。とてもじれったくて、忍耐力がすり切れそうになった。しかし、ここにいたお蔭《かげ》で、いくらかの古い記憶を冷静に受け取ることができるようになった。このちょっと上流の古い屋敷の一つで、昔暮らしていたことがある。ダイアンと一緒の時だった……そして娘のグレッチェンがいた。ここに再び帰ってくることは決してできないと、いつも思っていた。しかし、君はその理由を与えてくれた。そして、帰ってきて良かったと思っている。それだけではない。この時代の君の本来の姿を見ることができて楽しかった」

彼女は嫌《いや》な顔をした。「私は学生ヒッピーだった。革の飾り縁に絞り染め、といういでたちだった。友達に話しかけるのを、あなたに聞かれなければよかったと思うわ。きっと〝すっごい〟を連発していたでしょうよ」

ジェフは彼女の鼻の頭にキスした。「可愛《かわい》かったよ。今も可愛いがね」彼は言い直し、彼女の長く真《ま》っ直《す》ぐな髪をその顔から払い除《の》けた。「それにしても、十五年後には、これらの小僧どもがみんな三《み》つ揃《ぞろ》いのスーツを着て、ＢＭＷを運転して会社に通うところを、どうしても想像してしまうなあ」

「みんなではないわ」彼女はいった。「バード大はたくさんの作家や俳優や音楽家を生んでいるのよ……そして」彼女は悲しげに笑って付け加えた。「夫と私はＢＭＷを持っていなかった。アウディとマツダに乗っていたのよ」

「一本取られた」彼は微笑し、シャンペンを一口飲んだ。二人は満足そうに一緒に横になっていたが、ジェフは彼女の陽気な表情の下に、何か沈んだものがあるのを感じ取った。

「十七カ月」彼はいった。

「何ですって？」

「僕は今度は十七カ月失った。君はそれが気になっていたんだろう？」

「尋ねたいと思っていたのよ」彼女は認めた。「気にせずにはいられないの。私の歪《ゆが》みは……今は三月だといったわね？　六八年の？」

ジェフはうなずいた。「三年半だ」

「前回から勘定すればね。最初の二、三回のリプレイから勘定すれば、五年のずれよ。何てことかしら。この次には、ひょっとしたら――」

彼は彼女の唇に指を当てた。「現在に精神を集中するつもりだったよ。おぼえているだろう？」

「もちろんよ」彼女はいって、掛《か》け布団《ぶとん》の下で彼にすり寄った。

「そして、僕はこのことを考えていた」彼はいった。「考える時間があった。そして、一種のプランを思いついたんだがね」

彼女は顔をのけ反らせ、好奇心で眉をひそめて彼を見た。「どうするの？」

「えーと、先《ま》ず、科学界に接近してこの問題をぶつけてみようと思った――全米科学基金とか、私設の研究機関みたいなものとか……最も適当だと思われるグループなら何でもいい。プリンストン高等学術研究所かマサチューセッツ工科大学あたりの物理学部。時間の性質を研究している人」

「私たちの話を決して信じてくれないわ」

「その通り。それがいつも障害になった。もっとも、我々も毎回なるべく秘密にして、その障害を維持する役割を果たしたがね」

「目立たないようにしなければならなかったのよ。喋れば、気違い扱いにされたでしょう。スチュワート・マカウワンみたいにね。彼は――」

「マカウワンは本当に精神異常だ――殺人者だ。しかし事件を予言することは犯罪ではない。予言したからといって、だれも僕らを監禁することはないだろう。そして、いったん我々が予言した事が実際に起これば、我々が未来の事を知っている証拠になる。我々の言葉に、世間は耳を傾けざるをえないだろう。彼らは本当に何かが――説明できないけれども、本当に何かが――起こっていると知るだろう」

「でも、先ず手始めに、どうやって正門を入るのよ？」パメラは反対した。「マサチューセッツ工科大学みたいな所の人は、私たちが予言のリストを渡しても、見てさえくれないわよ。私たちが思っていることを口にするやいなや、ＵＦＯ気違いや霊能力者と一緒くたにされてしまうわ」

「それが問題だ。我々が彼らに接近するんじゃない。彼らの方からやってくるのさ」

「どうしてそんな――わけが分からないわ」パメラは当惑して首を振った。

「おおやけに訴えるんだ」ジェフは説明した。

16

今度は、前に広告を出した時のように、他《ほか》のリプレイヤーの注意を引くことだけを考えて、小さな広告を世界のすみずみまで行き渡らせる必要はなかった。そしてまた、今回の目的にとっては、最初の広告のような曖昧《あいまい》さも匿名性《とくめいせい》も必要なかった。

ニューヨーク・タイムズは一回限りの全面広告を受け付けなかった。しかし、ニューヨーク・デイリー・ニューズ、シカゴ・トリビューン、およびロサンゼルス・タイムズは掲載した。

〈これから十二カ月以内に次の事件が起こります〉

五月下旬に米国の原子力潜水艦スコーピオン号が海中で行方不明になります。
六月に大きな悲劇が起こり、米国大統領選挙が混乱します。
マーティン・ルーサー・キング牧師の暗殺者が米国外で逮捕されます。
六月二十六日に最高裁長官アール・ウォレン氏が辞任し、エイブ・フォータス判事がその後を継ぎます。
八月二十一日にソ連はワルシャワ条約機構軍をチェコスロバキアに侵入させます。
九月一日にイランで地震が起こり一万五千人が死にます。
九月二十二日にソ連の無人宇宙船が月を回りインド洋で回収されます。
十月にペルーとパナマで軍事クーデターが起きます。
大統領選挙でリチャード・ニクソンがヒューバート・ハンフリーを僅差《きんさ》で破ります。
クリスマス週間に三人の米人宇宙飛行士が月を回り無事に地球に帰還します。
一九六九年一月にソ連の指導者レオニード・ブレジネフの暗殺未遂事件が起こります。
二月に南カリフォルニア海岸が大量の流出原油で汚染されます。
四月末にフランス大統領シャルル・ド・ゴールが辞任します。

これらの記事について一九六九年五月一日までコメントを加えませんが、同日に記者会見を行います。場所は今日から一年後にお知らせします。

ジェフ・ウィンストン　＆　パメラ・フィリップス
ＮＹ、ニューヨーク、一九六八年四月十九日彼らが借りたニューヨーク・ヒルトン・ホテルの大会議室は、すべての椅子《いす》が埋まった。そして、椅子に坐《すわ》れなかった人々は、蛇《へび》のようにのたくっているマイクとテレビのケーブルに足を取られないように注意しながら、通路や両脇《りょうわき》にいらいらして立っていた。

午後三時きっかりに、ジェフとパメラが部屋に入り、演壇に二人並んで立った。テレビカメラ用のライトがつくとパメラは不安そうに微笑し、ジェフは人に見えないように彼女の手を握って、激励した。二人が入ってきた瞬間から、記者たちは一斉《いっせい》に注意を引こうとして大声で質問を始め、部屋中が大騒ぎになった。ジェフは何度も静かにしてくれと叫び、やっと騒音を低いどよめきの程度にまで引き下げた。

「すべての質問にお答えします」彼は集まったジャーナリストにいった。「しかし、一応順番を決めましょう。では、最後列から始めます。一人一つの質問にしてください。左から右にいきます。それから次の列に移り、同じ順序でやります」

「席のない人はどうしますか？」部屋の横に立っている人の一人が叫んだ。

「遅くきた人は後回しになります。部屋の左側を先にして、後ろから前にやりましょう。では」ジェフは指さしていった。「先《ま》ず、その青いドレスのご婦人から質問をいただきます。お名前をおっしゃる必要はありません。どんな質問でもけっこうです」

その女性はペンとノートを手にして立ち上がった。「最も素朴《そぼく》な質問です。どうして、このような広範な事件について、こんなに正確な予言ができたのでしょうか？　霊能力でもあるのですか？」

ジェフは深呼吸を一つして、できるだけ冷静に答えた。「どうぞ、質問はいっぺんに一つにして下さい。しかし、今回だけは二つともお答えしましょう。いいえ、その言葉が普通理解されている意味において、私たちは霊能力者を装うつもりはありません。ミス・フィリプスも私も、反復して起こるある現象の受益者――または犠牲者――なのです。この現象は、今日みなさんが疑いなく感じておられるように、私たちにとっても最初は信じ難《がた》いものでした。手短かにいえば、私たちは人生を、あるいはその一部を、繰り返し生きているのです。二人とも一九八八年の十月に死にましたし――今度も死ぬでしょう――そして生き返り、その後また死に、何度も何度も繰り返しているのです」

この言葉の後に起きた大混乱にくらべれば、彼らが部屋に入ってきた時に直面した大騒ぎなど物の数ではなかった。そして、全体的な嘲笑《ちょうしょう》の不愉快な音調は間違えようもなかった。一つのテレビ・クルーはライトを消して道具を片づけ始め、何人かの記者はぷりぷり怒りながら足音荒く部屋を出ていった。しかし、空いた席を熱心に取ろうとする記者も大勢いた。ジェフはまた静かにしてくれという身振りをし、質問の順番を待っている次のジャーナリストを指名した。

「これまた素朴な質問ですが」その恰幅《かっぷく》の良い、怖い顔の男がいった。「いったいぜんたい、こんなナンセンスを我々が信じると思っているのですか？」

ジェフは冷静さを保ち、パメラに安心するように笑顔を見せ、それから嘲笑している群衆に向かって静かに話した。「さっきもいいましたが、私たちの話はとても信じられないように思われるでしょう。私としては、一年前に公表した〝予言〟が——私たちにとっては、すでに記憶となっているのですが——完全に当たったことを指摘して、話を全部聞くまでは判断を保留していただきたいとお願いする以外にありません」

「今日、さらに予言をするつもりですか？」次のレポーターが尋ねた。

「はい」ジェフはいった。すると、騒ぎがまた始まりそうな気配になった。「しかし、それは、ほかの質問にすべてお答えし、必要なことを全部話したと感じた後のことです」

彼らは最初どんな人間であったか、それぞれのリプレイで主にどんなことをしたか、どうして互いに知り合いになったか、加速する歪《ゆが》みという気にかかる事実など、二人の生活の基本的な事柄《ことがら》を簡単に説明するのに小一時間かかった。二人は前もって話し合っておいたように、公表すると危険があるとか賢明でないとか思われる事柄や、個人生活については、なるべく喋《しゃべ》らないことにしていた。しかし、必ず出ると思われた質問で、まだどう答えてよいか決めていない質問が出た。「ほかにも……そのリプレイとやらを、している人を知っていますか？」三列目で皮肉な声が尋ねた。

パメラはちらりとジェフを見て、彼が答えないうちに、大きな声を上げた。「はい」

彼女はいった。「スチュワート・マカウワンという人がワシントン州シアトルにいます」

一瞬静まり返り、何百ものペンが何百もの手帳に、その名前を書き留めた。ジェフはパメラに眉《まゆ》をしかめて警告を送ったが、彼女は無視した。

「私たちが知るかぎり、その人が、ほかにいる唯一《ゆいいつ》の人です」彼女は続けた。「私たちは一つのリプレイ期間の大部分を使って、ほかの人々を探しました。しかし、本物だと証明できたのはマカウワンただ一人でした。でも、この現象に対する彼の意見に、私たちは強く反対していることを、申しあげておきます。だから、今日彼はここにきていないのです。しかし、みなさんが彼にインタビューすれば、とても面白《おもしろ》いと思いますよ。そして彼のあらゆる行為を厳重に追跡して、私たち三人が陥っているこの状況を、彼がどのように処理しているかお知りになるといいと思います。彼は、控え目にいっても、異常な人です」

彼女は振り返ってジェフを見た。ジェフはよくやったというように微笑した。彼女はマカウワンを中傷したり、罪に陥《おとしい》れたりするようなことはいわなかった。だが、必ず彼の背景が徹底的に調査され、今後彼のあらゆるおおやけの行動が監視されるように仕向けたのである。彼はもう人を殺さないだろう。とにかく、この時間の系列では。

「あなたがたは、これを公表することによって、何を期待しているのですか？」別のレポーターが尋ねた。「なにか金儲《かねもう》けをたくらんでいるのですか？　新興宗教かなにか始めようというのですか？」

「絶対に違います」ジェフはきっぱりいった。「必要な金、ほしい金は、すべて通常の投資方法で入手できます。そして、皆さんの記事に是非加えていただきたいことがあります。どんな目的であろうと、どんな額であろうと、私たちに決して金を送らないでほしいという特別のお願いを、です。そのような贈り物はすべてお返しいたします。私たちが求めているのは情報だけです。私たちが経験していること、および結局最後はどうなるかということに対する、説明が欲しいのです。できれば科学施設――特に物理学者と宇宙学者――に、私たちに現実に何が起こっているか知ってもらい、どんな意見でもよいから直接聞かせてほしいのです。それだけが、この驚くべき状況を公式の記録にとどめた唯一の目的です。私たちはこれまでに人前に出たことはないし、ここで簡単にお話ししたような非常に現実的な心配がなければ、今も皆さんの前にでることはなかったでしょう」

部屋は懐疑的などよめきに満ちた。パメラがかつて指摘したように、だれもが何かを売っているのだ。二人が明らかに真面目《まじめ》であり、考えられないほど正確な予知をしたという反駁《はんばく》できない証拠があるにもかかわらず、ジェフとパメラが何らかの詐欺《さぎ》を働こうとしているのではないという事実を、ここに集まった海千山千のジャーナリストにのみ込ませることは困難だった。

「これらの主張を営利的に利用するつもりがないなら、それなら、いったいどうするつもりなんですか？」他のレポーターが尋ねた。

「こうして名乗り出た結果が、どうなるかによりけりです」ジェフは答えた。「さしあたり、私たちの記事が出て何が起こるか、様子を見ようと思います。さて、もう質問はありませんか？　もし、なければ、ここに……皆さんのお考えでは、私たちの〝予言〟……のコピーをたくさん持参しました」

大勢が前に飛び出してきて、たくさんの手がコピーを奪い合い、もっと直接的な質問があらたに一斉に投げつけられた。

「核戦争は起こりますか？」

「我々はロシア人より先に月に到達できますか？」

「癌《がん》の治療法は見つかりますか？」

「すみません」ジェフは叫んだ。「未来についての質問には応じられません。いいたい事はすべてこの紙に書いてあります」

「最後に一つ質問させてください」尻《しり》に敷いていたとしか思えないよれよれの中折れ帽をかぶり、眼鏡を掛けた男が叫んだ。「この土曜日のケンタッキー・ダービーでは、どの馬が勝つでしょう？」

ジェフはにやりとした。この緊張に満ちた記者会見が始まって以来、初めて彼はリラックスした。「この紳士だけは例外にします」彼はいった。「ダービーとプリークネス競馬ではマジェスティックプリンスが勝ちます。しかし、アーツアンドレターズに負けるので、三冠馬にはなれません。これを喋ってしまったから、もう私自身の賭《か》けは無価値になりましたね」

マジェスティックプリンスは一対十の予想を背負ってゲートから飛び出し、的中した人に二ドル十セントの配当金を払った。これはパリミューチュエル賭博《とばく》——つまり、勝者が全賭金《かけきん》から経費と税金を差し引いた金額を互いに分配する賭け方——を規制する法律が許す、最低の配当金だった。ジェフとパメラの話がテレビのネットワークや通信社に流れた後は、ダービーのほかの馬に賭ける人がほとんどいなくなった。ケンタッキー州競馬委員会は完全な調査を命令した。そして、メリーランドとニューヨークでは、きたるべきプリークネスとベルモントの競馬を中止するという噂《うわさ》が流れた。

彼らがパンナム・ビルの中に新しく借りた事務所の電話が、競馬の後の月曜日の朝六時から鳴り始めた。正午までには、電話や電報や、予約なしにドアから入ってくる野次馬を処理するために、ケリー・ガールズ社からさらに二人の臨時職員を雇い入れなければならなかった。

「過去一時間のリストができました」プリーツのあるミディドレスを着た若い女性が、

畏敬《いけい》の念に打たれたような表情で、ビーズの首飾りを不安そうにまさぐった。

「要約してくれないか？」ジェフは疲れた口調でいい、この日のニューヨーク・タイムズの社説を傍《わき》に置いた。それは〝ひょっとしたら現代のノストラダムスであるかもしれない人々とその巧妙に操作された暗合に対して、理性的な懐疑主義〟を呼びかける内容だった。

「はい。個人的な相談の要請――重病人とか行方不明の子供の親とかいう人々からですが――これが四十二件。手数料を割引するから顧客になれという証券会社からの電話が九件。さまざまな賭博組織に金を賭けたいという人々からの電話が十二、電報が八つ。共同で仕事をしたいというほかの霊能者からのメッセージが十一――」

「我々は霊能者ではないよ、ミス……ケンダル、だったかな？」

「はい。エレーヌでもけっこうです」

「よろしい。これはちゃんと理解してもらいたいんだ、エレーヌ。パメラと私は霊能力があると主張してはいない。だから、そのような推測をする者には、違うといってやらなければならない。これは、もっとずっと違うことなんだ。そして、もし君がここで働くつもりなら、我々がどのように解釈してほしいと思っているか、理解しなくてはならない」

「わかっております。ただ――」

「もちろん、君にとってちょっと受け入れ難いだろう。我々のことを、君自身に信じろとはいっていない。ただ、君が大衆に話す時は、我々の言葉の基本的な要素を歪曲《わいきょく》しないでもらいたいんだ。それだけさ。では、リストを続けてくれ」

女はブラウスのしわを直し、速記帳に目を落とした。「十一件の……いやがらせ電話とでもいうべきものがありました。中には猥褻《わいせつ》なものもありました」

「そういうのは我慢する必要はない。嫌《いや》らしいのはどんどん切ってもかまわないと、ほかの人たちにも伝えてくれ。しつこいのは警察に通報しなさい」

「わかりました。それから、カリフォルニアの未来研究グループみたいなものから、何度も電話がありました。あちらにいって、会合に出席してほしいとのことです」

ジェフは興味を抱いて眉を上げた。「ランド研究所か、政府のシンクタンクの?」

彼女はまたノートに目を落とした。「いいえ。『アウトルック・グループ』とかいうのです」

「それは弁護士に回してくれ。合法的なものかどうか、調べてくれるように頼むんだ」

エレーヌは手帳に指示を書き込んで、またリストに戻《もど》った。「弁護士のウェイドさんに話すのでしたら、次の航空会社が告訴をすると脅してきたと伝える必要があります。アエロナベス・デ・メヒコ。アレゲニー・エアラインズ。フィリピン・エアラインズ。エア・フランス。オリンピック・エアウェイズ……それから、ミシシッピー、オハイオ両州の観光局の弁護士から電話がありました。みんなすごく怒っています。これは、ご注意申し上げたほうがよいと思いましたので」

ジェフは上の空でうなずいた。「それだけか？」

「はい。ほかに、雑誌が二つ三つ増えました。すべて、あなたかミス・フィリプスか、またはその両方に、独占インタビューをしたいと言ってきています」

「それで、その中に学術誌は含まれているかね？」

彼女は首を振った。「『ナショナル・エンクワイアラー』『フェイト』……そうですね、中で最も真面目なのは『エスクワイア』というところでしょうか」

「大学からはまだ何もいってこないか？　正体がわからないが、そのカリフォルニアの団体以外には、研究機関からは何もいってこないか？」

「はい。リストはこれだけです」

「わかった」彼は溜《た》め息《いき》をついた。「ありがとう、エレーヌ。情報があったら必ず知らせてくれ」

「そうします」彼女はノートを閉じて行きかけて、たちどまった。「ウィンストンさん……私、迷っているんですけれど……」

「ほーお？」

「私、結婚すべきだとお思いですか？　実は、考えているんです。ボーイフレンドから二度申しこまれているんですけれど、わからないんです……あのう、うまくいくかどうか知りたいんです」

ジェフは寛容に笑い、その若い女の目の中に未来を知りたいという必死の思いを見た。「それがわかればねえ」彼はいった。「しかし、それればかりは自分自身で発見しなければならないことだよ」


アエロナベス・デ・メヒコは、ジェット旅客機が、ジェフとパメラが予言した通りモンタレイ付近の山腹に墜落すると、その次の日、つまり六月十五日に訴訟を取り下げた。メキシコの政治的指導者カルロス・マドラソと、テニスの花形選手ラファエル・オズナは、過去五回死んだその飛行機に搭乗《とうじょう》していなかった。この不運な空の便には、従来は七十九人乗っていたのに、今回はわずか十一人が乗ることにきめただけだった。

その後、惨事が予言されていた残りの航空会社のうち、わずかエア・アルジェリアとロイヤル・ネパール・エアラインズだけがこの警告を無視し、問題のフライトを中止しなかった。一九六九年の残りの期間において、世界の民間航空業界全体でこれら二つの航空会社だけが、致命的な事故に遇《あ》った。

米国海軍は、レアド国防長官が〝迷信〟と呼んだものに頭を下げることを拒否し、駆逐艦エバンズ号は南シナ海の予定のコースを進んだ。しかし、オーストラリア政府は航空母艦メルボルン号に六月第一週はエンジンを止めて投錨《とうびょう》するように密《ひそ》かに命じたので、いつもエバンズ号を切断した衝突事故はついに起こらなかった。

六月四日、オハイオ州北部のエリー湖で洪水《こうずい》が起こったが、その死者の数は四十一人から五人に減った。それは、広くゆきわたった警告に住民が気をとめて、嵐《あらし》がやってくる前に高台に移ったからだった。ミシシッピー流域で同様の状況が流行した。ガルフポートとビロクシの湾岸リゾート地への八月中旬の観光客の予約は、ほとんどゼロに落ち込んだ。そして、土地の住民はただの自警団の警告では決して達成されないスピードで内陸に逃げた。ハリケーンのカミールはほとんど人けの絶えた海岸線を襲い、以前には百四十九人いた犠牲者のうち百三十八人が助かった。

生活が変わった。以前には決して継続しなかった命が続くようになった。そして世間は注意するようになった。

「正式な禁止命令を取ってくれ、ミッチェル！　できれば今週に。遅くとも来週の半ばには」

弁護士は眼鏡に注意を集中し、高価な望遠鏡の手入れでもするような慎重な手つきでその厚いレンズを磨《みが》いた。「どうですかなあ、ジェフ」彼はいった。「可能かどうか、わかりませんよ」

「では、何時《いつ》ならできるの？」パメラが尋ねた。

「できないかもしれません」ミッチェル・ウェイドは認めた。

「全然だめだというのか？この連中が我々についてばかばかしい幻想を吐き出すのは自由であって、それに対して、我々は何もできないというのかね？」

弁護士はレンズにもう一カ所目に見えない汚れを発見して、小さな四角いセーム革で丁寧に拭《ぬぐ》った。「彼らは当然、憲法修正一条の言論の自由の権利内で活動しているでしょう」

「やつらはひるのように吸いついて、我々からうまい汁《しる》を吸っているんだ！」ジェフはこの相談の動機になったパンフレットを振って、怒鳴った。その表紙には彼の写真が大きく載っており、それと並んで少し小さいパメラの写真も載っていた。「彼らは我々の名前と我々の言明から利益を得ている。我々の承認も受けずにだ。しかも、その過程で、我々のやろうとしているすべての事にけちをつけている」

「彼らは非営利組織ですよ」ウェイドは念を押した。「しかも、宗教団体として非課税資格をも得ています。この種のものは闘いにくいんです。何年もかかるし、勝つチャンスはほとんどないんですよ」

「文書誹毀《ひき》の法律は？」パメラは諦《あきら》めなかった。

「あなたがたは自らおおやけの人物になりました。ですから、あまり防御手段が残っていないのです。それに、彼らの言っていることが誹毀に当たるかどうか難しいところです。陪審員は正反対に考えるかもしれません。これらの人々はあなたがたを崇拝しています。地上における神の化身と信じています。これは無視したほうがいいでしょう。法的措置は、彼らをさらに宣伝してやることになります」

ジェフは言葉にならない嫌悪《けんお》の叫びを上げ、パンフレットを片手で丸めて部屋の隅《すみ》に投げ捨てた。「これこそ、避けたいと思っていたことなんだ」彼は憤懣《ふんまん》やるかたない様子でいった。「たとえ無視しても、否定しても、こんなことをされると我々は連想によって汚《けが》される。今後は、ちゃんとした科学団体は接触してこなくなるだろう」

弁護士は眼鏡をまた掛け、太い人差し指で鼻梁《びりょう》の当たり具合を調節した。「あなたがたのジレンマはわかります」彼はいった。「しかし、私としては――」

ジェフの机のインターカムが鳴った。短い音が二つ、それから長い音が一つ。これは緊急なメッセージがあった場合の合図だった。

「はい、エレーヌ？」

「お客さまがお出《い》でです。連邦政府の関係者だとおっしゃっています」

「どの部門かな？　民間防衛か、国家科学基金か？」

「国務省です。個人的にお話ししたいと、強くおっしゃっています。あなたと、ミス・パメラの両方に」

「ジェフ?」ウェイドが眉をひそめた。「私に立ち合ってもらいたいですか?」

「たぶんね」ジェフはいった。「どんな用事か聞いてみよう」ジェフはまたインターカムのキーを押していった。「お通ししてくれ、エレーヌ」

秘書がオフィスに案内してきた男は四十代の半ばで、頭が禿《は》げていて、油断のない青い目をしており、指がニコチンで汚れていた。彼は素早い貫くような目でジェフの品定めをし、それからパメラにも同じようにし、それからミッチェル・ウェイドを見た。

「内々で話をしたいんだが」男はいった。

ウェイドは立ち上がり、自己紹介をした。「私はウィンストン氏の顧問弁護士です」

彼はいった。「またミス・フィリプスの顧問もしております」

男は上着のポケットから薄い札入れを取り出し、ウェイドとジェフに名刺を渡した。

「ラッセル・ヘッジズ。合衆国国務省のものです。内密のお話があるので、おさしつかえなかったら、ウェイドさん、席を?」

「さしつかえますね。依頼人には権利が――」

「この場合、法的助言は必要ありません」ヘッジズはいった。「国家安全保障に関することですから」

弁護士はふたたび抗議しかけたが、ジェフが引き止めた。「大丈夫だ、ミッチェル。そして何話を聞くことにする。今まで話し合っていたことを、よく考えておいてくれ。

か良い代案を思いついたら、知らせてほしい。明日、私のほうから電話するよ」

「必要なら、今日電話をください」ウェイドはいい、嫌な顔で政府からの使者を見た。「私はオフィスに残っています。たぶん六時か、六時半頃《ごろ》まで」

「ありがとう。必要なら連絡するよ」

「タバコを吸ってもいいですか？」弁護士が去ると、ヘッジズはそう尋ねて、キャメルの箱を取り出した。

「どうぞ、どうぞ」ジェフは机の正面の席の一つをすすめ、客の手の届くところに灰皿《はいざら》を滑らせた。ヘッジズは木のマッチの箱を取り出し、それでタバコに火をつけた。そして、マッチ棒がゆっくりと黒い燃えかすになるまで持っていて、まだくすぶっているのを、大きなガラスの灰皿に落とした。

「もちろん、あなたがたのことは知っていましたよ」ヘッジズはやっといった。「知らずにはいられません。過去四カ月、あれほどマスコミのスポットライトを浴びていらっしゃったから。しかし白状しなければなりませんが、同僚の多くは、あなたがたの発表を御座敷芸として退ける傾向がありました……今週まではね」

「リビアですね？」ジェフは相手の答えを予想して尋ねた。

ヘッジズはうなずいて、タバコの煙を深々と吸い込んだ。「中東デスクの者はいまだに一人残らず茫然《ぼうぜん》としています。我々の最も信頼のおける諜報部《ちょうほうぶ》は、イドリス王が完全に安定した政権を保持していると評価していましたからね。あなたがたはクーデタの日付を予言しただけでなく、リビア軍の中級将校団から軍事政権が生まれることまで明言された。そんなことがどうしてわかったのか、お教え願いたいのです」

「それはすでに、できるだけ明瞭《めいりょう》に説明しましたよ」

「あなたがたの復活の話——」彼の冷たい視線がパメラをとらえた。「何度も何度も生き返るという話ですが。まさか、我々があれを信じるとは思っておられないでしょう?」

「信じるしかありませんよ」ジェフは当然のようにいった。「我々もです。それが現実に起こっているんですから。我々が知っているのはそれだけです。今回、自分たちをこのように見世物にしたのは、この現象についてもっと知りたいからにほかなりません。このことは前に、きわめて明瞭にしたつもりですが」

「そうおっしゃるだろうと思いました」

パメラは緊張して身を乗り出した。「政府には、この現象を調査して、私たちが求めている答えを見つけるのを手伝ってくれる人が、きっといます」

「それは、私の省ではありません」

「でも、私たちをその部門に紹介し、あなたが私たちのことを真剣に受け止めていると伝えることはできるでしょう。たぶん物理学者などは——」

「何と交換に？」ヘッジズは尋ねて、タバコの長い灰を払い落とした。

「というと？」

「財政や人力や研究施設に関《かか》わるお話ですね……代わりに何を提供してくれますか？」パメラは唇《くちびる》を結んでジェフを見た。「情報を提供します」彼女はちょっと間を置いてからいった。「世界経済を混乱させるとか、罪のない多数の人々の死を引き起こすような事件についての、事前の知識を」

ヘッジズは鋭い青い目で彼女の目を見据《みす》えながら、タバコをつつき消した。「例えばどんな？」

彼女はまたジェフをちらりと見た。だが彼は無表情で、承認も警告もその顔には現れていなかった。「このリビアの事件は」パメラはヘッジズにいった。「悲惨な広範な結果を引き起こすでしょう。軍事政権を率いるカダフィ大佐という男は、来年早くに自ら首相に就任します。彼は狂人です。次の二十年間で最もたちの悪い人物です。彼はリビアをテロリストの温床に、避難所に、するでしょう。彼のために、恐ろしい想像もつかない事が起こるでしょう」

ヘッジズは肩をすくめた。「ひどく曖昧ですね」彼はいった。「この種の断言が正しいか間違っているか分かるまでに、何年もかかります。それに、これらのアラブの小さな国家の浮沈よりも、我々はむしろ南アジアの出来事に関心があるのです」

パメラはきっぱりと首を振った。「それは間違いです。ベトナムは見込みのない目標です。今後二十年間、要《かなめ》になる地域は中東ですよ」

男は考えながら彼女を見て、しわくちゃの包みからもう一本のタバコを取り出した。「しかし、ベトナムでの我々の姿勢が絶望的だというのでしたら……一昨日のホー・チミンの死はどうなんですか？ これは南ベトナム民族解放戦線の決意を弱めるのではないでしょうか？ うちの分析者によれば——」

「それとそっくりの意見をいった少数派が、国務省にもおりますがね」彼はいった。「しかし、ベトナムでの我々の姿勢が絶望的だというのでしたら……」

ジェフが話に加わった。「もし何かあるとすれば、彼の死は解放戦線の決意を強めるでしょう。ホーはほとんど聖者の列に加えられるでしょう、殉教者に祭り上げられるのです。彼の名を取ってサイゴンは改称されます。それは——彼らがあの町を陥落させたらの話ですがね」

「今、日付をいおうとしましたね」ヘッジズはいって、目をしかめ、もうもうたる煙をすかして彼を見た。

「話すことをある程度、選択すべきだと思うのでね」ジェフは用心を促すようにパメラを見ながら、注意深くいった。「世界のトラブルを増やしたくないからです。はっきりした不幸な出来事のいくつかを避ける助力をしたいだけです」

「さあねえ……省内には疑い深いのがまだ大勢いるから。そして、あなたがたが当たり障りのない一般論ばかりいっていると――」

「コスイギンと周恩来が」ジェフは強く断言した。「来週、北京《ペキン》で会見します。そして来月早々に、ソ連と中国は国境紛争について公式会談をおこなうことに同意します」

ヘッジズは信じられないように眉をしかめた。「コスイギンは決して中国を訪問しないでしょう」

「します」ジェフは固い笑顔で断言した。「そして、遠からずリチャード・ニクソンも訪中します」


三月のチェサピーク湾沖の風が、細かい冷たい霧の中に小雨をばらまき、その散乱した小さな水滴を落下の途中で引き止め、あちらこちらから鞭打《むちう》ち、湾の動揺する水面を横殴りに叩《たた》きつける白い波頭の、煙った小宇宙の中に叩き込んだ。ジェフのフードのついたレインコートは空中にみなぎる湿気で黒光りし、冷たい透明な小雨が彼の顔を爽快《そうかい》に鞭打ち、流れ落ちた。

「アジェンデはどうです？」ヘッジズは尋ね、湿ったキャメルに火をつけようとして失敗した。「彼は見込みがあるでしょうか？」

「あんたがたがチリ政治に干渉するにもかかわらず、という意味ですね？」ジェフとパメラにとって、ラッセル・ヘッジズには国務省へのもっとも細いコネクションしかないことが、ずっと前から明らかになっていた。彼が中央情報局《CIA》なのか、国家安全保障局《NSA》なのか、あるいは、それとはまったく別のものなのかは、わからなかった。実は、それはどうでもよかった。最終の結果は同じだから。

ヘッジズはまた特有の曖昧な薄笑いを浮かべて、やっとタバコに火をつけた。「彼が実際に選挙に当選するかどうかを、いうにはおよびません。相当のチャンスがあるかどうかを教えてくだされればいいのです」

「そして、もし、ありますよと私がいったら、どうします？　彼はカダフィと同じ道をたどるのですか？」

「我が国はカダフィの暗殺とは何の関係もありません。それは、もう何度も申し上げました。あれは純粋にリビアの国内問題です。あれらの第三世界の権力闘争がどんなものかご存じでしょう」

この男と、またそれについて議論しても無駄《むだ》だった。ジェフとパメラが、その独裁者の将来の政治と行動をヘッジズに話した直接の結果として、カダフィは就任すらしないうちに殺されてしまったことを、ジェフは知りぬいていた。あのような血に飢えた偏執狂の死を悼《いた》むわけではないが、あの殺人にＣＩＡが絡《から》んでいたという推測が広く流布《るふ》していた。そして、これらの充分に根拠のある噂がもとになって、従来は存在しなかったノベンバー・スクォッドというテロリスト集団が、カダフィの弟を頭にいただいて生まれたのだった。この集団は、殺されたリーダーの名において、一生を復讐《ふくしゅう》に捧《ささ》げるという誓いを立てていた。すでに、トリポリの南の砂漠《さばく》で収拾のつかない石油の大火災が発生した。三カ月前に、そこでノベンバー・スクォッドがモービルオイルの施設を爆破し、十一人のアメリカ人と、二十三人のリビア人の従業員を殺害したのだった。

チリのアジェンデは決してカダフィのような男ではなかった。彼はたしなみの良い善意の人であり、歴史上最初の自由選挙で選ばれた共産主義者の大統領である。このまま放《ほう》っておいても、彼はすぐに死ぬだろう。それもたぶんアメリカの煽動《せんどう》によって。ジェフはその恥ずべき日を早めるつもりはなかった。

「アジェンデについては、とやかくいうことはありません。彼は合衆国にとって全く脅威にはなりません。あのまま、放っておけばいいのです」

ヘッジズは濡《ぬ》れたタバコから煙を吸おうと努力したが、また消えてしまっており、濡れた紙が裂け始めていた。彼は困惑した表情で、それを波止場から揺れ動く水面に投げ込んだ。

「この夏、英国でヒースが首相に選ばれるのを教えてくれた時には、あなたは、そんな気が咎《とが》めるような様子は見せませんでしたね」

ジェフは皮肉な目で彼を見た。「たぶん、あんたがたがハロルド・ウィルソンを狙撃《そげき》する決定を下さないように、させたかったんでしょう」

「いい加減にして下さい」ヘッジズは吐き捨てるようにいった。「だれがあなたを合衆国の外交政策の道徳的審判者にしたんですか？　あなたの仕事は、事前の情報を提供することだけ。それだけですよ。重要か重要でないか、どう処理すべきか、というようなことは上の連中に決めさせなさい」

「以前に、それらの決定のいくつかの結果を見ているのでねえ」ジェフはいった。「やはり、話すことは選択したい。それに」彼は付け加えた。「これは公正な取引きのはずですよ。取引きの、そちらのサイドはどうなっていますか――何か進歩がありましたか？」

ヘッジズは咳《せき》をして、湾から吹き込む風に背を向けた。「中に入って、温かいものでも飲みませんか？」

「ここのほうがいい」ジェフは喧嘩腰《けんかごし》でいった。「生き生きした感じになる」

「でも、ここに長くいると、私は肺炎で死んでしまいます。さあ、中に入りましょう。これまでの科学者の話をお伝えしますから」

ジェフは気持ちを和らげて、政府所有の古い屋敷のほうに歩き始めた。ここはアナポリスの南、メリーランドの西の海岸である。ここにきて、ローデシア独立や、きたるべきカンボジアのシアヌーク殿下の失脚の影響について、協議を始めてから六週間になる。最初、彼とパメラはこの滞在をある種の遊び、一種の休暇、のつもりでいた。しかし、ジェフはヘッジズの微に入り細をうがった質問に、次第に神経質になってきていた。ヘッジズは明らかに常設の連絡係として、彼らに割り当てられたものであった。ジェフとパメラは、ニクソン政府によって有害な利用をされそうだと感じる事柄については、注意して何もいわないようにしていた。しかし、どこに線を引くべきかだんだんわからなくなってきた。次の秋のチリの選挙について、ジェフがどっちつかずの〝ノーコメント〟の態度をとっても、それがヘッジズとその上司によって、アジェンデが実際に大統領選挙に勝つという回答だと、正しく解釈されるかもしれない。そうしたら、その仮定が合衆国のどんな種類の隠密行動を呼び起こすかわからない。自分たちはここで危ない綱渡りをしているのだ。ジェフは最初からこんなミーティングに同意しなければよかったと、後悔し始めた。

「それで？」ジェフは、そのがっちりとシャッターが閉まり、赤煉瓦《あかれんが》の煙突から招くように煙が立ち昇っている家に近づいていきながら尋ねた。「最新の情報は？」

「ベセスダ海軍病院からはまだ決定的な返事がありません」ヘッジズはレインコートの立てた襟《えり》の下でつぶやいた。「もう少しテストをしたいそうです」

「もうありとあらゆる医学的テストをやった」ジェフはいらいらしていった。「あんたがたが手を出してくる以前からね。それは最重要点ではない。問題はもっと我々を超越したもの、宇宙的レベルのもの、あるいは原子以下のレベルのものだ。物理学者たちは何といっていますか?」

ヘッジズは木製のポーチに上がって、帽子やコートから、まるで大型犬のように水滴を振るい落とした。「彼らは努力しています」彼は曖昧にジェフにいった。「カリフォルニア工科大学のバージェットとカンパーニャは、これはひょっとしたらパルサーと関係があるかもしれないと考えています。何か大規模なニュートリノのフォーメイションとです……でも、もっとデータが必要です」

パメラはオーク材の梁《はり》のある居間で、燃えさかる暖炉の前のソファに寛《くつろ》いで待っていた。

「熱い林檎《りんご》酒《しゅ》はいかが?」彼女はカップを持ち上げ、尋ねるような表情をして首を傾《かし》げた。

「少しもらおうかな」ジェフはいった。ヘッジズもうなずいた。

「持って参ります、フィリプスさん」この人里離れた邸宅を常時監視している黒いスーツの若者の一人がいった。パメラは肩をすくめて、分厚いセーターの袖《そで》を手首の上まで引き上げ、湯気の立つカップから一口飲んだ。

「ラッセルさんは、物理学者たちがいくらか進歩しているかもしれないといっている」ジェフは彼女にいった。彼女は明るい顔をした。その火照《ほて》った頬《ほお》が、しわになったセーターの青いウールの色と、頭髪の亜麻色の輝きを背景にして、輝いて見えた。

「歪みについては、どうなの？」彼女は尋ねた。「何か推定できた？」

ヘッジズは唇を丸めて新しい乾いたタバコをくわえ、瞼《まぶた》を下げて皮肉な流し目をした。ジェフはその表情を認識した。自分たちが前に生きていて、また再び生きるだろうという話を、彼がほとんど信用していないことを、ジェフはもう知っていた。しかし、それは問題ではなかった。ヘッジズやそのほかの人々は、どうとでも好きなように考えればよい。まったく現実的だとジェフが知っているこの現象に、ほかの精神――洞察力《どうさつりょく》と持続性のある科学的な精神――が、注意を集中し続けるかぎりは。

「データのポイントがあまりにも不確かだというのです」ヘッジズはいった。「どんなに考えても、一定の幅の可能性しか引き出せないそうです」

「どのくらいの幅なの？」パメラは熱いカップをつかんでいる指を白く緊張させて、静かに尋ねた。

「ジェフさんにとっては、二年から五年。あなたの場合は五年から十年です。それよりも長くなることはなさそうだ、とのことです。しかし、もしカーブの勾配《こうばい》が急になり続ければ、上限がもっと大きくなることがありえます」

「どのくらい大きくなるのかね？」ジェフは知りたがった。

「予言はできません」

パメラは溜め息をついた。彼女の呼吸は、戸外の風とともに高くなったり低くなったりした。「それなら、当てずっぽ同然だわ」彼女はいった。「そのくらいのことなら、私たちだって言えますよ」

「新しくテストすれば、たぶん――」ジェフが怒鳴った。「他のすべてのテストと同様に、やっぱり〝結論に到達しない〟ってことになるんじゃないか？　新しいテストなんて糞《くそ》くらえだ！」

黒いスーツの無口な若者が、二個の厚みのあるカップを持って居間に戻ってきた。ジェフは一つを受け取り、匂いの良いシナモンの棒で腹立たしそうに、それを掻《か》き回した。

「ベセスダで、もう少し組織の標本がほしいそうです」ヘッジズは熱い林檎酒を注意深くすすってからいった。「あの病院のチームの一つが考えているんですが、ひょっとしたら細胞の構造が――」

「ベセスダには戻らないぞ」ジェフはきっぱりといった。「すでに取った試料で、十分に研究できるはずだ」

「あなたがたが病院そのものに戻る必要はありません」ヘッジズが説明した。「彼らが欲しがっているのは、単純な二、三の皮膚の剝片《はくへん》だけです。向こうからキットを送ってきました。今すぐここで、できますよ」

「ニューヨークに帰る。一カ月分のメッセージをまだ見てない。それらの中には役に立つものも含まれているかもしれない。今夜アンドルーズを発《た》つ飛行機に乗せてくれるかね？」

「残念ですが……」

「では、政府の輸送機関が使えないなら、民間航空を利用する。パメラ、イースタン航空に電話して、時間を尋ねてくれないか――」

林檎酒を持ってきた男が一歩前に進み出て、開いた上着の前に片手を浮かした。もう一人の監視人が、まるで無言の合図を受けでもしたように、玄関から入ってきた。そして、もう一人が階段の上に現れた。

「こんなことはしたくないのですが」ヘッジズが用心深くいった。「残念ながら……あなたがたをお帰しすることはできません。絶対に」

17

「……テヘランの米国大使館を襲撃しようと試みましたが、昨年の二月以来この米国外交出先機関の周囲を固めていた第八十二空挺《くうてい》師団の部隊によって撃退されました。この戦闘で少なくとも百三十二人のイラン革命軍兵士が死んだと信じられ、また米国側の犠牲者は死亡十七人、負傷二十六人にのぼりました。レーガン大統領はタブリス東方の山岳地帯にある反乱軍の基地に対して新たな空襲を行うように命令しました。この基地の革命軍最高司令官は――」

「そんなニュースは消せ」ジェフはラッセル・ヘッジズにいった。

「……アヤトラ・ホメイニと信じられております。一方、合衆国内では、先週マジソン・スクェア・ガーデンで起きたテロリストの爆弾騒ぎによる死者の数が、今日で六百八十二人に達しました。いわゆるノベンバー・スクォッドからのコミュニケによると、全米軍が中東から撤退するまで、米国内での攻撃を続行すると脅迫しております。ソ連のグロムイコ外相は、イスラム聖戦《ジハド》の自由の戦士たちにソ連国民は同情していると言明し、アラビア海での米国第六艦隊の存在は、まさに――」

ジェフは身を乗り出して、テレビのスイッチを切った。ヘッジズは肩をすくめて、ライフセーバー社の薄荷《はっか》ドロップを口に放《ほう》り込み、以前にのべつまくなしに吸っていたタバコを持つような手付きで、鉛筆をもてあそんだ。

「アフガニスタンでのソ連軍の増強は、どういうことでしょう?」ヘッジズは尋ねた。

「イラン領内の我が軍と対決するつもりかな?」

「知らないね」ジェフはふくれ面《づら》でいった。

「ホメイニの追随者の力はどのくらい強いのでしょう? 少なくとも来年の選挙までは、我が国はシャーを権力の座に留《とど》めておけるでしょうか?」

「知るもんか！」ジェフは怒鳴った。「どうして、私にわかる？　レーガンは前には、一九七九年には、大統領でさえなかった。これはジミー・カーターが処理すべき問題なんだ。そして、我が国は決してイランに派兵しなかった。すべてが変わってしまった。もう何が起こるか皆目わからない」

「きっと、ある程度の勘は働くでしょう――」

「だめだ。ぜんぜん、わからない」彼はパメラを見た。彼女は坐《すわ》ってヘッジズを睨《にら》みつけていた。彼女の顔はやつれて青白かった。ここ数年で、その顔は女らしい丸みを失い、ジェフの顔のように骨張ってきていた。彼は彼女の手を取って立ち上がらせた。「散歩にいくぞ」彼はヘッジズにいった。

「まだ、いくつか質問があります」

「質問なんてくそくらえだ。答えはもう品切れだよ」

ヘッジズはライフセーバーのドロップを吸い、例の冷たい青い目でジェフを見た。

「よろしい」彼はいった。「夕食の時に、もう少し話し合いましょう」

そんなことをしても無駄《むだ》だ。世界はもう既定のコースを外れて、今は奇妙な不確定な新しいコースに乗っている。それについては、自分もパメラも助言することはできない。ジェフは、またそういいかけた。しかし、この抗議は無意味だと知っていた。ヘッジズは、彼らには何らかの霊能力があって、現在の状況のどんな組み合わせを基にしても、未来の出来事を予言できると、いまだに想像していた。そして、激変した世界の出来事を前にして、彼らの事前知識が消散し始めると、二人が情報の出し惜しみをしていると、無言で、しかも明らかに、非難した。最近では、自白促進剤のペントタールナトリウムや嘘《うそ》発見機を使っても、ほとんど有用なデータは得られなかった。しかし、二人は自白促進剤を使った尋問に、反対するのを止《や》めてしまった。たぶん、答えの価値が減少すれば、放っておかれるようになると考えたのだろう。ことによったら、この長引く〝保護拘束〟から、いずれ解放されることさえありうると、思ったのかもしれない。これは不当な希望だと、どちらも知っていながら、この希望的観測にしがみついていた。もう一つの帰結——つまり、再び死ぬまでここに留まるという明白な真実——を受け入れるよりもましだったから。

今日は水は青く静かだった。そして、砂丘にそって歩いていくと、イースタン・ショーの沖にこぶのようなポプラ島が見えた。標識ブイの間を一団の船が行き来して、この豊かなチェサピーク湾の牡蠣《かき》の養殖作業をしていた。ジェフとパメラはこの見慣れた風景の偽りの平穏から、わずかばかりの慰めを汲《く》み取り、きっかり二十ヤード前と後ろに付き添っている二人ずつの黒っぽいスーツの男たちを、できるかぎり無視した。

「嘘を言ってやりましょうよ」パメラはいった。「もし我が国がイラン国内に軍隊を駐留させ続けると、戦争になるかもしれないといってやればいいわ。ねえ、たぶん戦争が起こるわよ」

　ジェフは立ち止まって、細い流木の枝を拾った。「そんなことといっても見破られるよ。特に、ペントタールを使われればね」

「それでも、やってみればいいわ」

「しかし、そんな嘘をついて、どんな結果が出るかわからないじゃないか。レーガンは先制攻撃を仕掛ける決定を下すかもしれない。そうすれば、結局、まだ避けることができるかもしれない戦争を、我々が始めさせることになるんだよ」

　パメラは身震いした。「スチュワート・マカウワンはきっと幸福に暮らしているでしょうね」彼女は苦々しくいった。「どこに住んでいるにしても」

「我々は正しいと思うことをした。こんな結果になるとは、だれも予想できなかった。それに、すべてが悪かったというわけじゃない。やっぱり大勢の命を救っているんだ」

「人命を、そのようにバランスシートにのせることはできないわ！」

「それはそうだが――」

「彼らはもう嵐《あらし》や飛行機事故についてさえ何もしないでしょう」彼女はうんざりしたようにいって、砂の塊を蹴飛《けと》ばした。「私たちが消えてなくなったと、みんなに、特にソ連に、思わせたいのよ。それで、これらの人々をすべて殺し続けるのよ……不必要にね！」

「以前にも彼らは常に死んでいたんだよ」

彼女はくるりと向き直って彼を見た。その顔には、今まで見たことのないような怒りの表情が浮かんでいた。「それが止まらないのよ、ジェフ！　今度はもっと良い世界に、もっと安全な場所にするつもりだったのに——ところが、私たちが実際に心配するのは自分たちのことばかり。私たち自身の大切な小さい生命《いのち》がどのくらい伸びるかを、知ることばかりよ。しかも、それさえもすることができない」

「科学者たちが何か考えつく可能性はまだあるよ——」

「くそくらえだ！　ニュースを見れば、私たちがヘッジズに喋《しゃべ》ったことによって引き起こされた死人の話ばかり。テロリストの襲撃、軍事行動、もしかしたら全面戦争が起きるかもしれないのよ……それを見ると、あんな——あんな映画を作らなければよかったと思うわ。あなたがロサンゼルスにやってきて、私を見つけなければよかったと思うわ！」

ジェフは流木の枝を放り投げて、傷ついた信じられないような顔で彼女を見た。「本気でいっているんじゃないだろう」彼はいった。

「本気よ！　あなたに会って後悔しているわ！」

「ねえ、パメラ——」

彼女の手は怒りに震え、その顔は紅潮した。「もうヘッジズとは口をきかない。もうあなたとも口をきかない。三階の部屋に移る。あなたは勝手に何でも話せばいいでしょう。どうぞご遠慮なく。戦争を起こしなさいよ、このくそ惑星全体を吹っ飛ばしなさいよ！」

彼女は向きを変えて走り出し、砂に足を取られて転びそうになり、また立ち直り、二人の監獄である家の方に駆けていった。監視チームの一つが大急ぎで彼女の後を追い、もう一つがジェフの両脇《りょうわき》についた。彼は彼女が走っていくのを見、その護衛が彼女を家の中に連れ戻《もど》すのを見た。ヘッジズが戸口にいた。そして、彼女が彼にむかって何か叫ぶのが聞こえた。だが、湾の沖から吹いてくる夏の突風が、彼女の言葉をのみ込み、その叫びの意味をわからなくした。

彼は冷たい合成品の匂《にお》いのする空気の流れで、目を覚ました。鋭く薄切りにされた明るい日光が、そばの窓のベネチアン・ブラインドの半分閉じた横木の間から射《さ》し込み、まばらに家具を置いた寝室を照らしていた。ベッドの前の床にポータブル・ステレオが静かに置いてあり、鏡台の上の衣服の山をクッションにして、古いカセットレコーダーとWIODのロゴのあるマイクロフォンが置いてあった。

ジェフはエアコンの騒音越しに遠くでチャイムが鳴るのを聞き、それがドアベルだとわかった。だれがきたにしても、放っておけば、帰っていくだろう。彼は自分が持っている本をちらりと見た。ジョン・ハーシーの『アルジェ・モーテル事件』だ。ジェフはそれを脇に放り投げて、ベッドから足を振り出し、窓のところにいった。そして、ブラインドの白い横木の一本を上げて見た。すると、帝王椰子《やし》の高い立木が見えた。その先は平らな沼沢地だけが、見渡すかぎり地平線まで続いていた。

玄関のベルがまた鳴った。それから、ジェット機の轟音《ごうおん》が近づいてくるのが聞こえたので、見ると、椰子の木の数百ヤード向こうをジェット機が滑空していくのが見えた。フォート・ローダーデイル・ハリウッド国際空港に降りるのだなと、ジェフは覚《さと》った。ここはデイニアにある自分のアパートだ。海岸から一マイル。空港に近すぎるが、これは真に自分自身のものと呼ぶことのできる最初の家であり、成人して最初の、完全に個人的な住処《すみか》だった。彼はマイアミで最初のフルタイムの仕事をしており、職業人としての出発点にいるのだった。

彼はその黴《かび》っぽい、冷たい空気を深く吸い込み、くしゃくしゃのベッドにまた腰を下ろした。予定通り、一九八八年十月十八日の一時六分過ぎに死んだのだ。まだ全面戦争はなかったが、あの世界はすでに——

玄関のベルがまた鳴った。こんどは長くしつこく鳴っていた。ちくしょう、どうして立ち去らないんだ？　ベルはいったん止まり、またすぐ鳴りだした。四度目だ。ジェフは化粧だんすの上の衣服の山から、Tシャツとデニムのカットオフを取り上げて着た。

そして、玄関の誰《だれ》かを追い払うために、腹立たしげに足音荒く寝室を出ていった。居間に入ると、うだるように暑くて湿った動かない空気の壁にぶつかった。ここのエアコンは故障しているにちがいない。だから自分は日中からベッドルームにいたんだ。部屋の隅《すみ》の、幅の広い羊歯《しだ》の葉さえも、息の詰まるような暑さのために萎《しお》れている。ジェフはベルがふたたびただならぬ気配で鳴り出したとたんに、ドアを開けた。

リンダがにこにこして立っていた。波打つ朽葉色の頭髪に混じった金色の筋が、後ろから射す日光でとりわけ明るく輝いている。彼の妻、元の妻、まだ妻になっていないリンダが、彼への生まれたばかりの愛情を惜しげもなく発散させて笑った。その差し出した手の中にヒナギクの束があった。それは世界中のすべてのヒナギクのように見え、彼女の甘く忘れられない顔に、燃えるような幸福感と豊饒《ほうじょう》な若さのすべてが輝いていた。

ジェフは涙が溢《あふ》れそうになるのを感じた。だが、彼女から目をそむけることができなかった。何十年ものあいだ記憶の中に住み、そして今、愛らしい輝きのすべてを備えて再生され、目の前に立っているこの貴重な幻を、一瞬も見失いたくなかったので、瞬《まばた》きをすることさえできなかった。あまりにも長かった。本当に長い間だった……

「入れと、いってくれないの？」彼女は尋ねた。その子供っぽい声は恥ずかしがっているようでもあり、誘惑しているようでもあった。

「ああ……そうだ。悪かった。さあ入って。これ……すごくきれい。すてきな花だ。ありがとう。きてくれるとは思わなかったよ」

「何か花を入れるものがあるかしら？　あら、ここは外よりも暑いのねえ！」

「エアコンがいかれてる。ちょ——ちょっと待って、花を入れる物を何か探すから」彼は上の空で部屋の中を見回し、花瓶《かびん》があったかどうか思い出そうとした。

「もしかしたら、キッチンに？」リンダが助け舟を出した。

「うん、そうかも。ちょっと調べてみる。君ビールがいい、それともコーク？」

「氷水があれば結構よ」彼女は後について、狭苦しいキッチンに入り、ヒナギクを入れる花瓶を探し出した。一方、彼は冷蔵庫の中に水差しを見つけ、丈の高いコップに冷水を注《つ》いで彼女に渡した。「ありがとう」彼女はいい、ジェフが花を受け取ると、手を広げて自分の体を扇《あお》いだ。「窓を開けるとかなんとか、できないの？」

「僕《ぼく》の部屋ではエアコンがうまく動いている。あっちにいかないか？　この暑さでは萎れてしまうわ」

「いいわ。花もそちらに持っていった方がいいわね。この暑さでは萎れてしまうわ」

ベッドルームにいくと、彼はヒナギクをナイトスタンドの上に置き、彼女がエアコンの空気吹出し口の前で、爪先《つまさき》立ってくるくる回るのを見つめた。サンドレスの開いた背中から見えるその素肌《すはだ》には汗の粒が宝石のように光っていた。「あーあ、良い気持ち！」細っそりした腕を頭の上に上げると、薄いドレスの下で小さな固い乳房が盛り上がった。前にこれと全く同じ事をした、とジェフは思い出した——花を入れる花瓶を見つけ、涼むために寝室に入り、彼女がくるくる回り、ちょうどこのような姿勢を取った……どのくらい昔だったろうか？　何生涯《しょうがい》も過ぎ、いくつもの世界が過ぎ去った。

大きな茶色の目。透明な温かみを湛《たた》えたその目で、彼女は僕を見る。なんと、もう何年も、こんな目付きで僕を見つめた人はいない。パメラは口走った通りに、メリーランドの政府の家の最上階に閉《と》じ籠《こも》ってしまい、たまに食事のためにほかの人たちと同席しても、冷たく彼から目を逸《そ》らした。過去九年間で、ジェフが最もよく覚えている目は、ラッセル・ヘッジズの危険な青い目だった。ジェフが何も知らず何も予言できないテロリストの攻撃や国境紛争や米ソの対立という地獄のような泥沼《どろぬま》に、世界が滑りこんでいくにつれて、ヘッジズは次第に悪意の増していくその目で、彼を見つめたものだった。

もし、あの激変した世界が、彼とパメラが全くの善意によってうかつにも設定したコースに従って、逸脱した時間の線上を歩み続けるとしたら、今どうなっていることだろう？　とジェフは思った。ノベンバー・スクォッドによるゴールデンゲイト・ブリッジの破壊と国連ビルでの大虐殺の結果、合衆国はすでに三年前から戒厳令下にあった。大人数の集会を制限する新しい法律によって、一九八八年の大統領選挙は無期限に延期された。そして、三つの主要な情報機関の長官らは、〝緊急事態のあいだ〟国家を効果的に支配していた。

まるで、ファシストのアメリカ国家が形成されていくように思われた。これはもちろん国際テロリストの地下組織が最初から狙《ねら》っていたことだった。そのメンバーはまさに、普通の市民さえもそれを転覆させるために戦おうと思うような、純粋に圧政的な政体が合衆国に生まれることを望んでいた。もちろん、臨時政府を運営する戦闘的な反共主義集団である中央情報局・国家安全保障局・連邦捜査局のトロイカが、先手を打って、七〇年代後期以来噴出しそうになっていた世界的な核の摩擦を誘発させる決定を下さなかったら、テロリストのもくろみ通りになったかもしれない。

リンダは絹のような背中の素肌を、冷たい空気の流れに向けて立ち、目をつぶって片手で髪の毛を頭上高く持ち上げて、細い項《うなじ》を快い空気の流れにさらした。ブラインドの隙間《すきま》から射《さ》しこむ日光が白い薄いドレスを照らすと、彼女の踊り子のようなすんなりと伸びた足が透けて見えた。

パメラが自分に食ってかかったのは当然だった。いかに無意識的であろうと利他主義的であろうと、自分たちが発動してしまった事件を非難するのは当然だったと、ジェフは辛《つら》い気持ちで考えた。自分たちの存在を世間に公表し、そして、取るに足りない情報を得るために政府と取引きすることによって、悪質な旋風の種を蒔《ま》き、その報いをいま別の世界が受け取らなければならないのだ。彼女が――いや、そういえば彼らのどちらかが――博愛と理解の名のもとに世界的な血なまぐさい暴力をもたらしたことを、自ら許すことができるようになるかどうか、まだわからない……そして、おそらく何年も、たぶん十年以上待たなければ、彼女と再び口をきく機会はこないだろう。個人的に離反した自分たちの和解を試み、また、人類の運命を改良しようとして、完全に悲劇的に失敗したことを、甘んじて受け入れることができるようになるのは、まだ相当先になるだろう。あの世界は失われた。ちょうど今、彼にとって、来《きた》るべき未知の年月にわたって、ことによったら永久に、パメラが失われたのと同様に。

「くすぐって」リンダが甘い透明な声でいった。ジェフは何のことか一瞬わからなかった。それから、彼女がかつて好んだデリケートな接触を思い出した。彼女の肌の上で、指先をゆっくりと、ごくそっと動かすのである。ほとんど全く触れていないといってよいほど、かすかに。彼はもらった花束からヒナギクの花を一つ取り、その羽毛のように柔らかな花びらで、彼女の耳から首に、さらに肩に、そして右腕を下り、左腕を上がって、想像上の線をたどった。「まあ、良い気持ち」彼女はささやいた。「ここを、ここをやって」彼女はドレスの肩の細い紐《ひも》を緩めて、若々しい乳房から滑り落とさせた。ジェフはその花で彼女を愛撫《あいぶ》し、立ち上がった両方の乳首にキスした。「ああ、これ大好き」リンダは溜《た》め息《いき》をついた。「あなた大好き！」

そして彼は、この完全な、二度生きた日に、この女性の文句なしの情熱と愛情の中に、求めていた慰めを得た。これらの感情はあまりにも長い間、彼女と共有できずにいたのだった。彼女の彼への愛の中で、そして、再び見出《みいだ》した彼の彼女への愛の中で、彼は再び生きた。

リンダの頭髪のレモン色の筋が、何日もモロッコの太陽に照らされていたおかげで、さらに薄くなり、むしろ白に近い黄色に変わってしまっていた。それで、彼女の髪はまるで、長いバーの背後の大きな日輪のタペストリーからの、想像上の光を反射しているように見えた。船が北大西洋のうねりに乗ってゆっくりと揺れると、彼女は笑いながらバーの手すりにしがみつき、傾いた樫《かし》のカウンターの表面をジントニックのグラスが滑り出すと、彼女は素早くつかんだ。彼女が笑うとグラスの中の氷がちりちりと鳴った。

「もう一杯《アンコール》いかがですか、マダム？」バーテンが尋ねた。

リンダはジェフにいった。「もう一杯飲みたい？」

彼は首を振り、手元の、ソーダで割ったジャック・ダニエルズを飲み干した。「デッキを散歩しようじゃないか？　暖かい晩だ。海を見たいな」彼はバーの勘定書に船室の番号を書いて、バーテンに渡した。「ありがとう《メルシー》、レイモン、また、あした《ア・ドマン》」

「また、あした《ア・ドマン》、ムッシュー。ありがとうございました《メルシー》」

ジェフはリンダの腕を取った。彼らはかすかに揺れるリビエラ・バーを通り抜けて、ベランダ・デッキにいった。豪華客船フランス号の印象的な赤と黒の煙突が頭上の夜空にそびえ立ち、それらについている滑らかな水平の鰭《ひれ》は、飛び上がった途中で凍りついた二頭の巨大な鯨の動かない尻尾《しっぽ》のように見えた。巨船はやってくるうねりに乗って浮き上がり、大きいが安定している波と波の間の谷間に、なめらかに沈み込んだ。頭上の星は雲に邪魔されずに見えていたが、ずっと南には一連の入道雲があって、絶えず弾ける稲妻が水平線を照らしていた。嵐《あらし》はこちらに向かっていたが、三十ノットで走っているこの船は、激しい風と大粒の雨がこの海域に達する前に、ここを抜け出てしまっているだろう。

ヘイエルダールはこのような自然の猛威を避けるという贅沢《ぜいたく》を持ち合わせていないだろう、とジェフは思った。あの人はもっと違った目で、やってくる嵐を見るだろう。彼は陸地からずっとはなれた場所で、小さなパピルスの舟の舵《かじ》に、油断なく注意を集中させているだろう。去年彼を阻《はば》み、目的地の六百マイル手前の荒海で、壊れた舟を放棄せざるをえなくさせたのは、まさにこのような嵐だった。

「今度は本当にうまくいくと思う？」遠方のぎくしゃく照らし出される雲を見つめながら、リンダが尋ねた。彼女もまた同じことを考えていた。過去三週間、大昔の砦《とりで》のあるサフィという港で労働と完成をともにした、顎髭《あごひげ》を生やした愛想《あいそ》のよいノルウェイ人の運命を心配していたのだった。ヘイエルダールはその港で、歴史的な、わざと原始的に設計された小舟を作り――そして先週、船出をしたのだった。

「今度は成功するだろうよ」ジェフは確信をもっていった。

リンダの薄いドレスが接近してくる嵐からの風ではためいた。彼女はしっかりと船の手すりにつかまった。「なぜ彼にそんなに魅《ひ》かれるの?」彼女は知りたがった。

「同僚の宇宙飛行士が月面に降りている間、母船に一人留《とど》まっていたマイケル・コリンズやリチャード・ゴードンに魅かれるのと同じ理由からさ」彼はいった。それに、やはり似た立場にあったルーサやウォーデンやマッティングリーやエバンズ、それに、今から三年前の一九七三年に帰還を始めたベトナムの捕虜たちを加えてもよかった、と彼は思った。「人類のほかの仲間からの孤立、完全な離間というものに関心があるんだ……」

「でもヘイエルダールは七人のクルーと一緒なのよ」彼女は指摘した。「コリンズやゴードンはあのカプセルの中で完全に一人だった。とにかく、しばらくの間はね」

「孤独は共有できる場合もあるんだよ」ジェフはいって、大波が荒れ狂う大洋を見た。接近してくる熱帯の嵐の暖かい匂《にお》いを嗅《か》ぐと、彼は地中海を——マジョルカの別荘の開いた窓から同じ匂いが流れ込んできた日のことを——思い出した。パエリヤのスパイスの風味、ローリンド・アルメイダのギターの切ない響き、パメラの目の——死のうとしている彼女の目の——喜びと哀《かな》しみの入り混じった表情。

リンダはジェフの顔をよぎった陰影を見ると、手を彼の手の上に移し、船の手すりを握るのと同じくらい強く握った。「時々あなたが心配になるの」彼女はいった。「孤独や孤立の話ばかり……。この計画がそれほど良い考えだったかどうか、わからなくなるわ。

このために、よけいにあなたが落ち込むみたい」

彼は彼女を引き寄せ、頭のてっぺんにキスした。「ちがうよ」彼は愛情に満ちた微笑で、彼女を安心させようとした。「これで落ち込むんじゃない。考え深くなるだけだ」

しかし、それが必ずしも正しくないことを、彼も知っていた。彼の瞑想的《めいそうてき》な状態が、いま彼に取《と》り憑《つ》いているこの事業を引き起こしたのだ。この逆ではない。一九六八年八月のあの日にこの人生を再開し、リンダが切り立てのヒナギクを腕いっぱいに抱えて戸口で待っているのを見出して以来、彼女の存在が――その純真で愛情のこもった率直さが――彼の打ちのめされた五感を癒《いや》してくれたのだった。しかし、ジェフとリンダがずっと昔に共有していた全《すべ》てが、こうして、思いがけなくそっくり再生されたとしても、自分が前のあの人生で、ラッセル・ヘッジズを通じて間接的に世界に加えていた責め苦を、忘れることはできなかったし、また、そのために心ならずもパメラと仲違《なかたが》いすることになったのを、忘れることはできなかった。罪悪感と良心の呵責《かしゃく》から逃れることは不可能だった。それらが絶え間ない底流を形作り、かつて結婚していた女性に対する彼の復活した愛の土台を、絶えず浸食するように思われた。そして、その土台が次第に小さくなっていくことが、新たな呵責を生み出した。自分の感情を変えることができるはずだ、そして、過去にこだわることなく、今リンダがそうしているように、自分自身を完全に彼女に与えるべきだという確信のために、現在の罪悪感はよけいにひどくなった。

彼はマイアミのＷＩＤＯ局のレポーターの仕事をすぐに止《や》めた。人間の悲劇を探し、観察し、それを記述するという日常業務に耐えきれなくなったのだ。メリーランド州の、政府の隠れ家に監禁されていた間に、自分に責任があると思われる事件があれだけ起こったことを考えると、とてもそんな仕事を続ける気になれなかったのである。ジェフはその年の十月、ワールド・シリーズでデトロイト・タイガーズが一勝三敗するまで待ち、それから貯金をはたいて、残りの三試合をタイガーズが全部勝つという賭《か》けをした。ジェフが予《あらかじ》め知っていたように、ミッキー・ロリチが彼のために勝《か》ち戦《いくさ》をしてくれた。

彼はこの賞金で、ポンパノ・ビーチの水際《みずぎわ》に新しいアパートを買うことができた。リンダはそのそばの両親の家に住み、大学に通っていた。毎日午後に、彼女の大学の授業が終わると、二人は出会い、穏やかな海で一緒に泳いだり、アパートのプールの縁に並んで坐《すわ》って、彼女が勉強するのを彼が見守ったりした。翌《あく》る年の春、彼女は〝自立する〟と両親にいって、彼の家に移った。両親はこの嘘《うそ》を黙認し、二人が同棲《どうせい》しているオーシャンフロントのアパートの十階を、決して訪ねることはなかった。そして、毎週日曜日の夕食に、彼が両親の家を訪ねるのを歓迎し続けた。

ジェフが、今夢中になっているこの計画を思いついたのは、この年、つまり一九六九年の夏だった。リンダの父親がある日曜日の晩に、夕食後のコーヒーを飲みながら、この計画の種を彼の心に蒔いたのだった。この頃《ころ》ジェフはニュースを無視し、天下国家を論じるのを礼儀正しくかわす習慣になっていた。だが、この前世での義理の父は一つの話題にこだわり、議論を止めようとしなかった。それは、コロンブスより三千年以上も前に、古代の探検家たちがパピルスの船に乗って、エジプトの文化をアメリカに運ぶことができたかもしれないという仮説を立証しようとして、結局、失敗に終わったばかりの、トール・ヘイエルダールとノルウェイ人たちの、ドン・キホーテ的試みについてだった。

リンダの父親はこの思い付きを嘲笑《ちょうしょう》し、ヘイエルダールのもう少しで成功するところだった試みを、完全な失敗だと決めつけた。だがジェフは、この冒険的人類学者が一年後の、二度目の遠征で勝利することを知っていながら、黙っていた。それでも、この会話が彼を考えこませた。その夜彼はベッドの中で、夜明け方まで眠れずに、アパートの窓の下の激しい大波の音に耳を傾けながら、自分が暗い海面を手製の脆《もろ》い小船に乗って漂っているところを想像し、その脆い小船は、この年の嵐には屈伏するかもしれないが、次の年には自分を沈めた海を、征服しに帰ってくるのだと思った。

この同じ月に、アポロ十一号を月まで持ち上げる巨大なサタン五型ロケットの、壮麗な打上げを見物するために、彼とリンダは、前にやった通りにケープまでドライブした。打上げが終わると、すでに開発されすぎたゴールド・コーストの道路を、ほかの見物人を満載した何万台もの車とともに一寸刻みの運転で帰ってきたが、その時のジェフの心は、孤立という考え——人類の日々の営みからの離脱という考え——で満たされていた。これは、かつてモンゴメリー・クリークで探求した、引退や世捨て人の生活とは異なった種類のもので、孤絶の旅行、まだ立証されていないゴールに向かっての壮大な一人旅、とでもいうものだった。

ヘイエルダールはこの感情を知っていると、ジェフは確信した。たった今、出発を見送ってきたばかりの月面着陸の任務を帯びたクルーが、それを知っているように。しかも、そのクルーの中では、マイケル・コリンズがほかのだれよりもよく知っていると。アームストロングと、程度は少し劣るがオルドリンは、栄光を受け、あの歴史的な第一歩を印し、あの誤り伝えられた第一声を発し、月面の土に旗を立てるだろう……しかし、同僚が月面に降りている劇的な何時間かのあいだ、マイケル・コリンズは未《いま》だかつてだれも経験したことのない孤独を感じるだろう。地球から二十五万マイル離れて、異世界の周囲を巡る軌道にいて、最も近くにいる人類は下界の、あの敵意ある準惑星のどこかにいる。乗っている司令船が月の裏側に入れば、同僚と無線で話すこともできず、遥《はる》か彼方《かなた》の生まれ故郷の白と青の星を見ることすらできない。彼は、ほかにわずか五人の人類しか経験しない、完全な孤独と静寂の中で、荒涼たる無限の宇宙に対面するのだ。

その時ジェフは、メルバン付近の国道一号線の三十マイルにおよぶ交通渋滞に巻き込まれながら、この人々に会わねばならない、彼らを理解しなければならないと覚《さと》った。

そうすれば、自分自身について、そして、自分とパメラが突き込まれている時間の中の孤独な旅について、たぶんもっとよく理解できるようになるだろうと思った。

翌週、彼はこれから何度もすることになるヒューストン詣《もう》での第一回目をした。前年にアール・ウォレンとのインタビューに成功した強みで、NBCに口添えを頼み、米航空宇宙局《NASA》からフリージャーナリストとしての記者証を入手した。彼はスチュワート・ルーサにインタビューし、次第に親しくなり、彼を通じて、リチャード・ゴードンやアルフレッド・ウォーデンなどと知り合った。マイケル・コリンズさえも比較的、近づきやすいとわかった。世間の注目と追従《ついしょう》は、実際に月面に足跡を印した人々にいつまでも集中し、月をめぐる軌道に残ったこの人や、残ることになる人々には、向かないのである。

最初、自分自身の精神状態を洞察《どうさつ》するために始めた個人的な探究は、間もなくその枠《わく》に留まらなくなった。ジェフは久し振りにジャーナリストとしての腕をふるい、対象となる人の思想や記憶を巧みに調査した。相手が会話をインタビューと考えなくなった瞬間――相手がこちらの、明らかに純粋な興味に直面して警戒を解き、深い人間的なレベルで対話を始めた瞬間――をとらえて、最善のインタビューを行った。ペーソス、ユーモア、怒り、恐れ――ジェフはこれらの人々から、宇宙飛行士がそれまで決して明かさなかった感情の振幅を、余すところなく引き出した。そして、彼らの特殊な宇宙観はもはや独り占めにすることができないものであり、広く世間に伝えるべきものだと覚った。

彼はこの年の秋、ヘイエルダールに手紙を書いて、初めてこの探検家とノルウェイで会う手筈《てはず》を調《ととの》え、その後も何度かノルウェイで会い、それからモロッコでも会った。これらの特殊な人々を捜し出すようにジェフを導いた当初の衝動が、心の中で拡大するにつれて、また、彼らから収集したさまざまなイメージや感情が独自の力を持ち始めるにつれて、自分が無意識ながら断固として発達させてきたものが何であったか、ついに覚った。それは自分自身についての本を書くことだった。自分独特の経験を絡《から》め取る手段として、これらの別々の孤独な旅行者を隠喩《いんゆ》として利用し、自分が蓄積した利得と喪失と悔恨という斑模様《まだらもよう》のタペストリーを、説明するのである。

新たな一連の稲妻が遠方の雷雲を光らせ、そのほの白い反射が、リンダの天使のような顔の輪郭をちらちらと照らした。

そして、喜びも伝えなくては――微笑して見上げた彼女の頰《ほお》を指で軽く触りながら、彼は思った。喜びをも伝えなければならないと。

ジェフの家はボカ・ラトーンの南のヒルズバラ・ビーチにあった。書斎はほかの大部分の部屋と同様に、海の眺《なが》めがよかった。昔モンゴメリー・クリークの家から見えるシャスタ山の白い峰に引きつけられたと全く同様に、今度は海の眺めの恒常性と、終わることのない大波の音が頼りになった。それは心を慰め、彼を繋《つな》ぎ止めた。ただ、大洋から月が昇る晩は別だった。なぜなら、そのような晩は、この世界ではまだ制作されないままになっているある映画を思い出させるし、最もうまく忘れ去っている時代を思い出させるからである。

　彼はソニーの口述機のフットペダルを踏んだ。するとテープに記録されているひどいロシアなまりの声の深い響きが、この小さな再生装置の小さなスピーカーを通してさえもはっきりと聞き取れた。ジェフはこのインタビューを文字に書き記している最中だった。そして、この声を聞くたびに、チューリッヒにあるその人の驚くほど慎ましい家や、あいだに置いたテーブルに載っているユダヤ料理のブリンツやキャビアや、よく冷えた一瓶《ひとびん》のペパー・ウォッカを思い出すことができた。そして、この独特な赤い房のような髭《ひげ》を生やした逞《たくま》しい人が、世界の悲しみを雄弁にものがたる時、その言葉には意外なところに宝石のように機知がちりばめられていたのを思い出し、その笑い声すらも思い出すのだった。スイスでの、あの知恵が集中的に語られた週間に、ジェフは自分がどんなによく彼の哀しみに共感できるか、回復できないものへの強烈な怒りの感覚を、自分がどんなによく理解できるかを、何度もその人に話したいという誘惑に駆られた。だが、もちろんそんなことはしなかったし、できなかった。彼は口を閉じて、洞察力はあるにしても未熟なインタビューワーとして振る舞い、その偉人の思想を記録するにとどめ、自分が一人で自分の苦しみに耐えているように、相手が一人でその苦しみに耐えているのを見守るだけにした。

ドアにためらいがちなノックがあり、リンダが呼び掛けた。「あなた？ 一休みしない？」

「するよ」彼はいって、タイプライターとテープレコーダーのスイッチを切った。「お入り」

彼女はドアを開け、二切れのキーライム・パイと二杯のジャマイカ・ブルーマウンテン・コーヒーを載せた盆を、バランスを取りながら、持って入ってきた。「栄養補給よ」彼女はにっこり笑った。

「うーむ」ジェフはこくのあるコーヒーの香りと、新鮮なライム・パイのつんと鼻にくる爽《さわ》やかな香りを吸い込んだ。「それだけじゃない。もっと、限りなく貴重なものだ」

「ソルジェニーツィンの素材はどう？」リンダは机の隣に置かれた特大のオットマンの長椅子《ながいす》にあぐらをかいて坐り、膝《ひざ》に盆を載せた。

「素晴らしいよ。こいつは仕事の宝庫だ。何から何まで良すぎて、どこからカットしていいか、書き直していいか、わからないくらいだ」

「南ベトナムのグェン・バン・チューから取材したものよりも良いの？」

「ずっと良い」彼は恐ろしくうまいパイを嚙《か》みながらいった。「グェン・バン・チューの談話には良い引用文がいっぱいあって、収録するだけの価値は充分にある。しかし、こいつはこの本の背骨になりそうだ。考えると、わくわくしてくるよ」

当然、ジェフが自覚しているように、この新しい計画は、最初の本、つまりヘイエルダールと月の周回軌道に残った宇宙飛行士たちの本を書き始めて以来、心の中に形成されつつあったものだった。最初の本は二年前、つまり一九七三年に出版されると、ささやかな批評的、経済的成功をおさめた。そして、もうほとんど準備を終えている今度の本は、最初の本の最上の部分さえも凌《しの》ぐことは確実だと思われた。

今度は、強制的に追放された人、家と国と仲間から追放された人について書くつもりだった。この話題の中に、普遍的な共感の核心――我々のすべてが受けている象徴的な追放から生じる理解の火花――を見出《みいだ》し、それを伝えることができると、ジェフは感じた。そういうことなら、自分は、自分以前のだれにもまして理解している。人間は等しく、自分が生きてきた過去の年月から、そして、過去の自分自身、過去の知己、永久に失われてしまった人々から、追放されることは避けられないのだ。

ソルジェニーツィンから――強制労働収容所についてではなく、その追放について――引き出した長い長い述懐は、リンダに話して聞かせたとおり、疑いなく、今までに彼が収集したあらゆる意見の中で最も深遠なものだった。今度の本にはまた、退位させられたカンボジアのシアヌーク殿下との文通から得られた資料、五五年に失脚して亡命したアルゼンチンの元大統領ホワン・ペロンとの、マドリッドとブエノスアイレスの両方で行われたインタビュー、および、サイゴン陥落後にグェン・バン・チューから苦労して取材した感想も、載せることになるだろう。ジェフはアヤトラ・ホメイニとパリ郊外の隠れ家で話さえした。また、この本を完全に民主的なものにするために、左右双方の独裁体制から逃れた、男女数十人の普通の政治的亡命者のコメントを求めた。今取り貯《た》めたノートとテープには、力強い、深く感動的な言葉と感情が溢《あふ》れていた。ジェフが直面している仕事は、これら無数の心底からの言葉のエッセンスを蒸留し、徹底的に分解して、最も効果的な文脈の中に並べて、素材の持てる力を最大限に発揮させることだった。そして本の題名は、旧約聖書の詩篇《しへん》第一三七から引用して『やなぎにかけた琴』とするつもりだった。

われらはバビロンの川のほとりにすわり、
シオンを思い出して涙を流した。
われらはその中のやなぎにわれらの琴をかけた……
われらは外国にあって、
どうして主の歌をうたえようか。

ジェフはキーライム・パイを食べ終えて皿《さら》を傍《わき》によせ、うっとりするほどこくのある入れたてのジャマイカ・コーヒーを飲んだ。

「どのくらい長くかかるの――」リンダがいいかけた時、机上の電話がけたたましく鳴って質問をさまたげた。

「もしもし？」彼は応《こた》えた。

「もしもし、ジェフ？」三つの別々の人生で知っていた声が、いった。

彼は何といっていいかわからなかった。過去八年間、この瞬間のことを何度も考え、恐れ、熱望し、もうありえないのではないかと半ば信じ始めていた。ところが今、その瞬間がやってきた。すると、これまでに何度も注意深く練習した最初の言葉が、雲の断片が風に吹かれて消え失《う》せるように、心から全部流れ去ってしまい、一時的に口がきけなくなった。

「自由に話ができるの？」パメラは尋ねた。

「というわけではないが」彼は落ち着かない気分でリンダを見ながらいった。彼女は彼の表情の変化を見て取ったにちがいなく、不思議そうに、しかし疑いを抱いている様子もなく、彼を見つめていた。

「わかった」パメラはいった。「後で電話しましょうか、それとも、どこかで落ち合いましょうか？」

「そのほうがいいな」

「どのほうが？　後で電話するほうが？」

「いや、いや、近いうちに会う必要があると思う」

「ニューヨークに出てこられる？」彼女は尋ねた。

「ああ、いつでも。いつ、どこで？」

「今度の木曜日。いいかしら？」

「けっこう」彼はいった。

「では木曜日の午後に……ピエールで？　あそこのバーで？」

「よさそうだな。二時ごろ？」

「こちらは三時のほうが都合がいいわ」パメラはいった。「一時にウェスト・サイドで別の約束があるので」

「わかった。では――木曜日に」

ジェフは電話を切ったが、自分がどんなに顔色を失い、ショックを受けているように見えるか想像がついた。「今のは……昔の大学時代の友人だった。マーティン・ベイリーってやつさ」彼は嘘をつき、そのために自己嫌悪《けんお》を感じた。

「ああ、ルームメイトだった人ね。何かあったの？」彼女の顔と声に表れている懸念《けねん》は、本物だった。

「やっと奥さんが、ごたごたしているんだ。離婚しそうな雲行きだ。そのことで、やっこさんうろたえて、相談相手をほしがっている。助力できるかどうか、二、三日アトランタにいってこようと思う」

リンダは同情するように、無邪気に微笑《ほほえ》んだ。しかし、この出まかせの嘘を彼女が簡単に信じてくれたことで、彼はすこしもほっとせず、かえって、突き刺すような罪の意識を感じるばかりだった。そして、後わずか三日でふたたびパメラに会えると思うと、打ち消しきれない高揚感がどっと沸き上がって、いっそう罪の意識が強まった。

18

ジェフは二時二十分にホテル・ピエールの部屋からエレベーターで降り、左に曲がり、カフェ・ピエールの入口の目印になっている、真鍮《しんちゅう》の象眼がある灰色のイタリア大理石のところを通って中に入った。細長いバーの奥のほうに静かなテーブルを見つけて、飲み物を注文し、入口を見ながら不安そうに待った。このホテルにはあまりにも多くの思い出があった。最初のリプレイの始め頃《ごろ》に、運命の転機となった一九六三年度ワールド・シリーズの大部分を、このホテルの一室でシャーラといっしょに観戦したものだった。そして、過去何十年かに、しばしばここに泊まったものだった。たいていはパメラといっしょに。

彼女は三時五分前に入ってきた。その真《ま》っ直《す》ぐなブロンドの髪は、記憶していた通りだった。そして、目も同じだった。豊満な唇《くちびる》をきっと結んで、見慣れた真剣な表情をしていたが、メリーランドの終わり頃にしていたように、口をへの字にきつく結んではいなかった。彼女は目の色に調和したデリケートなエメラルドのイヤリングをし、白い狐《きつね》の毛皮の襟巻《えりまき》をし……そしてライトグレーのスマートな仕立てのマタニティ・ドレスを着ていた。パメラは妊娠五カ月か六カ月だった。

彼女はテーブルのところにやってくると、ジェフの手を取り、長いことじっと握っていた。彼が視線を落とすと、飾り気のない結婚指輪が目に入った。

「お帰りなさい」彼女が向かい側に腰を下ろすと、彼はいった。「君……とてもきれいだよ」

「ありがとう」彼女はテーブルの上に視線を落としながら、注意深くいった。ウェイターが何となく近寄ってきた。彼女は白ワインのグラスを注文した。それが彼女の前に置かれるまで、沈黙が続いた。彼女はワインを飲み、カクテル・ナプキンを指で摘《つま》んで揉《も》み始めた。

ジェフは思い出して微笑した。「これから、それを裂くわけだね？」彼は軽く尋ねた。

パメラは彼を見上げて微笑《ほほえ》み返した。「たぶんね」彼女はいった。

「いつ――」彼は言い掛けて、口をつぐんだ。

「いつ、なに？　いつリプレイが始まったか？　それとも、いつが予定日か？」

「たぶん、両方だ。どちらからでもいいよ」

「私、二カ月前から戻《もど》っているのよ、ジェフ」

「そうか」今度は、目を逸《そ》らしたのは彼の方だった。彼はサテンの垂れ布に映える金色の突き出し燭台《しょくだい》の一つを見つめた。

パメラはテーブル越しに手を伸ばして、彼の腕に触れた。「とても電話する勇気がなかったのよ、分かるでしょ？　この前に意見の相違があったからではなくて……このためにね。これは私にとって物凄《ものすご》いショックだったわ」

彼は心が和んで、彼女の目を見返した。「気の毒に」彼はいった。「そうだったろうね」

「ニューロッシェルの子供服店で、赤ん坊の服を買っている時だった。そばに幼い息子の――三歳の――クリストファーがいた。それから私、お腹《なか》を触って気がついて、そして……取り乱して、すすり泣きを始めたら、当然クリストファーが怯《おび》えて、大声で泣き出したの。〝マミー、マミー〟って……」

パメラの声がかすれた。彼女はナプキンで目をおさえた。ジェフは彼女の手を取り、平静を取り戻すまで、その手をなでていた。

「お腹にいるのはキンバリーよ」彼女は結局、静かにいった。「娘なの。三月に生まれるでしょう。一九七六年の三月十八日にね。その日は、むしろ四月末か五月初めのような、美しい日になるでしょう。彼女の名前は〝王室の牧場から〟という意味なの。それで私はいつも、彼女が春を持ってきたといったものよ」

「パメラ……」

「彼らにまた会うとは夢にも思っていなかった。あなたには想像もできないわ――いくらあなたでも、これが私にとってどんなものだったか、いまだにどんなものであるか、そして次の十一年、いや十二年近い年月にわたって、どんなものであるか想像できないでしょう。なぜなら、私は今まで以上に彼らを愛しているし、しかも、今度は彼らを失うことになると知っているんだから」

彼女はまた泣きだした。そしてジェフは、自分が何をいっても、彼女の苦しみを軽減することはできないと知っていた。自分が娘のグレッチェンを再びこの腕に抱き、ダッチェス郡《しょうがい》のあの屋敷の庭で彼女が遊ぶのを眺《なが》め、しかも、その間じゅうずっと、彼女が自分の生涯から再び姿を消す日時を正確に知っているとしたら、一体どんな気持ちがするだろうと想像した。信じ難《がた》いような至福、無量の悲嘆。この二つを引き離すことは決して望み得ない。パメラの言う通りだ。この対《つい》になった感情のあいだに、堪《た》え難く、そして間断なく板挟《いたばさ》みになっている苦痛は、彼の鋭く発達した共感力をもってしても捉《とら》えることはできなかった。

しばらくすると、彼女はテーブルを離れて、こっそり涙を止めにいった。そして、戻ってきた時には、その顔は乾いており、しなおした薄化粧に汚れはなかった。ジェフは彼女のためにもう一杯のワインを、そして自分の飲み物のお代わりを注文した。

「あなたの方はどうなの？」彼女は冷静に尋ねた。「今度はいつ戻ったの？」

彼はためらい、咳払《せきばら》いをした。「僕《ぼく》はマイアミにいた」彼はいった。「一九六八年だった」

パメラはこれをしばらく考え、それから理解力のある表情を彼に向けた。「リンダと一緒ね」彼女はいった。

「ああ」

「そして、今は？」

「まだ一緒にいる。まだ結婚はしていないが……同棲《どうせい》しているんだ」

彼女は物憂《ものう》げな、物知り顔で微笑して、ワイングラスの縁を指でなでた。「そして、幸福なのね」

「ああ」彼は認めた。「どちらもね」

「それは良かったわ」パメラはいった。「これ本心よ」

「今度は事情が違うんだ」彼は詳しく説明した。「僕は精管切除を受けた。だから、前のように彼女が妊娠して苦しむことは決してない。養子をもらうかもしれない。その手配はできる。前にジュディと結婚した時にやったから。しかし、同じではなかった……どういう意味かわかるだろう」ジェフはふたたび子供の話を持ち出したことを後悔して、ちょっと口籠《くちごも》り、それから急いでいった。「経済的保障が僕らの関係をかなり助けてくれたよ。全力を挙げて投資活動をしたわけではないが、かなり楽に暮らしている。海沿いにとても良い家を買い、あちこち旅行をする。そして、今は執筆活動をしているんだ。とても報いの多いある仕事をしている。僕にとって、これは一種の回復作用だ。前にモンゴメリー・クリークで一人暮らしをしていた時よりも、もっとずっと強力なものだ」

「知ってるわ」彼女はいった。「あなたの本を読んだもの。とても感動的だった。前に私たちの仲がうまくいかなかった時の、あの辛《つら》い気持ちを払拭《ふっしょく》するのに、とても役立ってくれたわよ」

「あ――そうか。君がすでに二カ月前からリプレイしていることを、僕はどうも忘れるなあ。ありがとう。君に気に入ってもらって嬉《うれ》しいよ。今執筆しているのは、追放に関するものだ。ソルジェニーツィンやペロンとインタビューしたんだよ……出来たら新刊見本を送ろう」

彼女は目を伏せて、手を顎《あご》に当てた。「それは良い考えとは思えないわ」

彼女の意味をつかむのに、ジェフはちょっと手間取った。「夫のことかい？」

パメラはうなずいた。「彼が特別に嫉妬深《しっとぶか》いというわけではないけれど……まあ、何といえばよいのかしら？　もし、あなたと私が、文通を始めたり、電話を掛け合ったり、互いに会ったりして、接触を保ったままでいれば、あまりにも多くの説明をしなくてはならなくなるでしょ。それが、どんなにややこしいことか、わかるでしょう？」

「愛しているんだね？」ジェフはごくりと唾《つば》をのんで尋ねた。

「あなたは明らかにリンダを愛しているけれど、それとは違うわ」彼女はしっかりした冷静な声でいった。「スティーブはきちんとした人なの。彼はそれなりに私に気を遣ってくれている。でも、私の念頭にあるのは主に子供たちのことよ。クリストファーはまだ三歳だし、キンバリーはまだ生まれてさえいないけれど、彼らが父親を知るチャンスさえ持たないうちに、父親から引き離すなんてことは、とてもできないわ」突然、怒りの炎が彼女の目に燃え上がったが、彼女はそれを消し止めた。「たとえ、あなたがそうしてくれと頼んでもね」彼女は付け加えた。

「パメラ……」

「私は、あなたのリンダに対する感情を非難できない」彼女はいった。「私たちあまりにも長い間離れていたから、所有欲を発揮することができないのね。そして、最初の時にあなたと彼女の間に問題があっただけに、あなたが積極的にその関係を作りあげたことが、あなたにとってどんなに大切な意味を持つものか、私には分かるのよ」

「だからといって、君に対する僕の感情に違いが生じることはないよ」

「ええ」彼女は優しくいった。「それと、私たちのこととは何の関係もないわ。でも、それが現実だし、当面はあなたにとって、それが優先するのよ。ちょうど、今回は私にとって子供たちが、家族が、必要であるのと同様に。私にはこれが絶対に必要なの」

「君はまだ怒っているんだな——」

「ラッセル・ヘッジズに関係して、前回に起こったことで？　いいえ。あなたを怒ってはいないわ。私たちは二人であれを始めたのだし、最善と思うことをやったのよ。特に最後の数カ月間は、あなたを非難したことを、あなたの前で謝りたいと思ったことが何度もあったわ……でも、私、頑固《がんこ》だった。自分が感じている罪の意識を、全部自分で処理することができなかった。自分の正気を守るために、それを他人になすりつけなければならなかった。でも、それはあなたにではなくて、ヘッジズにすべきだったわ。ごめんなさい」

「わかるよ」彼はいった。「あの時も理解していた。難しかったがね」

彼女の目の中の熱望と深い後悔が、彼自身の感情を反映した。「今度はもっとずっと困難になるでしょう」彼女はいって、滑らかな掌《てのひら》で彼の手を包んだ。「私たち双方で、大きな理解力が必要になるでしょう」

その画廊はトライベッカ、つまり〝カナル・ストリートの下の三角地帯〟の中のチェインバー通りにあった。ここはソーホーに代わって、マンハッタン随一の芸術家の包領になっていた。もっとも、八〇年代の半ばから、ソーホーからの大脱出を引き起こしたのと同じ作用が、新たにトライベッカでも始まっていたけれども。ハドソンとバリックの横町には、流行の先端をいくバーやレストランが雨後の竹の子のように出来て、商店や画廊の値段は山の手のパトロンたちの消費力を反映し始めていた。そして、最上階にはプレミアムがつくようになった。かつては寂れていたこの都会の一隅《いちぐう》を、賑《にぎ》やかな場所に変える原動力となった若い画家や彫刻家やパーフォーマンスの芸人たちは、間もなく、どこかの新しい〝ボヘミア〟に、つまり、この混雑した島の、全く望ましくないからこそ入手可能な地域に、追い出されることだろう。

ジェフはホーソーン画廊と書いた控え目な真鍮の銘板を見つけ、リンダを連れて戸口を入った。もとは工業倉庫に隣接する安アパートだったものを改造した建物だ。中は簡素でしかも優雅な感じの受付になっていた。天井《てんじょう》も壁も白。湾曲した黒い机に向かって一脚の低くて黒いソファが置いてある。唯一《ゆいいつ》の装飾は、ぶら下がっている驚くほど繊細な鉄の細工物だけ。その長く伸びた、ほっそりした渦巻《うずま》きは、昔のニューオルリンズの門やバルコニーによく見られた複雑な鉄の線条細工の、留出物《りゅうしゅつぶつ》であり延長であるように思われた。

「いらっしゃいませ」机の向こう側の、ホイペット犬のように痩《や》せた若い女性がいった。

「オープニングにやってきましたよ」ジェフはいって、浮出しに印刷されている招待状を渡した。

「はい」彼女は印刷されたリストを調べ、彼らの名前に線を引いて消した。「どうぞ、お入りください」

ジェフとリンダは受付のデスクの前を通って、画廊の主要部分に入っていった。壁は同じく真っ白だった。そこには、このように注意深いデザインに従って配置されなければ、イメージが暴動を起こしそうな作品が展示されていた。大部屋のあちらこちらが仕切られて、気楽な小さなアルコーブが形作られ、そこに展示されている観照的な小品を落ち着いて観賞できるようになっていた。一方、それと正反対に、大作は広々とした場所に展示されて、作品の華麗さが完全に引き立つようになっていた。

画廊に君臨しているのは、芸術家の想像の中にしか存在し得ないような、二十フィートの画布の海底風景だった。波の遥《はる》か下に一つの晴朗な峰が聳《そび》えており、その間違えようのない対称形は薄暗さによって明瞭《めいりょう》さを失っておらず、山頂に積もった雪は周囲の水によって乱されていなかった。そして、その裾《すそ》野のクレバスの間を一群のイルカが泳いでいた。ジェフが近寄ってよく見ると、イルカのうちの二頭は、時間を超越した、明らかに人間的な目を持っていた。

「これは……すごいわね」リンダがいった。「そして、ほら、あそこの絵を見て」

彼女の指差す方をジェフが見ると、水没した山の絵よりも小さいが、迫力において少しも劣らない絵があった。それはグライダーの内部から見た景色を、百八十度の視野を持つ広角レンズで写したかのように、引き伸ばして描いてあった。前景にグライダーの操縦桿《そうじゅうかん》と支柱が見えており、窓からもう一機のグライダーがすぐそばに見えた……そして、両方とも飛翔《ひしょう》しているが、それは青空をではなく、無限の空間を、暗い橙色《だいだいいろ》のリングを持つ惑星の軌道を飛んでいるのだった。

「きていただけて、うれしいわ」ジェフの背後で声がした。

今回は、彼女にとって年月は優しかった。メリーランドにいた頃や、ニューヨークにいて初めてスチュワート・マカウワンに会った後に、彼女の顔に浮かんでいたあのげっそりとやつれた空虚な表情は、認められなかった。まぎれもない三十代後期の女性の顔だが、そこには満ち足りた明らかな輝きがあった。

「リンダ、パメラ・フィリプスさんにご挨拶《あいさつ》を。パメラ、こちらが妻のリンダです」

「はじめまして」パメラはいって、リンダの手を取った。「ジェフさんのお話から想像していたよりも、ずっとお奇麗ですわ」

「ありがとう。立派なお仕事で、この感動はとても言葉では言い表せません。すばらしいですね」

パメラは上品に微笑した。「褒《ほ》めていただくのは、いつも嬉しいものです。小品も見てくださいね。大作のように威圧的だったり、厳粛だったりしません。とてもユーモラスなものもあると思っています」

「早く全部見たいですわ」リンダは熱心にいった。「お招きいただいて喜んでおりますの」

「わざわざフロリダからお出掛けくださって、ありがとうございました。何年も前から、ご主人のご本のファンですのよ。先月お目に掛かる以前からです。私の仕事を見て楽しんでいただけると思ったものですから」

パメラは、近くに立ってワインを飲んだり、松果入りのペストソースの掛かったパスタサラダを摘んでいる人々の方を振り返り、声を掛けた。「スティーブ、ちょっときて。ご紹介したい人がいるのよ」

眼鏡を掛け、グレイの綾織《あやお》りのジャケットを着た、愛想《あいそ》の良い顔つきの男が、人々の群れから離れて彼らの方にやってきた。「夫のスティーブ・ロビンソンです」パメラはいった。

「私は仕事の上では旧姓のフィリプスを名乗り、実生活ではロビンソンを名乗っているんです。スティーブ、こちらはジェフ・ウィンストンさんと、奥さんのリンダさん」

「はじめまして」男は顔をほころばせてジェフの手を握った。「お会いできて本当に嬉しい。『やなぎにかけた琴』は私が読んだ最上の本の一冊だと思っています。たしか、ピューリッツァー賞をお取りになりましたねえ？」

「はい」ジェフはいった。「大勢の人々の共感を得ることができたようで、喜んでおります」

「大変な本ですよ」ロビンソンはいった。「それから、最新作。生まれ育った場所に帰ってきた人々の物語。あれも『琴』に次ぐ傑作ですね。パメラと私はずっと昔からのあなたの大ファンなんですよ。あなたの思想の一部は、彼女の作品に影響を与えているとさえ信じています。数週間前に、家内がボストンからの機内でお目にかかったと聞いて、信じられませんでした。何とすばらしい偶然でしたでしょう！」

「奥さんのことをとても誇りに思っておられるでしょうね」ジェフは、二人が知り合っていることを説明するために、パメラと一緒にでっちあげたこの作り話から、話を逸らした。彼女は夏の初めに、ちょっとだけでいいから会いたいと手紙をよこしたのだった。この展覧会の初日を見てもらいたいのだが、この最後の秋に会う前に、ちょっと会いたいのだと。この年には、ジェフはボストンにいきさえしなかった。パメラは、この前もって話し合った段取りに合わせて、一人で飛行機でボストンにいき、また戻ってきたのだった。その間、ジェフはアトランタで一週間をすごし、エモリー大学のキャンパスを歩き回って、そこの学生寮の一室で目覚めたあの最初の朝以来経験した、あらゆることを思い出していたのだった。

「私は彼女をこの上もなく誇りにしています」スティーブ・ロビンソンはいって、妻の体に手を回した。「こういうと、彼女は嫌《いや》がるんですよ。まるで品物として分析されているような感じだというのです。しかし、この短期間に、二人の子供を育てながら、これだけの仕事をなしとげたことを思うと、自慢せずにはいられないんです」

「子供といえば」――パメラは微笑した――「あの不死鳥の彫刻の所にいるのがそうです。行儀良くしてくれるといいんですけど」

ジェフは画廊を見渡して、二人の子供を見つけた。男の子のクリストファーは十四歳で、大人の男性になりかかったどっちつかずの状態で、愛らしくも不格好に見えた。また、キンバリーは、すでにパメラと生き写しの若い女性になっていた。十一歳といえば、最後に見たグレッチェンより二歳若いだけ――

「ジェフさん」パメラがいった。「特にあなたに見ていただきたい展示品があります。スティーブ、ウィンストン夫人にパスタとワインを勧めてあげてちょうだい」

リンダはロビンソンについて、仕出しのビュッフェとバーの方にいった。そして、パメラはジェフを連れて、小さな円筒形のブースの方にいった。それは、画廊の中心に、部屋の中の小部屋を形成していた。何人かの人が立って、その小部屋に入る順番を待っていた。外側に、いっぺんに四人以上はお入りにならないで下さい、と書かれた小さなカードが貼《は》られていた。パメラがそれを裏返すと〝修理のため、一時閉鎖します〟という文面になっていた。彼女は並んでいる人々に謝って、ちょっと装置の調整をしなければならないのだと説明した。人々は同情的にうなずいて、別の区画のほうに散っていった。しばらくすると四人の客がブースから出てきた。パメラはジェフを連れて中に入り、ドアを閉めた。

　展示物とはビデオのディスプレイで、いろいろなサイズの十数個のカラー・モニターが、暗い円筒の内壁に取りつけられており、中心に丸いレザーの座席があった。客が四方八方どちらを向いても、手の届く距離に、ちかちか光るスクリーンが見えた。ジェフの目は調節し焦点を合わせながら、次から次へとでたらめに飛び移った。やがて、見えているものが何か分かり始めた。

　過去。自分たちの過去。自分とパメラの過去。最初に分かったのはニュースのフィルムだった――ベトナム、ケネディの暗殺、アポロ十一号。それからまた、さまざまな断片があった――映画、テレビ番組、昔の音楽ビデオ……。それから突然モニターの一つに、モンゴメリー・クリークの彼の山小屋がちらりと映った。そして、もう一つのモニターには、ジュディ・ゴードンの大学卒業記念アルバムからの静止画像がちらりと映り、続いて、成人した彼女のビデオテープ。息子のシーンと一緒にカメラに向かって手を振っている。この少年は、別の人生で、『星の海』を見たためにイルカの研究をするようになった人物だ。

今は、ジェフの目は何も見逃さず、すべてを見て取ろうとして、スクリーンからスクリーンへと急速に飛び移った。一九六三年のケンタッキー・ダービーで優勝したシャトーゲイ。オーランドの両親の家。シドニー・ベシェットのクラリネットが魂を突き刺したあのパリのジャズクラブ。川端の邸宅の庭園……そして、一つのモニターには、マジョルカの山腹の村のロングショット。パメラが死んだ別荘に向かって、カメラがゆっくりとズームする。それからだしぬけにピント外れのホームムービーの断片。十四歳のパメラ。ウエストポートの家で父母と一緒にいるところ。

「驚いたなあ」すべてのリプレイの、絶えず変化するモンタージュに釘付《くぎづ》けになったまま、彼はいった。「これだけのものを何処《どこ》で見つけたの？」

「ある部分は容易だったわ」彼女はいった。「ニュース・ファイルの断片なら簡単に手に入るもの。そのほかは、大部分、自分で撮影したのよ。パリで、カリフォルニアで、アトランタで……」微笑する彼女の顔が、ちかちか光るスクリーンに照らされた。「これを作るために、ずいぶん旅行をしたわ。馴染《なじ》みの場所もあれば、あなたを通じてしか知らない場所もあった」

今度はスクリーンの一つに病院の廊下と大部屋が映った。すべてのベッドに子供が寝ていた。これは彼女が最初に戻った時に医師として働いたシカゴの病院だろうと、ジェフは思った。もう一つのモニターには、昔彼らがキーウェストで借りた船が、あの人けのない小島の沖に停泊していた。ここで二人は、他《ほか》のリプレイヤーを探し始めようと決心したのだった。次から次へと周囲に映像が踊った。それらは、二人が一緒だったり別々だったりした、多くの人生の、絶え間なく動くコラージュだった。

「信じられない」彼は小声でいった。「これを見せてもらって、どんなにありがたく思っているか、言い表せないほどだよ」

「あなたのために作ったのよ。私たちのためにね。ほかに理解できる人はいないわ。批評家が考えついた解釈の中には、おかしいのがあるのよ」

彼はスクリーンから目を引き離して、彼女を見た。「これだけのものを……これ全部を……」

パメラはうなずいて視線を返した。「私が忘れたと思ったの？　それとも、私がもうどうでもよいと思っていると、考えたの？」

「ずいぶん長い年月がたったから」

「あまりにも長すぎたわねえ。そして今から一カ月前に、私たち全部やり直し始めたわけね」

「次の時は、次の人生は、君さえよかったら、僕らのものにしようよ」

彼女は目を逸らせて、モニターの一つを見た。そこには、二人が初めて長い会話を交わしたマリブの磯《いそ》のレストランが映っていた。現実の循環性を世間に納得させるために彼女が制作を計画していた映画について、ここで初めて意見が分かれたのだった。「次のものが私の最後のリプレイになるかもしれない」彼女は静かにいった。「今度のものでは、私の歪《ゆが》みはほとんど八年近くあったわ。次は、八〇年代のどこかになるまでは帰ってこないでしょう。待っててくれる？　そして――」

彼は彼女を引き寄せ、その恐ろしい言葉を自分の唇で押しつぶし、安心させるように彼女を愛撫《あいぶ》した。二人はその小部屋の中で抱擁した。彼らが生きたすべての人生からの反射光で照らされ、共有すべく残されたただ一つの短い人生という無限の約束によって温められて。

「どうしたの、聞こえないの？　テレビの音を小さくしてよ。それにしても、何時《いつ》からアイスケートがそんなに好きになったのよ？」

これはリンダの声だが、最近、慣れてきたあの声ではない。違う。これはずっと昔の声だ。緊張と皮肉で、ぎすぎすしている。

彼女は足音荒く部屋に入ってきて、テレビの音声を切った。無音のスクリーンで、ドロシー・ハミルが飛び上がり、氷上で優雅に回転した。彼女が静止するたびに、その断髪がきれいに元の形に戻る。

「食事の用意ができたといってるでしょ。食べたければ、きて食べてよ。私は料理を作る人かもしれないけれど、召使じゃないのよ」

「いいよ」ジェフは必死で新しい環境に適応し、どこにいるか見定めようとした。「あまり腹が空《す》いていないから」

リンダは嘲《あざけ》るように苦笑いした。「つまり、私の作ったものは食べたくないというのね。たぶん、ロブスターの方がいいんでしょ？　そして、取れたてのアスパラガス？シャンペン？」

ドロシー・ハミルが最後の急速なスピンに入り、短い赤いスケータースカートが股《もも》の上ですごい勢いで回転した。彼女は規定を終えると、にっこり笑い、カメラに向かって目をぱちくりした。放送局はその表情をスローモーションでリプレイした。可愛《かわい》らしい高揚感、昇る朝日のように次第にひろがる笑み、減速されたまばたきは、慎みと官能性の両方の表情をかたちづくった。その引き伸ばされた瞬間に、少女はまさに新鮮で生命力に溢《あふ》れた若さの象徴になった。

「ねえ、教えてよ」リンダはつっけんどんにいった。「明日のミートローフの代わりに、どんなグルメ料理が食べたいか、教えてよ。そして、それをどうして買ったらよいか、教えてよ――さあ、教えてよ」

ドロシー・ハミルの笑顔の静止画像が薄れて暗くなると、ABC制作によるオーストリア・インスブルックの町の簡単な紹介が始まった。一九七六年の冬季オリンピックだ。とすると、ジェフとリンダは今フィラデルフィアにいることになる。実際にはニュージャージー州カムデンだ。WCAU局に勤めていた時に住んでいた場所で、川向こうにな
る。

「どうなの？」彼女は尋ねた。「来週に、挽《ひ》き肉《にく》かチキン以外の物を買うのに、何を使えばよいか、名案が浮かんだかしら？」

「リンダ、お願いだ……止《や》めようよ」

「何を止めるの――ジェフリー？」

彼が長い名前で呼ばれるのを毛嫌《けぎら》いしていることは、彼女は承知の上だった。それを使うことは、公然たる宣戦布告を意味する。

「喧嘩《けんか》は止めようよ」彼は丁寧にいった。「もう喧嘩する必要はない。すべてが……変わったんだから」

「へーえ、本当に？ ご覧の通りってわけ？」彼女は腰に手を当てて、ゆっくりと回り、狭苦しいアパートと借り物の家具を大袈裟《おおげさ》に検査する真似《まね》をした。「何も全然変わっているようには見えないけど。もっとも、苦節十年の後、やっとサラリーの良い仕事にありついたというのなら、話は別だけど」

「仕事の話は止《よ》せ。関係ない。金のことで、もう心配はいらないぞ」

「それ一体どういうことなの？　宝くじでも当たったっていうの？」

ジェフは溜《た》め息《いき》をつき、気が散るテレビをリモコンで消した。「どうでもいい」彼はいった。「とにかく、もう経済的な問題はなくなるということだ。とりあえず、僕のいうことを信用してくれ」

「大きな口をきいて。でまかせなんでしょ？　昔から、〝放送ジャーナリズム〟がどうとか、今に大物のニュースマンになって見せるとか、次のエドワード・R・マローは俺《おれ》だとか、大口を叩《たた》いて私を騙《だま》したくせに！　それで、実際はどうだった？　次から次へと三流ラジオ局を渡り歩いて、国中のこんなぼろアパートに住んで回ったのよ。私にいわせれば、あんたは成功するのを恐れているのよ、ジェフリー・L・ウィンストン。テレビに入るとか、業界の経営陣に入るとかいうのが怖いのよ。なぜなら、自分にそういう才能がないのを恐れているからよ。どうもそうらしいと、私にも分かり始めてきたわ」

「黙れ、リンダ。そんな事いっても、どちらの役にも立ちはしない。無意味だよ」

「ええ、黙るわよ。こんりんざい、口をきかないから」

彼女は大変な勢いでキッチンに入っていった。そして、腹立ちまぎれに、自分だけの夕食の用意を始める音が聞こえた。わざと、がたがたと音を立てて食器を並べ、ばたんと天火の扉を閉じた。いつもの"黙殺"に戻ったのだ。この頃に、このような習慣が生じて、それが月日がたつうちに次第に長く頻繁《ひんぱん》になっていったのだった。夫婦喧嘩は、ほとんどいつも金のことだった。しかし、金は不和の最も目立つ原因にすぎなかった。真の問題はもっと深くに根差したものであり、子宮外妊娠のように二人を真に悩ましている事柄《ことがら》について、意志の疎通ができないことに由来し、そのために深刻に悪化したものだった。子宮外妊娠はこの前年に起きたのだが、その失望が二人にとってどんなに深刻であり、それをどう克服し、力を合わせて前進すべきかというようなことについては、決して公然と話し合ったことがなかったのだった。

ジェフがちらりとキッチンを覗《のぞ》くと、リンダが背を丸めてテーブルについて、食べ物をつついているのが見えた。彼女は目を上げて彼を見さえしなかった。彼は目をつぶり、ヒナギクの束を抱えて戸口に現れた彼女の姿を思い出し、豪華客船フランス号のデッキで暖かい微風に吹かれている彼女の姿を思い描いた。しかし、あれは別の人物だったと覚《さと》った。あれは、最初から胸の奥底の感情を（いくつもの人生の細部はともかくとして）共有した人だった。今は沈黙のパターンにはまりこんでしまった。こうなったら、世界中の金を以《もっ》てしても、どうすることもできないだろう。重要な問題について互いに口をきくことすらできないとしたら。

彼は玄関の小さな戸棚《とだな》からオーバーを出して着こみ、アパートを出た。出ていく時には、二人の間にどんな言葉も交わされなかった。

外に出ると、雪は汚《よご》れて斑《まだら》になっており、インスブルックからテレビで中継していたあの汚《け》れのない一面の銀世界とは似ても似つかなかった。ちょうど、あの台所の女が、過去十九年間愛していたあのリンダとは似ても似つかない女であると同様に。

今度は急いで金を作ろうと決心した。そして、彼女が余生を安楽に暮らすことができるように考えてやろう。しかし、どうしても家に留《とど》まる気にはなれなかった。とにかく、今のところは。唯一の問題は、パメラがやってくるのが何時になるにしても、それまで自分自身が何をしているかということだった。

19

パメラが最初に見たものは、キッチンの窓の外を矢のように飛び回って、裏庭の楡《にれ》の木《き》に巣を掛けているアオカケスの姿だった。彼女はあたりを見回したり、身動きしたりする前に、その小鳥の色鮮やかな空中の踊りを眺《なが》めながら、深呼吸をして気分を鎮《しず》めた。

コーヒーを入れる途中で、今まさに機械にフィルターを挿入《そうにゅう》しようとしているところだった。キッチンは居心地が良く、なじみがあった。前回のものとは異なっているが、これはリプレイを始める以前の最初の人生から知っているものだった。前回のリプレイでは、アトリエで絵を描《か》いたり彫刻を作ったりするのに忙しくて、キッチンではあまり時間を過ごさなかった。だから、その部屋は彼女自身のものというよりも、むしろ雇ったメイドの個性が染《し》み込んでいた。しかし、このキッチンには彼女自身の個性が――いや少なくとも、最初の回の彼女の個性が――染み込んでいた。

テーブルの上には、バーバラ・カートランドの小説が開いたまま置いてあり、その横には『より良い家庭と庭園』の本が置いてある。さまざまな切抜きや、心覚えのメモが、色も形もトウモロコシやセロリに似せて作られている小さな磁石で、冷蔵庫の扉《とびら》にとめてある。キャビネットの一つに、子供たちを描いた絵が――うまく描けているが、別の人生で長年修業して身につけた採光や構図の上手な技術は伴《つ》っていない――テープで貼《は》ってある。テーブルの上に大きなキッチン・カレンダーが吊るしてあり、一九八四年の三月の個所が開かれており、月末ちかくまで日にちが几帳面《きちょうめん》に斜線で消してある。パメラは三十四歳。娘のキンバリーは八歳になったばかりで、クリストファーは十一歳だろう。

彼女はコーヒーフィルターを傍《わき》に置き、キッチンから出ていこうとしたが、何かを思い出して足を止め、微笑した。そして、カウンターの下の低い引出しの一つを開けて、小麦粉や米の入った箱類の後ろを手探りした……ああ、やっぱりあった、いつも隠していた場所に。一オンス足らずのマリファナと一箱のイージー・ワイダーの巻紙が入った、ファスナー付きのプラスチックの袋。これは、この当時の彼女の密《ひそ》かな悪習であって、家事とそして〝親業《ペアレンティング》〟と呼ばれるようになった仕事の退屈さからの、一つの真の逃避なのだった。

パメラはマリファナを元の場所に戻《もど》し、居間に入っていった。そこには大学時代に描いた彼女の絵とともに、家族の写真が懸かっていた。その絵に表れている彼女の才能は、この人生では全く発達させられずにいた。なぜ、せっかくの才能を、こんなに長い間無《む》駄《だ》にしておいたのだろう？

二階からくぐもった音楽が聞こえてきた。シンディ・ローパーの漫画的に元気のよい声が『ガールズ・ジャスト・ウォント・トゥ・ハブ・ファン』を歌っている。キンバリーが学校から帰っているにちがいない。クリストファーはたぶん自室で、この前のクリスマスに買い与えたアップルII型コンピューターをいじっているだろう。

彼女はホワイエの椅子《いす》に腰を下ろし、電話台から鉛筆とメモ用紙を取り、ニューヨーク市の電話番号案内をダイヤルした。だが、マンハッタンにもクィーンズ地区にも、ジェフまたはジェフリー・ウィンストンの電話はなく、リンダまたはL・ウィンストンの電話もなかった。どちらにしても、これは外れてもともとの当てずっぽだった。彼がニューヨークに帰っていると考える理由はなかった。そこでまた案内係に電話して、今度はオーランドを調べてもらった。彼の両親の電話があった。そちらに電話を掛けると、ジェフの母親が出た。

「もしもし、私はパメラ・フィリプスという者ですが――」

「これは、これは！　あなたからお電話があるかもしれないと、ジェフが申しておりましたが、それは何年も前のことです。たしか三年も前だったと思います。あるいは四年前だったかもしれません」女性の声がかすかになった。明らかに受話器から顔をそむけて、傍に助けを求めているのだ。「あなた！　あのフィリプスという女の人からよ。電話が掛かってくるかもしれないと、ジェフがいっていたじゃないの。彼が送ってきた封筒を探してくれない？」彼女はまた受話器の方を向いた。「パメラさん？　ちょっとお待ちになってね。ジェフから言伝《ことづて》があるんです。今、夫が持ってきます」

「ありがとう。ジェフがどこにいるか、今どこに住んでいるか、教えていただけます？」

「カリフォルニアに行っているんです。小さな町の――すぐ外側にいるといってました――モンゴメリー・クリークといって、オレゴン州に近いところです」

「そうですか」パメラはいった。「あそこなら、私知ってます」

「彼もそういってました。あのねえ、電話さえないんですって。想像つきます？　心配でしょうがないんですよ。まさかの時にはどうなるだろうと思って。でも、その場合には短波無線があるから大丈夫だと、本人はいうんです。一体どういうことでしょう？　いい大人が仕事を止《や》めて、女房《にょうぼう》を放ったらかして――まあ、すみません。よそさまに向かって、はしたない――」

「いえいえ、そんなことはありません、ウィンストンさん」

「それにしても、おかしな話です。あんな馬鹿《ばか》なことを、大学生ならいざ知らず、いい歳《とし》をして――もうすぐ四十歳になるんですよ――あ、ありがとう、あなた。パメラさん？　あなたから電話があったら、といって、あの子が送ってきた封筒がここにあります。開けて、あなたに読んで上げろと、いわれています。鉛筆かなにか、用意なさいますか？」

「もう用意しています」

「よろしい。では、えーと……フムフム。こんなに年月が経《た》って、訳の分からないことだらけなのに。もっと何かありそうなものだと、お思いになるでしょうねえ」

「何と書いてありますか？」

「たった一行。〝くるなら、必ず子供さんを連れていらっしゃい。愛しているよ、ジェフ〟これだけです。もう一度読みましょうか？」

「いや、けっこうです」パメラはいった。ぱっと赤らんだ顔に、こぼれるような笑みが広がった。「どうもありがとうございました。よくわかりました」

彼女は受話器を置くと、階段の方を見た。クリストファーとキンバリーはもう充分に聞き分けのある年齢になっている。最初は、家を出るのを嫌《いや》がるだろう。しかし、すぐにモンゴメリー・クリークとジェフを好きになるだろう。

それに——パメラは唇《くちびる》を噛《か》んだ——これは、それほど長い間ではないだろう。高校に入る前には、このニューロッシェルに戻るだろう。父親のところに。

三年半。私の最後のリプレイ。いちじるしく引き伸ばされた命の最後の月日。

彼女はその全《すべ》てを徹底的に楽しむことにした。

次第に止むでもなく、どっと降ってからりと上がるでもなく、ただ、だらだらと断続的にしつこく続く雨があるが、今降っているのがそれだった。

こうして彼らはもう二日間もキャビンに閉じ籠《こ》められていた。あたりが黴臭《かびくさ》くなった。クリストファーがポーチの手すりに一晩掛けておいた革のチョッキは、翌朝、取り入れてストーブで乾かそうとした時には、もう、じめじめした空気に黴の匂《にお》いを発散していた。

「キンバリー！」パメラはいらいらして、いった。「そうやって、お皿《さら》を叩《たた》くのは止めなさい！」

「聞こえやしないよ」クリストファーがいって、テーブルに身を乗り出し、向かい側に坐《すわ》っている妹の耳からフォームラバーのついた小さなイヤホーンを持ち上げた。「止めろって母さんがいってるぞ」彼は、かすかに聞こえるマドンナの『ライク・ア・バージン』の歌声を圧倒するように怒鳴った。「実は、その音楽を止めてもらいたいのよ」パメラはいった。

「みんなでお昼を食べている時に自分だけ音楽を聞くのは、不作法よ」

その少女は精いっぱい不愉快なふくれ面《つら》をしたが、それでも言われた通りにヘッドホーンを外し、ウォークマンを片づけた。「もう一杯ミルクを飲みたい」彼女はすねた口調でいった。

「ミルクがなくなってしまったんだよ」ジェフはいった。「明日の朝、町にいくから、その時に買ってこよう。よかったら一緒にこないかね？　雨が止むかもしれない。そうしたら、滝のそばに降りられるよ」

「滝なんて、もう見たもん」キンバリーは鼻声でいった。「私ミュージック・テレビを見たい」

ジェフは寛容に笑った。「そいつは悪かったなあ」彼はいった。「でも、短波ラジオなら聞けるよ。中国やアフリカで何をいっているか聞いてみようじゃないか」

「中国やアフリカなんか、関心ないわ！　ああ退屈だ！」

「じゃ、みんなでお話ししましょうよ」パメラが提案した。「昔の人はみんなそうしたのよ」

「ああ、そうだね」クリストファーが小声でいった。「どうして、話の種がそんなにたくさんあったのかなあ？」

「時々、お互いに物語をし合ったんだよ」ジェフが加わった。

「それは良い考えだわ」パメラの表情が明るくなった。「私がお話しして上げようか？」

「おいおい、母さん、止めてくれよ！」クリストファーが抗議した。「僕《ぼく》らを何だと思っているんだ。幼稚園の子供と間違えているんじゃないか？」

「さあねえ」キンバリーが考え深い顔つきになって、いった。「物語を聞くのも面白いかもしれないわ。ずいぶん久し振りだもの」

「とにかく試してみない？」パメラは息子に尋ねた。少年は肩をすくめて、答えなかった。

「では」彼女は話し始めた。「何千年も、何万年も昔に、シテイシアという名前のイルカがいました。ある日、彼女の頭に、突然、不思議な新しい考えが届きました。まるで大洋の上空の、そのもっと向こうの方から届いたみたいでした。さて、これはイルカと人間が時々話し合っていた時代のことでした。ところが……」

こうして、静かな夏の雨の音を伴奏にして、彼女は子供たちに『星の海』の物語をして聞かせた。陸地と海と星界の知的生物を結びつける、愛と希望という共通の絆《きずな》……そして、ついに人類が初めて海の親族と完全に接触する、喜びに溢《あふ》れた瞬間。一転して、悲しい破滅的な喪失の物語。

子供たちは最初はもじもじしていたが、物語が進むにつれて、次第に引き込まれて聞き入った。彼らの母親は、かつて世界的な喝采《かっさい》を博し、ジェフと一緒になるきっかけを作ったあの映画を、言葉で再現したのだった。それが終わると、キンバリーはおおっぴらに泣き出したが、その幼い目には空想の世界の歓喜の輝きが宿っていた。クリストファーは窓の方に顔をそむけて、長いあいだ口をきかなかった。

夕闇《ゆうやみ》が迫る直前に、一条の日光が曇り空を破って射《さ》し込んだ。ジェフとパメラは外のポーチに立って、その光がゆっくりと薄れていくのを眺めた。子供たちは室内に留《とど》まり、キンバリーはパメラの水彩絵具《すいさいえのぐ》を借りて、星とイルカのイメージを描き、クリストファーはジョン・リリーの本の一冊を読み耽《ふけ》った。

雨に濡《ぬ》れそぼった草原を、移動していく日光が鮮やかに照らし、いきいきとした草の葉にたまった無数の水滴が、緑の火が燃える野原の超自然の宝石のように輝いた。ジェフがパメラの後ろに無言で立ち、両手で彼女の腰を抱くと、彼女の髪が頰《ほお》に触った。日光が消える直前に、彼は彼女の耳に何かささやいた。それはブレイクの詩の一節だった。

「一粒の砂に世界を見、一輪の野の花に天国を見る」

彼女は自分の手を彼の手にしっかりと重ねて、その引用を静かに完成させた。「君の掌《てのひら》に無限を、そして一時間に永遠をつかみたまえ」

曳航機《えいこうき》のセスナが滑走して定位置にいき、エンジンを回したまま停止すると、曳航索係の少年が飛び出してきて、グライダーから伸びている二百フィートのナイロンのロープを、前方のセスナ機の尻《しり》のフックに取りつけた。

「クリストファー、操縦装置の点検をやってみないか？」ジェフは前の練習生席にいる少年にいった。

「待ってました」パメラの息子が答えた。その声は、ただの同乗者ではなくて、準備の一部に加えてもらったことで、誇らしげに緊張していた。少年はグライダーの操縦桿《そうじゅうかん》を前後左右に動かした。するとそれぞれの翼端の補助翼が応答した。それから、操縦桿を前後に動かした。ジェフは振り返って、当然のことながら、尾翼の昇降舵《しょうこうだ》が上下にぱたぱた動くのを確認した。続いて、クリストファーがペダルに乗せた足を動かすと、方向舵がぐらぐら動いた。操縦装置はすべて異常ないようだったので、ジェフはにっこり笑ってうなずいた。

前方の曳航機が一寸刻みに前進を始め、ロープの弛《ゆる》みをゆっくりと取った。それから方向舵が左右に振られた。これはパイロットからの〝準備はよいか？〟という質問である。ジェフは同様にグライダーの方向舵を動かして、応答した。セスナ機は後ろにグライダーを引っ張りながら滑走路を進み始めた。翼端係の少年が、機体の水平と、風上への方向を保ちながら一緒に走った。ジェフは前方の水平線で翼の水平を判断しながら、曳航機に注目していた。次第に速度が加わり、地上の少年が後ろに取り残された。ジェフは操縦桿をわずかに引いた。彼らは空に浮いた。

ジェフは目の隅《すみ》から、前方の山裾《やますそ》の近くに低く白雲が湧《わ》いているのを認めた。良い徴候だ。これは不安定な湿った空気と、熱上昇気流がすでに発生している証拠である。だが、今は上昇気流を探している時ではない。彼は曳航機と索を真剣に見つめて、そのナイロンのロープがぴんと張っているように気を配りながら、セスナのターンに応じて、滑らかにグライダーをターンさせた。

彼らは山の裾野の上空三千フィートの高度に達した。ジェフは切り離しノブを引いた。一瞬待つと、離れた曳航索がゴム紐《ひも》のように前方にピシッと飛んでいくのが見えた。それから、彼は右上昇ターンに移り、曳航機は左下降ターンをして逸《そ》れていった。セスナ機が出発点の小さな飛行場に帰っていくと、その爆音が次第に小さくなって消え、間もなくプラクシスの風防に当たる空気のなめらかな摩擦音しか聞こえなくなった。彼らは安定した無動力飛行に入った。

「うまい、ジェフ！　素晴らしいや！」

ジェフは微笑し、振り返ったクリストファーにうなずいて見せた。少年は目を丸くし、きらきら輝かせていた。彼は曳航スピードの残りのエネルギーを利用して、できるだけ飛行高度をかせぐために、長い大きな旋回をした。シャスタ山のこの世のものとも思われない白い円錐形《えんすいけい》が、左手を滑っていき、やがて再び前方に現れた。絶え間ない上昇を促す、日光に輝く航路標識のように。

ジェフは振り返って南西の方向を見た。そちらには、ポンデローサ松の大森林に抱かれて、その山の名を取った町が横たわっていた。もう一機の単発セスナが、もう一機の白と青のグライダーを曳航して、接近してきた。ジェフがゆっくり旋回しながら、相手がそばにくるのを待っているうちに、速度は時速四十から五十マイルの巡行速度に落ちてきた。

相手は一マイルぐらいの所にくると、その第二のグライダーが曳航索を切り離し、ジェフがさっきやったのと全く同じ動きをして、さっと舞い上がり、曳航機から離脱した。クリストファーは透明な風防の側面に顔を押しつけて、新来者がさーっとそばに寄ってきて、横に並び、ぴたりと編隊を組むのを見守った。

そのグライダーの後部操縦席から、パメラが笑いながら親指を上げて合図し、前部座席からキンバリーが恍惚《こうこつ》とした笑顔で、ジェフと兄に手を振った。

ジェフは操縦桿で翼を左のほうに傾けながら、左の方向舵ペダルをそっと踏んで、今までしていた旋回を止め、シャスタ山の壮大な対称形の峰のほうに向かった。パメラは右後方にぴたりとついたまま、同じようにした。

近づくにつれて、山腹の雪の積もった木々の梢《こずえ》が彼らのほうに伸び上がってくるように見え、眼下のスロープの傾斜が急になるように思われた。一頭の鹿《しか》がたまたま上を見て、びっくりして身震いし、それから金縛りになったように立ちつくして、頭上のそれほど高くないところを飛んでいる音のしない大きな鳥たちを見つめた。さらに進んで、山の周囲の四分の一ほどいったところで、クリストファーが興奮して指差した。そこには一頭の黒熊《くろくま》が、低空を舞っている不思議な金属の生き物のことも知らぬげに、のっしのっしと歩いていた。

彼らはちょっとしたリッジ・リフトを見つけた。つまり、山の裏側に突き出たもっと急峻《きゅうしゅん》な崖《がけ》の上前方に、反射した風が渦巻《うずま》いて作る上昇気流があったのである。ジェフとパメラは手を伸ばせばすくい取れそうに思われるほど近くにある、静まり返った、だれも触っていない粉雪を眺めながら、何分間かその尾根に沿って行ったり来たり滑空した。やがてジェフは山のちょっと東の青空に、一片の薄い雲が湧き始めているのを認めた。彼は編隊を解いて、その新たに生じた水蒸気の凝結のほうに向かった。

そこに到達すると、右の翼端がちょっと持ち上がったので、彼はすぐにそちらに方向転換した。すると、機体がそっくり上昇し始めた。彼はゆっくりと小さな抑制された旋回に入った。グライダーは劇的に持ち上がり、上昇を続けた。

下の方で、パメラも同じものを見つけたのは明らかだった。彼女は崖のそばの緩やかな上昇気流からさっと離れて、彼のほうに向かってきた。ジェフとクリストファーは、熱上昇気流のごく狭い中心部から外れないように急旋回を続けながら、上昇する空気の塊に乗ってぐんぐん上昇していくので、彼女のグライダーは見る見る小さくなっていくように思われた。

パメラは彼の風下で旋回飛行をしながら探していた。そして、ついにその星雲状の暖かい上昇風を見つけた。そして彼女のグライダーが急速に、音もなく、彼のほうに向かってくると、両方の距離は急速に縮まり……二機のグライダーは、しまいには翼端を接するようにしながら、シャスタ山の年月を知らない神秘的な峰の上の、爽《さわ》やかに澄んだ空を一緒に飛翔《ひしょう》した。

キンバリーはすでに泣き止んで、東部への旅行に持っていく花束を作るために外に出て、九月の野の花を摘んでいた。クリストファーは今度の事について、大人らしい態度をとった。彼はもう十五歳になっていた。そしてジェフの、逆境をものともせず——ここ数年しばしば彼はそうしたように——何事も適切なものとして喜んで受け入れる態度を、ずっと前から見習い始めていた。

「ハイキング・ブーツがどうしてもスーツケースに入らないよ、母さん」

「ニューロッシェルでは、それは使わないんじゃないの、あんた」パメラがいった。

「だろうね。父さんがバークシャーズにキャンプに連れていってくれるといってたけど、もしそうなら、その時に、はくかもしれないけどね」

「こちらから送って上げようか？」

「うーん……それには及ばないよ。いいよ。とにかく僕らクリスマスの前にこっちに帰ってくるんだから、そうすると、またこちらに送り返さなくちゃならないもの」

パメラはうなずき、顔をそむけて、息子に目を見られないようにした。

「君はそれをそばに置きたいんだろ」ジェフが口をはさんだ。「どうだい、いっそのこと送ったら。そして……ここで使うのは、別のをもう一足買って上げるよ。良かったら、君の持ち物を全部そのようにしてもいいぜ」

「ひゃーっ、そいつは凄《すご》いや！」クリストファーは笑って叫んだ。

「うまいやりかただろう」ジェフがいった。

「そうだね。半年はむこうで父さんと暮らし、あとの半年はこちらで、おじさんや母さんと暮らすことになるとすると……本当にいいのかい？　母さんも、それでいいのかい？」

「とてもいい考えじゃない？」パメラが無理に笑顔を作っていった。「さあ、送ってもらいたい物の一覧表を作ったらどう？」

「よしきた」クリストファーはいって、ジェフがこの少年と妹のために増築した二寝室の離れの方にいきかけた。それから立ち止まって、振り向いた。「キンバリーにもそういってていい？　きっと彼女も東部に持ち帰りたいものがたくさんあるよ」

「いいですとも」パメラはいった。「でも、二人ともぐずぐずしないでね。一時間後にレディングに向けて出発しないと、飛行機に乗り遅れるのよ」

「急いでやるよ、母さん」彼は妹を呼びに飛び出していった。

パメラはジェフのほうを向き、こらえていた涙をこぼした。「あの子たちを行かせたくない。まだ一カ月もあるのに……まだ……」

彼は彼女を抱擁し、その髪をなでた。「これは前にも経験したことじゃないか」彼は優しくいった。「子供たちが再び父親と暮らし始め、新しい友達を作るには、数週間の調節期間があったほうがいい……そうすれば、ショックを吸収するのに少しは役立つだろう」

「ジェフ」彼女はすすり泣きながらいった。「私こわい！　死にたくない！　永久に死にたくない――」

彼は彼女をしっかりと抱き締め、腕の中で揺すったが、自分自身の顔にも涙が流れるのを感じた。「どのように生きてきたかを、思い出すんだ。僕らがした全てを思い出すんだ。そして、そのことに感謝するように努力するんだ」

「でも、もっとずっと多くの事がやれたはずよ。もっと――」

「黙って」彼はささやいた。「できるだけの事はやった。僕らはどちらも、最初に始めた時には夢想もしなかったことをやってのけたんだ」

彼女は顔を後ろに引いて、まるで初めて見るように、あるいは、見納めでもあるかのように、彼の目の中を覗《のぞ》きこんだ。「分かってる」彼女は溜《た》め息《いき》をついた。「ただ……私、無限の可能性に、〝時間〟というものに……あまりにも慣れてしまった。決して自分たちの過ちに拘束されず、後戻《あともど》りして物事を変えることができる、もっと良くすることができると、常に知っていた。でもだめだったわね？　物事を変えただけね」

ジェフの意識のぼんやりした背景に、一つの低い声が際限もなく響き続けた。それがだれの声か、何をいっているのかは、問題でなかった。

パメラは死んだ。もう決して帰ってこない。その実感が、開いた傷口を洗う海水のように彼を洗い、娘のグレッチェンを失った時以来感じたことのない、全てを包みこむような悲しみが心に満ちた。彼は拳《こぶし》を握りしめ、否定できないもの、許すことのできないもの、の重さに耐えかねてうなだれた……それでもまだ、その声は意味のない連禱《れんとう》をぶつぶつつぶやき続けた。

「……レーガンのビットブルクへの旅行について、ニューヨークのコッチ市長がどんな反応を示すか、チャーリーの取材の成り行きを見よう。こいつは本当に、抗議の火に油を注ぐことになりそうだぞ。全米在郷軍人会はすでに反対の態度を示し始めたし、議会もざわめき出している。こいつは——ジェフ？　大丈夫かい？」

「ああ」彼はちらりと目を上げた。「大丈夫だ。続けてくれ」

彼はニューヨークの、最初に死んだ時にニュース・ディレクターをしていたニュース専門ラジオ局WFYIの、会議室にいた。長い楕円形《だえんけい》のテーブルの一端に坐《すわ》っており、その両側に朝の編集者と昼間の編集者が坐り、その他《ほか》の椅子《いす》にレポーターたちが坐っていた。彼はこの人たちにもう何十年も会っていなかった。しかし、ジェフはこの場所と状況を即座に把握《はあく》した。長年にわたって、毎日ウィークデイの朝に、これと同じ会議をやっていたのだから。これは毎日おこなう打ち合わせであって、ここで、前もって、できるだけうまくその日の報道の組立てが計画されるのである。当直の日中の編集者であるジーン・コリンズが心配そうに眉《まゆ》をしかめて彼を見た。

「ほんとうに気分はいいのかい？　早く切り上げてもいいんだよ。ほかに話し合うことはそんなに多くないから」

「続けてくれ、ジーン。何ともない」

「では……とにかく、こんなところが都市圏の話題と地方種だ。国内ニュースのトップとしては、今朝のシャトルの打上げがある。そして——」

「どの？」ジェフはしわがれ声でいった。

「なに？」ジーンが面食らって尋ねた。

「どのシャトル？」

「ディスカバリー号さ。ほら、あの上院議員が乗るやつだ」

少なくともこれは救いだった。パメラの究極の死の直後だというのに、もしこれがチャレンジャー号の事故の日にでもあたっていたら、報道室に繰り返される混乱と落胆の場面をうまく処理できるかどうか自信がなかった。とにかく、頭がもっとはっきりしていたら、もっとうまく調子を合わせることができたのに。レーガンが、ナチの親衛隊の墓がある西独のビットブルクにいって、ユダヤ人や在郷軍人などの反感を買ったのは一九八五年の春だから、今日はその年の四月の何日かにあたる。あのシャトルが爆発する九カ月か十カ月前だ。

テーブルについている全員が、なぜ彼がこんなに混乱しているかいぶかって、不思議そうな顔で彼を見つめていた。ちくしょう。何とでも思うがいい。

「じゃ終わりにしよう。いいな、ジーン？」

その編集者はうなずき、散らかっている会議用の書類をまとめ始めた。「ほかに進行中の良いネタは、イリノイ州のあの強姦《ごうかん》の供述をひるがえした男のことだ。容疑者のドットスンは今日、法廷から拘置所に戻り、弁護士が控訴の準備をする。これだけだ。だれか、質問は?」

「今日の教育委員会の会議は長引きそうです」レポーターの一人がいった。「だから、午後二時の消防署の表彰式に出られるかどうかわかりません。教育委員会の方を早めに抜け出しましょうか、それとも表彰式にはだれか他の人をやってもらえますか?」

「ジェフ?」コリンズは彼の顔を立てて、意見を求めた。

「どちらでもいい。君きめてくれ」

ジーンはまた眉をしかめて何か言いかけたが、止めた。そして、私語を始めているレポーターたちに向かっていった。「ビル、必要なかぎり教育委員会にはりついていろ。チャーリー、市長の談話を取ってから消防署の式に出てくれ。一時にコッチとビットブルクの生録《なまろく》をこちらに送るんだぞ。そうすれば、整理は後回しでいい。表彰式が終わってからでいい。ああ、それから、ジム、移動局四号は修理中だ。七号を使え」

会議はいつもの警句や騒々しい高笑いもなく静かに解散した。レポーターや当直明けの早朝の編集者が、ジェフの方をひそかにちらちら見ながら会議室から出ていった。ジーン・コリンズは書類の束を何度もまとめ直しながら、後に残った。

「あの事を話したいか?」彼はついに聞いた。

ジェフは首を振った。「何も話すことはない。何ともないといったじゃないか」

「あのなあ、もしリンダとのごたごたが気にかかっているなら……俺《おれ》には分かるんだよ。

ほら、二、三年前にキャロルと俺の間がひどくこじれた時に、ずいぶんお前の世話になったじゃないか——あの時は、お前さぞうんざりしたろうな——だからさ、そのうちにビールでも飲みながら、じっくり話を聞いてやってもいいんだよ」

「ありがとう、ジーン。心配してくれるのは本当にありがたい。だが、これは自分で解決しなければならない問題なんだ」

コリンズは肩をすくめて、テーブルから立ち上がった。「お前の気持ち次第だ」彼はいった。「しかし、もし打ち明ける気になったら、遠慮なくいってこいよ。お前には借りがあるんだから」

ジェフはかすかにうなずいた。それからコリンズは部屋を出ていき、彼はまた一人になった。

20

ジェフは勤めを辞めた。そして、今後三年間リンダが自活できるようにするために、充分な賭《か》けをし、短期で利益が上がる投資をした。また、彼女のために莫大《ばくだい》な遺産を作る時間がなかったので、生命保険の保障額を十倍にして後はそれに任せることにした。

彼はアッパー・ウェストサイドの小さなアパートに移り、昼も夜もマンハッタンの街路をさまよって、あまりにも長い間、自分から切り離してきたあらゆる人間の姿や匂《にお》いや音を吸収して過ごした。特に老人たちに魅《ひ》かれた。彼らの目は遠い思い出と失われた希望に満ちており、その肉体は時の終わりの予感で前屈《まえかが》みになっていた。

もうパメラは逝《ゆ》き、彼女が口にしていた恐怖と悔恨が彼のところに戻《もど》ってきて、終《お》わり頃《ごろ》に彼女が悩んでいたのと同じくらい深く彼を悩ませた。彼は最善をつくして彼女を慰め、その末期の日々の哀《かな》しみと恐れを和らげてやろうとした。だが彼女の言う通りだった。あれほど懸命に努力し、一時は成就したかに見えた全《すべ》てが、結局は無に帰した。協力して何とか見出《みいだ》すことに成功した幸福さえも、苛立《いらだ》たしいほど短いものだった。あちらこちらで盗み取ったわずかな年月。孤独と不必要な離別の海の、消えていく泡沫《ほうまつ》のように儚《はかな》い、愛と充足の瞬間でしかなかった。

あたかも無限の選択を、次のチャンスを、永遠に所有しているかのように思われたものだった。与えられた極めて貴重な時間を、あまりにも多く浪費してしまった。それを、悲嘆と罪悪感と、存在しない答えを求める不毛の努力のために、費やしてしまった――自分たち自身が、お互いの愛が、二人にとって必要な答えだったのに。今は、それを彼女に伝える機会を失ってしまった。彼女を抱いて、どんなに彼女を尊敬し大切に思っているか伝える機会さえも、永遠に奪われてしまった。パメラは死んだ。そして、三年たてばジェフもまた死ぬだろう。なぜ生きてきたか知ることもなく。

彼は目を見張り、耳を傾けながら、市街をさまよった。世間に怒りの目を向けるパンクの群れ……お揃《そろ》いの服装をして、自分で立てた目標を達成するために急ぎ足でいく男女……生命の新しさが嬉《うれ》しくてたまらないかのように、くすくす笑っている大勢の子供たち。ジェフは彼らのすべてを羨《うらや》み、その無心、無知、期待をひたすら我がものにしたいと思った。

WFYI局の職場を辞した数週間後に、局で働いていた一人のニュースライターから電話があった。それは女というよりもむしろ娘といいたい人物で、リディア・ランドルといった。局の者はみんな彼のことを心配しており、彼が辞職した時にはショックを受けたと、彼女はいい、さらに、彼の結婚生活が破局を迎えたと聞いて、みんなはなおさら心配しているといった。ジェフはジーン・コリンズに語ったように、大丈夫だと彼女にいった。だが彼女はこの問題にこだわり、個人的に会って飲みながらお話をしましょうといった。

彼らは翌日の午後に、三番街六十五丁目の〝鳩《はと》じるし〟の店で落ち合い、麗《うらら》かに日が照る六月のニューヨークに向かって開かれた窓のそばの、テーブルについた。リディアは肩の露出した白い木綿のドレスを着、それに似合った、つばの広い、ピンクのサテンのリボンが垂れた帽子をかぶっていた。彼女は豊かに波打つブロンドの髪と、大きな濡《ぬ》れた緑の目をもった飛び切りの美人だった。

ジェフは突然の辞職を説明するために作り上げた物語をして聞かせた。よくあるジャーナリストの燃え尽き症候群の話に、最近、投資で〝ついた〟という半ば真実の話を組み合わせたのである。リディアは彼の説明を額面通りに受け取ったらしく、心得顔にうなずいた。結婚生活のごたごたについては、事実上、長年にわたるもので、特にくどくど話さなければならないような問題はなく、ただ次第に心が離れてしまった夫婦の場合にすぎないといった。

リディアは熱心に耳を傾けた。彼女は飲み物のお代わりを注文し、それから自分自身の生活について話し出した。彼女は今は二十三歳で、イリノイ大学を卒業するとすぐにニューヨークに出てきたのだった。そして、大学で知り合ったボーイフレンドと同棲《どうせい》している。その男——名前はマシューといった——は結婚を熱望しているが、彼女はもはやそれほど熱心になれない。彼女は〝捕まった〟と感じ、〝スペース〟が欲しいと思い、新しい友達に出会って、中西部の小さな町で育ったために出会うことのなかった冒険的な経験をすべてやってみたいというのだった。彼女とマシューはもはや昔と同じ人間ではなくなっている、とリディアはいった。自分の方が彼よりも大人になってしまったと感じるのよと。

ジェフは黙って最後まで聞いた。彼女の人生にとっては、新しく圧倒的であり、前例のない重大事であるかもしれないが、実際はごく平凡な若者の悩みと憧《あこが》れにすぎなかった。本人は、自分の話がごくありふれたものだと認識するだけの、広い視野に欠けていた。もっとも、そういう認識の閃《ひらめ》きみたいなものは確かにあったかもしれない。なぜなら、自分の生活が月並みになっているから、何とかして抜け出したいのだと、少なくともいっていたから。

彼は同情して、人生や愛や独立などについて、一時間以上も話をし、君は自分で決めなければならないといい、危険を冒すことを学ばなければならないといい、人生で初めて人間普遍の危機に対面している人に言わなければならない、分かりきった、しかし必要な事をすべて語った。

開いた窓から突風が吹き込み、彼女の髪を乱し、帽子のリボンをその顔にふわりと載せた。リディアはそれを払い退《の》けたが、ジェフはその動作に、手を動かす少女っぽい動作に、不思議な感動を覚えた。彼女の美しい活気に富んだ顔に、突然ジュディ・ゴードンの面影《おもかげ》を見出し、ヒナギクを——約束と、生まれかけた形の定まらない夢を——持ってきた日のリンダの面影を、見出したのだった。

飲み物を飲み終えると、タクシーのところまで送っていった。彼女はタクシーに乗り込むと彼を見上げて、若さは無限だという思い込みと、楽観主義を丸出しにしていった。

「大丈夫よ。私たちには解決策を見出す時間はたっぷりあるわ。時間ならいくらでもあるんですもの」

それは幻想だとジェフは知っていた。あまりにもよく知りすぎていた。彼はその若い女性に身の入らない笑顔を向け、握手し、彼女が長いピンクのリボンをなびかせて、人生に向かって乗っていくのを見送った。

都市圏北部通勤列車が着いた。プラットフォームから百フィートほど先の見通しの良い場所から見ていたジェフは、きっちり時間通りだなと思った。そして、一日のこの時刻に、これを通勤列車と呼ぶのはちょっと違うのではないかと思った。午前十一時着の便に乗るビジネスマンは多くはないはずだ。

ジェフは他《ほか》の線から降りたばかりのような顔をして、そちらのターミナルに通じる斜路の方に足早に歩いていった。ニューロッシェルからきたその列車のところを通る時に、ちょっと歩調をゆるめ、やはり自分の考えは正しかったと思った。ショッピングをして回るための服装をした大勢の婦人と、青臭い議論をしている大学生はいたが、降りてくる乗客の中に、スーツにネクタイにブリーフケースといういでたちの人間はほとんど混じっていなかった。

彼女は列車から最後に降りてきた人々の中にいた。彼はもうほとんど諦《あきら》めて、入手した情報が正しくないのではないかと心配し始めたところだった。彼女は良い身なりをしていたが、その服装は、ベンデルやバーグドーフの店に向かう婦人たちのように、それほど細部にこだわったものではなかった。はいている踵《かかと》の低い靴《くつ》は散歩むきだったし、その薄青いリンネルのドレスと軽いウールのセーターには、実用性を主張しているような雰囲気《ふんいき》があった。

ジェフは歩調をゆるめて、彼女の二、三十歩あとについた。彼女は斜路を上がり、グランド・セントラル駅の広々としたメイン・コンコースに入っていった。彼は人込みで彼女を見失うのではないかと恐れた。しかし、それぞれ別々に群衆を掻《か》き分けていく時にも、彼女の身長と目立つ真《ま》っ直《す》ぐな金髪が、良い目印になった。

彼女はパンナム・ビルの方に出る階段を上っていった。ジェフはちょっと後にさがって、彼女が人込みのやや少ないロビーを抜けて、東四十五丁目のほうに出ていくのを尾行した。彼女はさっさとパーク・アベニューを横切り、ルーズベルト・ホテルの前を通り、マジソン街を突っ切り、五番街に出て、そこから北に曲がった。サックスとカルチエの店のショーウィンドのところで、彼女はほんのわずかに足を止めたので、ジェフもその間、足をゆるめて、大韓《だいかん》航空の旅行団か、マーク・クロスのそろいのスーツケースのセットに興味があるような振りをした。

彼女は五十三丁目でまた曲がり、現代美術館に入った。少なくとも今日の行動に関する限り、ジェフが六週間前に雇った探偵局《たんていきょく》は正しかった。彼らの話では、パメラ・フィリプス・ロビンソンは一週おきの木曜日に列車でマンハッタンにやってきて、その日の午後を画廊や美術館めぐりをして過ごすとのことだった。

彼は入場料を払った。そして、回転腕木門《うでぎもん》を通る時に、掌《てのひら》が汗で湿っているのに気付いた。ここで、ちょっと彼女を見失った。

ジェフは、自分がなぜ、こうまでして、遠くからでも彼女を見ようとしているのか、まだよく分からなかった。この女性は、かつて自分が知っており愛していたパメラとは別人であり、決してそうなることはないと、充分に知っていた。彼女のリプレイは終ってしまった。彼女があの大学のバーで、自分は誰《だれ》であり、彼は誰であり、二人が共に何十年間も誰であり何であったかを理解した時に、その顔に浮かんだあの突然の覚醒《かくせい》と親しげな認識の表情を、彼が再び見る望みは決してなかった。

そう、このパメラはその全てを永久に知らずに過ごすことだろう。しかし、彼はもう一度彼女の目を覗《のぞ》きこみ、できればその声を少しでも聞きたいと熱望した。この誘惑はしまいには抵抗できないものになった。そして、このような欲望を抱くことを恥ずかしいとも思わず、尾行してきたことを罪だとも感じなかった。

ジェフはまず、彼女が本かポスターを買うために立ち寄ったかもしれないという、ありそうもない可能性を頼りにして、ロビーのはずれの売店の中で彼女を探した。だが、ひやかし客の中に彼女はいなかった。彼はロビーを逆行して、ガラスの壁で囲まれたガーデン・ホールに入り、それから一階の画廊にいき、それから戻ってきてエスカレーターに乗って上の階にいった。美術館ではいつもの永久コレクションからの展示以外に、二つの主要な展覧会をやっていた。一つは建築家ミース・ファン・デル・ローエ生誕百年記念展で、もう一つは彫刻家リチャード・セラの回顧展だった。ジェフはそれらの展示品にこの上もなくお座なりな賞賛の視線を投げた。だが、まだパメラの姿は見えなかった。

四階では、つのる苛立ちにもかかわらず、微笑を誘う物を見た。ファン・デル・ローエ展の一部として、美術館はこの建築家の家具のデザインの見本をたくさん展示していた――その中に、ずっと昔にフランク・マッドックが、未来社のジェフのオフィスのために選んだのとそっくりの、バルセロナチェアがあったのだ。

まだパメラの姿はなかった。この分では、彼女が再び市中にやってくる二週間後まで待たなければならないのだろうか。そして、彼女が別の美術館にいくのを尾行するか、または、駅の構内で、一見偶然の、ちょっとした出会いを作り出さなくてはならないのだろうか……一目でよいからその顔をしっかりと覗きこみ、「失礼」とか「あと二十分で正午です」とか彼女がいうのを聞くためには。

ジェフはガーデン・ホールの三階のレベルに戻り、手すりに寄り掛かって一休みしながら、大きなガラスの壁の外を覗いた……すると、下の彫刻の庭に、柔らかなブロンドのヘルメットのような彼女の髪と、空色のリンネルのドレスが見えた。

彼が庭園に降りていった時には、彼女はまだ外にいた。彼女は腕組みをしてたたずんで、セラの彫刻の一つを見ていた。ジェフは彼女から十フィート離れて足を止めた。すると、心の中に無数の拮抗《きっこう》する情緒と記憶が去来するのを感じた。やがてパメラは、不意に彼の方を振り返っていった。「これ、どう思います？」

彼女のほうから先に声を掛けてきたらどうしようとか、何と言おうとかいうことは、まったく考えていなかった。この懐かしい、じっと見つめる緑色の目の前に、どんなに短時間でもよいから、もう一度立ってみたいとは願っていたが、その瞬間より先のことは、考えてもみなかった――違う、彼は強いて自分に言い聞かせた。これは全然知らない目だ。この目は、かつて親密であり、永久に親密であるだろう一つの魂を、覆い隠している。いま庭園にいるこの女性はただ一つの生涯《しょうがい》しか知らないだろう――すぐに終わり、反復のない生涯――彼が何の役割も果たさない生涯しか。

「このセラをどう思うかと、お尋ねしたんですけど？」

相変わらず率直だ。これは彼女の基本的な性格であって、度重なるリプレイの経験によってその人格に染《し》み込んだものではないと、彼は覚《さと》った。

「僕《ぼく》の趣味にはちょっと粗削りすぎます」彼はやっと答えたが、心の中はその芸術家の作品どころではなかった。

彼女は考えながら、うなずいた。「彼のものには、たいてい不穏な気配みたいなものが漂っていますねえ」彼女はいった。「あの『自在紙型《デリニエイター》・II』という作品なんか？　あの、床に大きな鉄板がぺたんと置いてあり、その上の天井《てんじょう》にもう一枚の鉄板がボルトで留めてあるやつ？　私、上の鉄板が外れて落ちてきたらどうなるだろう、ということしか考えられません。下に人が立っていたら、潰《つぶ》されて死んでしまいますわ」

彼女は落ち着いて彼女と芸術談議などしている気分ではなかった。彼の心は、一緒に暮らしていた頃のイメージからイメージへと飛び移っていた。至近距離のグライダーの風防の中から笑いかけた彼女。マジョルカのキッチンの中の彼女。長年にわたって共にしたいくつものベッドの中の彼女……まるで、かつて個展の展示品として彼女がまとめた、いくつもの二人の生涯のビデオ作品を、記憶だけで、自分の心の中に再生しているような感じだった。

「そして、あの別の作品」彼女は続けた。「『サーキット・II』というやつ……部屋の空間を面白く区切るというのが、狙《ねら》った効果だということはわかるけれど、あちこちの隅《すみ》から突き出している鋭い矩形《くけい》の鉄板を見ると、まるでギロチンの刃に囲まれているような気持ちになります」彼女は気楽な自嘲的《じちょうてき》な笑い声を立てた。「それとも、もしかしたら、私の想像力が特別に病的なのかしら」

「いいや」ジェフは落着きを取り戻していった。「わかりますよ。僕も同じように感じます。この人はとても攻撃的な作風なんですねえ」

「度が過ぎると思います。客観的なレベルでフォルムを鑑賞する能力を妨げられます」

「こいつは、何時《いつ》なんどき倒れてくるかわからない感じですねえ」ジェフはいった。

「ええ、それも、こちら側にね」

彼は思わず笑ってしまった。むかし彼女と会話していて時々感じたのと同じ、気安い自信がどっと湧《わ》き出るのを感じたが、彼は再びその思考を意識的に押しとどめた。あれらの別の時間を――この女と外見だけが似ている別の人と過ごした時間を――思い出しても何の役にも立たない。しかし、それにしても、この女性はやはり冷たい分析的な感受性の裏に、同じ乾いた機知と、同じ温かい雰囲気を持っている……この人と語るのは楽しい。たとえ、一緒に経験をした事を、彼女が何一つ覚えていないにしても。

「ねえ」彼はいった。「この作品がこちら側に倒れてこないうちに外に出て、お昼でも食べませんか？」

彼らは彫刻の庭を見下ろすカフェで食事をしながら、セラの作品の厚かましい脅迫的な性格を再び笑い、美術館が新しい芸術家の作品を展示することを、ますます嫌《いや》がるようになるのを悲しんだ。美術館にのしかかるような高層マンションの影が庭園に落ちると、ジェフは彼女がセーターを着るのを手伝った。その時に手が彼女の髪に触れた。久し振りに見た昔なじみの顔を、愛撫《あいぶ》するのを我慢するのは辛《つら》かった。

彼女は美術を勉強しかけて止《や》めたと言い、家族を養うことの不満と喜びを語った。彼はその目に変化を求める気持ちを見、人生を完全に生きていないもどかしさを感じ取った。それは間もなく終わる人生だと彼は知っていた。彼女がかつて成就した事を全部話してやりたくて、胸が疼《うず》いた。

昼食が終わる時がきた。会話はぎごちなく途絶えた。

「では」彼はこの出会いを長引かせたいと思いながら、そうする方法が分からないままにいった。「とても楽しかった」

「ええ、そうでしたね」彼女は落ち着かない様子でコーヒースプーンをいじりながら、いった。

「市内に、よくくるんですか？」

「月に二、三度」

「それなら……」声が途中で消えた。自分が何を提案しようとしているか分からなかった。そもそも二人の間で、何かを提案してよいものかどうか、それすら分からなかった。

「それなら、何ですの？」彼女は尋ねて、黙りこんだ。

「何といったらよいか。他の美術館へいくとか、また、お昼を食べるとか」

彼女は無意識にスプーンをいじった。「私、結婚しているんですよ」

「分かってます」

「いや――あのう、つまり――」

彼は微笑してナプキンを渡した。

「なぜ？」彼女はぎょっとして尋ねた。

「細かく引き裂くために」

パメラは吹き出し、それから不思議そうに彼を見返した。「どうして知ってらっしゃるのかしら……」彼女はゆっくりと首を左右に振った。「時々、あなたは私の心が読めるのではないか、という感じがします。イルカの絵を描いたことがあるかと、尋ねたりして。鯨やイルカが大好きだなんて、全然いわなかったのに」

「かもしれないと思っただけですよ」

彼女はこれみよがしにナプキンを真っ二つに引き裂いて見せた。そして、急に決心を固めた様子で、妙に明るい顔で彼を見上げた。「グッゲンハイム財団でジャック・ヤンガーマンの展覧会があります」彼女はいった。「来週はそれを見にくるかもしれません」

愛の行為の麝香《じゃこう》のようになまなましい匂いが、体にまといつき、寝室に染《し》み込み、記憶の香りのカタログに加わった。その甘く刺激的な香りが、数々の思い出をまざまざと蘇《よみがえ》らせた。モンゴメリー・クリークの山小屋の厚い毛布の下の夜。フロリダキーズ沖のヨットの前甲板での明るい日々。ピエール・ホテルの続き部屋のシーツに包まれた日曜日の朝……そして最後に、いくつもの午後。ここの、このアパートで盗み取った一年分の午後。

ジェフは胸に触れている彼女の顔を見下ろした。その目は閉じ、唇《くちびる》は眠っている幼児のように半ば開いていた。彼の心はひとりでに、ヒンドゥー教徒の聖典である『バガヴァッド・ギーター』の一節を思い出した。これは彼女がずっと昔のあの夕方に、トパンガ渓谷《けいこく》の隠れ家で、情熱を籠《こ》めて引用したものだった。

お前も私も、アルジュナよ、多くの人生を生きてきた。
私はその全てを覚えている。だが、お前は覚えていない

パメラは彼の腕の中でもぞもぞ動き、伸びをしながら、言葉にならない満足の声を発して、馴《な》れた子猫《こねこ》のように体をこすりつけた。

「いま何時？」彼女はあくびをしながら尋ねた。

「六時二十分」

「あら」彼女はいって、ベッドの上に起き上がった。「行かなくちゃ」

「火曜日にまたくるかい？」

「学校が休講になったの……でも、そのことは家には何もいってないから、一日中いっしょにいられるわ」

ジェフは微笑して、嬉しそうな顔をするように努めた。今度の火曜日。一日中いっしょ。過去の出来事のかすかな甘酸《あまず》っぱい記憶。だがもちろん、彼女はそれを知るよしもない。

「たぶん、その時までにはあの絵を描き終えるわ」彼女はベッドから滑り下りて、散らばった衣服を集めながらいった。

「何時《いつ》、見せてもらえるのかな？」

「完成するまで駄目《だめ》よ。約束したでしょ」

彼は前の日に、カンバスの覆いをめくってこっそり見たことで、軽い罪の意識を感じながら、うなずいた。彼女の才能はこの一年で進歩した。なぜなら、彼女は再び正式に絵を描き始め、ニューヨーク大学の大学院で高等構図法の講義を受け始めたからである。しかし、二度と以前のような能力の水準に達して、覚えていないほかの人生でやったように華麗な想像力の大胆な飛翔《ひしょう》を示すことはなかった。

ほとんど完成しかかっているその絵とは、彼ら二人のヌードの習作だった。二人が手を取り合って、日光が斑《まだら》に落ちているトンネルのような白いブドウ棚《だな》の下を、笑いながら走っている場面。ジェフはその単純さに感動し、描かれている、自由な精神に溢《あふ》れた歓喜の、あどけなさに感動した。これは愛し始めたばかりの画家の絵であり、まだその愛の、いや生命そのもののの、限界を試すチャンスに遭遇していない画家の絵だった。

　美術館でのあの計画していなかった最初の出会い以来、二人が共に過ごす時間は、必然的に制限された。週に一、二度、この彼のアパートで。コンサートか演劇を鑑賞するために街に泊まりたいと夫に言って出てきて、まれに一泊。……そして一度、ただ一度だけ、一緒にケープコッドに出掛けて長い週末を過ごした。この時は、大学時代の女性の友達を訪問するためにボストンにいくと家族にいって、彼女は家を出てきたのだった。

　離婚話は一度だけ、ちょっと持ち上がった。しかし、そのような境遇の激変に対して、彼女はまだ心の準備ができていないと、ジェフは知っていた。彼らが共有できる物事には、彼女の想像を絶する限界があり、相手に対するそれぞれの知識の間には、一本の鋭い境界線が引かれていた。パメラは時々それをおぼろげに感じるようだった。遠くを見つめるジェフの顔に、突然の会話の中断に。

　彼は彼女を愛した。今日のパメラの人格を、別の人生での別のすべてのパメラの反映としてではなく、純粋に愛した……それでもなお、彼女の真実を知らない目を見ていると、自分たちが後に残してきたすべてが常に思い出されて、二人のあらゆる行為に間断なくメランコリーの淡い色合いが加わるのだった。

　彼女は服を着終わり、細くてまっすぐな頭髪がベッドで乱れたのを、ブラシですいていた。彼女のその動作を、彼は一体いくつの鏡で、一体いくたび見たことだろう？　それは、彼女には想像ができないほどであり、また、彼が今は想起するのに耐えられないほどである。

「また来週にね」パメラはかがんでキスをし、ナイトテーブルからハンドバッグを拾い上げて、いった。「もっと早い列車に乗るように努力するわね」

彼はキスを返し、長い年月を思い出しながら、彼女の輝く顔を開いた両手でしばらく支えていた。何度もの人生で、さまざまな希望と計画が成就したり、挫折《ざせつ》したりした……

しかし、来週には一日中いっしょにいられる。早春の暖かい一日をいっしょに過ごすことができる。これは楽しみだ。

冬の最初の息吹《いぶき》が、セントラル・パークの池の向こうから吹いてきて、チェリーヒルの赤や黄色の木の葉を震わせた。中央広場の噴水が冷たい水をごぼごぼと噴き出していた。ジェフとパメラはその前を通って、鋳鉄が優雅な曲線を描いているボウ・ブリッジの方に歩いていった。

その橋を渡ると、池を左に見て、並木のある遊歩道を北に向かってぶらぶら歩いていった。あたり一面に、興奮した無数の鳥のさえずりが聞かれた。これから鳥たちは南への長い旅に出るのだ。

「この鳥たちの仲間に入れたらいいと思わない？」パメラはいい、ジェフにいっそう寄り添って歩いた。「飛んでいくのよ。どこかの島か、南米に……」

彼は黙ったまま、彼女を守るように腰に回している手に力を籠めた。だが、間もなく自分たちの両方に起きる事に対して、救いの手をさしのべることは絶対にできないのだと、切ない気持ちで思った。

池の北端のバルコニー・ブリッジの上で立ち止まり、下の林や、周囲のマンハッタンの高層建築を映している水面を、見つめた。

「良いことがあるのよ」パメラは顔を寄せて、ささやいた。

「なに？」彼はいった。

「スティーブに、次の週末にまたボストンにいる昔のルームメイトに会いにいくといったの。金曜日から月曜日まで。あなたさえよければ、私たちどこかに飛んでいくことができるのよ」

「そいつは……すばらしい」彼は何もいうことができなかった。知っていることを伝えるのは、この上もなく残酷な行為だ。自分たちが会うのは今日が最後。今度の火曜日に、つまり今から五日後に、二人にとって世界は永久に終わってしまうのだと。

「あまり喜んでいないみたいね」彼女は眉《まゆ》をひそめていった。

ジェフは笑みを浮かべて、悲しみと恐怖を隠そうとした。彼女には、まだ何年も生きられるという無邪気な確信にしがみつかせておこう。こうなったら、彼女に与えることのできる最高の贈り物は、嘘《うそ》である。

「すばらしいよ」彼は情熱をこめている振りをしていった。「びっくりしただけさ。どこでも君のいきたい所にいこう。どこでもいい。バルバドス、アカプルコ、バハマ諸島……お好み次第だ」

「どこでもいいの」彼女は彼にすりよっていった。「暖かくて、静かで、そして、あなたと一緒なら」

彼は、もう一度口を開いたら、声がすべてを物語ってしまうと知っていた。だから黙ってキスをして、この沈みこむような悲しみを、これまでずっと彼女に対して抱いていた感情の、そして、これから先も抱き続けるであろう感情の、究極の具体的な表現に変えようと図った。

彼女は突然うめき声を上げて、ぐったりと彼に倒れかかった。彼はその肩を支えて、地面に倒れるのを防いだ。

「パメラ？　おい、だめだ、どうした――」

彼女は立ち直り、顔をのけぞらせて、びっくりしたように彼を見た。「ジェフ？　あら、まあ、ジェフね？」

彼女の見開いた目の中に、すべてがあった。理解、認識、記憶。八つの別々の生涯に蓄積された知識と苦悩が彼女の顔に撒《ま》き散らされ、突然の混乱にその口が歪《ゆが》んだ。

彼女は周囲を見回し、公園を、ニューヨークのスカイラインを見た。その目が涙で濡れ、再び彼の姿を探し求めた。

「わたし――終わるはずだったのに！」

「パメラ――」

「今は何年？　どのくらい寿命があるの？」

彼は隠していることはできなかった。彼女は知らねばならない。「一九八八年だよ」

彼女は木立に視線を戻した。銅色の落葉があたり一面に舞い、渦巻《うずま》いていた。「もう秋なのね！」

彼は風で乱れた彼女の髪をなでながら、真実を話すのを、もう一瞬長く伸ばすことができればよいのにと思った。だが、言わないわけにはいかなかった。「十月」彼は優しくいった。「十三日だよ」

「というと――あと五日しかない！」

「そうだ」

「ひどい」彼女はすすり泣いた。「私、最期《さいご》の覚悟をしていたのに。ほとんど受け入れていたのに――」彼女は絶句し、新たな当惑の表情で彼を見た。「私たちここで何をしているの？」彼女は尋ねた。「なぜ私は家にいないの？」

「僕は……どうしても君に会いたかった」

「あなた私にキスしていたわね」彼女は咎《とが》めるようにいった。「彼女にキスしていたわね。昔の、前の、私だった人物に！」

「パメラ、僕は思ったんだ――」

「あなたが何を思おうと関係ないわ」彼女はぴしゃりといい、激しく体を引き離した。「あれが本当の私でないことは知っているくせに。よくも、よくも……こんな不倫ができたわね？」

「でも、あれは君だった」彼は言い張った。「記憶はまったくなかった。それはそうだが、やっぱり君だった。僕らはまだ――」

「あなたがそんなことをいうなんて、信じられない！　何時ごろからこんなことをしているの、何時こんなことを始めたの？」

「もうほとんど二年になる」

「二年間も！　あなた……私を使っていたのね。まるで無生命の品物みたいに。まるで――」

「そんなんじゃない。全然ちがう！　互いに愛し合ってた。君はまた絵を描き始めたし、学校に戻った……」

「私が何をしようと関係ないわ！　あなたは私を家庭から誘い出したのよ。騙《だま》したのよ……何をしているか、ちゃんと分かっていながら。どの糸を引けば、私を動かすことができるか……コントロールすることができるか、ちゃんと心得ていて！」

「パメラ、わかってくれよ」彼は彼女を落ち着かせようとし、理解させようとして、手をつかもうとした。「そんなにひねくれて考えなくても――」

「触らないで！」彼女は叫んで、今まで抱き合っていた橋の上から後ずさりした。「ほっといて、死なせて！　二人とも死んで、終わりにしましょう！」

ジェフは逃げる彼女を引き留めようとした。だが、彼女はいってしまった。彼の最後の人生の、最後の希望が消えてしまった。七十七丁目に通じる道路に消えていった。すべてを呑《の》み込む無名の都市の中へ……死に通じる、不変の確実な死に通じる道路に、消えてしまった。

21

ジェフ・ウィンストンは一人で死んだ。だが、まだ死は終わらなかった。彼はWFYI局のオフィスで目覚めた。ここは、多くの生涯《しょうがい》の最初のものが突然終わった場所だった。壁にはレポーターのスケジュール表が貼《は》ってあり、机の上には額入りのリンダの写真があり、ずっと昔に、胸を掻《か》きむしって受話器を落とした時に割れたガラスの文鎮があった。彼は本箱の上のデジタル時計を見た。

12：57 PM.　88.10.18

寿命は九分間。不気味に迫る苦痛と無のこと以外に、考えている暇がない。手が震えだし、目に涙がたまる。

「おい、ジェフ、今度の新しいキャンペーンのことだが――」販売促進部長のロン・スウィーニーが開いた戸口に立って、こちらを見つめている。「おや、君の顔、シーツのように血の気がないぞ！　どうした？」

ジェフは振り返って時計を見た。

1：02 PM.　88.10.18

「出ていけ、ロン」

「アルカ・セルツァー錠かなにかやろうか？　それとも医者を呼んでやろうか？」

「出ていけったら！」

「いや、悪かったなあ、ただ……」スウィーニーは肩をすくめて、ドアを閉めた。

ジェフの両手の震えが肩に広がり、それから背中に広がった。目をつぶって上唇《うわくちびる》を嚙《か》むと血の味がした。

電話が鳴った。彼は震える手で受話器を取り、何生涯も昔に始まった広大なサイクルを完了させた。

「ジェフ」リンダがいった。「私たちに必要なのは――」

目に見えないハンマーが彼の胸を強打し、再び彼を殺した。

彼はまた目覚め、パニックを起こしながら、部屋の向こう側にぼーっと光っている赤い数字を見た。

1：05 PM.　88.10.18

彼は時計めがけて文鎮を投げつけた。その矩形《くけい》のプラスチックの表面が砕けた。電話が鳴り、鳴り続けた。ジェフは悲鳴を――言葉にならない動物の唸《うな》りのような声を――上げて、電話の音を掻き消し、それから死に、また、受話器をすでに手にしたまま目覚め、リンダの声を聞き、また死に、何度も何度も死んだ。覚醒《かくせい》と死、知覚と無が、感じ取れないほど急速に交代した。その中心は常に、あの最初の胸中の重い激痛の瞬間にあった。

破壊の猛威にさらされているジェフの心が、解放を求めて叫びを上げた。だが、何も与えられなかった。心は逃げ口を求めた。それが狂気に通じようと、忘却に通じようと、もはや問題ではなかった……それでもなお、彼は見、聞き、感じ、あらゆる苦痛に対して覚醒しており、生でもなく死でもない恐ろしい暗黒の中に――死に通じる永遠の麻痺した瞬間に――間断なく宙吊《ちゅうづ》りになっていた。

「私たちに必要なのは……」リンダがいうのが聞こえた。「……話し合いなのよ」

どこかに苦痛があった。その源を発見するのにちょっと時間がかかった。手だった。受話器をわしづかみにしたまま硬直している手だった。ジェフは手の力を抜いた。すると汗ばんだ手の痛みが和らいだ。

「ジェフ？　聞こえた？」

彼は話そうとしたが、半ばうめき声、半ば唸り声のようなものが喉《のど》の奥から出るばかりだった。

「話し合う必要があるといってるの」リンダは繰り返した。「落ち着いて、顔をつきあわせて、私たちの結婚生活について、率直に話し合う必要があるわ。ここまできて、救いようがあるかどうか分からないけれど、やってみるだけの価値はあると思うの」

ジェフは目を開けて、本箱の上の時計を見た。

1：07 PM.　88.10.18

「返事をする気があるの？　これが、私たちにとってどんなに大切か、分かっているの？」

時計の数字が音もなく進んで1：08になった。

「ああ」彼は必死に言葉を組み立てた。「分かっている。話し合おう」

彼女は長い大きな溜《た》め息《いき》をついた。「もう手遅れかもしれない。でも、まだ時間はあるわ」

「やってみよう」

「今日、早く帰れると思う？」

「努力する」ジェフはいった。喉が乾燥し、詰まっていた。

「じゃ、帰ったら」リンダはいった。「話すことが山ほどあるわよ」

ジェフは受話器を置き、まだ時計を見つめていた。数字は1：09に進んだ。

彼は胸に手を当てた。安定した心臓の鼓動を感じた。生きている。生きている。そして時間は本来の流れを再開した。

いや、それとも、これは本当に終わったのだろうか？　もしかしたら、心臓発作に見舞われたのだが、それはほんの軽いもので、正気の限界を超えて幻覚の域に彼を押しやる程度のものであったのかもしれない。しかし、こんなのは聞いたことがない。彼自身、生涯の出来事をプレイバックして見るという溺死者《できしや》に自らをたとえ、苦痛が最初に襲った時に、何かそのような事が起こったのだと半ば期待したものだった。人の頭脳というものは、このような幻想と時間の圧縮か拡張という芸当を演じる可能性がある。特に、今にも死にそうだという危機の瞬間には。

もちろんだ、と彼は思い、ほっとして汗ばんだ額を拭《ぬぐ》った。こう考えるのは筋が通っている。自分が実際にあれらの生涯のすべてを経験したと信じるのよりは、ずっとましだ。

ジェフは電話を見返した。確かめる手段は一つだけある。彼はちょっと馬鹿《ばか》げていると感じながら、ウェストチェスター郡の番号案内係にダイヤルした。

「どの町ですか？」交換手が尋ねた。

「ニューロッシェルです。番号を教えて下さい……ロビンソン、スティーブまたはスティーブン・ロビンソンの」

間があり、かちかちいう音が聞こえ、やがてコンピューターの合成した声が、鈍い単調な口調で数字を読み上げた。

たぶんこの人物の名前をどこかで聞いたのだろう、とジェフは思った。おそらく小さなニュースの記事かなにかで。たぶん、それが心に残っていて、何週間かまたは何カ月か後の幻覚の中に、こっそりと織り込まれたのだろう。

彼はコンピューターが教えてくれた番号を回した。ひどく鼻のつまった、幼い少女の声が応《こた》えた。

「あのう、お母さんはいらっしゃる?」ジェフはその子供に尋ねた。

「ちょっと待って、お母さん! 電話!」

女性の声が受話器に聞こえた。息を切らして、くぐもり、歪《ゆが》んでいる。「もしもし?」

女性はいった。

彼女はひどく浅い息をして、はあはあいっていたので、どちらが喋《しゃべ》っているのか区別がつけにくかった。「あのう……パメラ・ロビンソンさんですか? パメラ・フィリプスさんですか?」

沈黙。呼吸さえも止まった。

「キンバリー」女性はいった。「あなたはもう電話を切ってもいいわよ。またコンタック咳薬《せきぐすり》を飲む時間よ」

「パメラ？」ジェフは少女が受話器を置くと、いった。「こちらは――」

「分かってます。こんにちは、ジェフ」

彼は目をつぶり、胸いっぱい空気を吸い込み、ゆっくりと吐き出した。「そ……それでは、実際に起こったんだね？　何から何まで？『星の海』も、モンゴメリー・クリークも、そして、ラッセル・ヘッジズも？　僕がいっていることが分かるんだね？」

「ええ、たった今あなたの声を聞くまでは、私自身もあれが本当かどうか分からなかった。ねえ、ジェフ、私何度も何度も死に始めたのよ、ものすごく急速に、まるで――」

「知ってる。僕にも同じことが起こった。でも、その前に、君は本当に覚えているのかい？　二人でやったあらゆる事を、あれらの生涯のすべてを？」

「一つ残らず覚えているわよ。私は医者だった、それから画家だった……あなたは本を書いた、私たち――」

「空を翔《と》んだ」

「それもね」彼女の溜め息が聞こえた。悔恨と疲労と、それ以上のものが含まれている長い空虚な音が。「セントラル・パークでの、あの最後の日のことも――」

「あれは僕の最後の時だと思ったんだ。君はきっと――逝《い》ってしまったと思っていた。永久にね。最期の近くにはどうしても君と一緒にいたかった。それが……たとえ、君の一部であっても。僕を本当には知らなくても」

彼女は何もいわなかった。そして何秒か後には、かつて失われた年月が二人を隔てていたように、沈黙が二人を隔てていた。

「これからどうしましょう？」パメラはついに尋ねた。

「分からない」ジェフはいった。「まだ、ちゃんと物事を考えられないんだ。君は？」

「同じよ」彼女は認めた。「私たち二人にとって、当面、どうすれば一番いいか分からないの」彼女は言葉を切り、ためらった。「あのう——キンバリーが病気で学校を休んでいるのよ——それで、あの子が電話に出たの——でも、ただ風邪を引いたというだけじゃなくて、今日は初潮を見た翌日なの。彼女が女になり始めると同時に、私が死んだわけ。そして今は……」

「分かった」彼はいった。

「今まで彼女が大人になるのを一度も見なかった。彼女の父親もまだ見ていないのよ。そしてクリストファーは、高校に入ったばかりでしょう……ここ何年間かは、彼らにとってとても大切なの」

「あまりにも急すぎて、君も僕も、今ここでちゃんとした計画を立てようとしても無理だね」ジェフはいった。「吸収すべきことが、甘受しなければならないことが、あまりにも多すぎる」

「私とても嬉《うれ》しいのよ……すべてが想像でないと分かって」

「パメラ……」彼は感情を余すところなく表現する言葉を、必死に探した。「知ってさえくれたら。どのくらい僕が——」

「分かってる。それ以上いわないで」

彼は受話器をそっと置き、長いことそれを見つめていた。自分たちがあまりにも多くを共に経験したのは、必ずしも夢ではなかった。この世界ではとうてい為《な》し得ないほど多くを、実際に見、知り、共有してきたのだった。得たり、失ったり、つかんだり、放したり……。

パメラはかつて、自分たちは「物事を変えただけであって、より良くしたのではない」といった。それは必ずしも当たっていない。時と場合によって、彼らの行為は、彼ら自身と世界にとって広範に肯定的な結果をおよぼしたこともあるし、また、否定的な結果をおよぼしたこともある。たいていは、そのどちらでもなかったけれども。選択が毎回異なり、その結論や結果は予測不可能だったから、それぞれの生涯は違ったものになった。しかし、あれらの選択はなされなければならなかった、とジェフは思った。利益の方が多いという希望のもとに、潜在的な危険を受け入れることを覚えた。唯一《ゆいいつ》の確実な失敗——それも、最も悲しむべきもの——は、全然危険を冒さないことだと知った。

ジェフは目を上げた。本箱の暗い曇りガラスに自分の姿が映っていた。白髪《しらが》まじりの頭髪、目の下のかすかなたるみ、額にはかすかに皺《しわ》がより始めている。それらの老いのしるしは、深まり、急激に増えこそすれ、決して再びなくなることはないだろう。年を取るにつれて、失われた青春の象形文字が、顔や体に新たに書きこまれ、決して消えることはない。

それにしても——と彼は考えた——年月そのものは全《すべ》て新鮮で、今まで与えられずにきた未知の出来事や感動の、絶えず変化し続けるすばらしい情景を見せてくれることだろう。新しい映画や演劇、新しいテクノロジーの進歩、新しい音楽——それにしても、どんな歌であれ、今までにぜんぜん聞いたことのない歌を、なんと聞きたかったことか！

彼とパメラが捉《とら》われていたあの測り知れないサイクルは、結局、一種の監禁であって解放ではないとわかった。彼らは、常に未来の選択に夢中になるという偽りの快楽に捉われていた。ちょうど、青春の盲目的な希望に溢《あふ》れたリディア・ランドルが、人生の選択は自分にとって永遠に可能だと思っていたように。「時間ならいくらでもあるわ」と彼女がいうのをジェフは聞いた。それから、彼自身が繰り返してパメラにいった言葉が、頭の中に新たにこだました。「次は……次は……」

今はすべてが違っている。これは〝次〟ではない。もはや次はないだろう。今しかない。これは唯一の有限な時間であり、その方向も結果も自分は絶対に知らない。一瞬も無駄《むだ》にしないことにしよう。当然のこととして受け取るのを止《や》めよう。

ジェフは立ち上がり、オフィスを出て、忙しいニュースルームに入っていった。大きなU字型の中央デスクに、昼間の編集者のジーン・コリンズがコンピューターの端末に囲まれて坐《すわ》っていた。そこには、AP、UPI、ロイターズなど、さまざまな通信社から時々刻々送られてくる速報が打ち出されていた。テレビモニターはCNNと三大ネットワークのすべてを受信し、通信コンソールは現地に飛んでいる局のレポーターや、ロサンゼルス、ベイルート、東京……などの独自のネットワークの通信員につながっていた。

ジェフは、再び予知不可能になった外の世界の新鮮な電波の流れが、自分の体を突き抜けるのを感じた。ニュースライターの一人が慌ただしくそばを通り抜け、緑色の速報用紙を急いで気送システムに挿入《そうにゅう》した。なにか重要事件が起きたのだ――もしかしたら災害か、あるいは人類に役立つ途方もない発見か。何はともあれ、それはほかのみんなと同様に自分にとっても新しいものであると、彼は知った。

今夜はリンダと話をしよう。何といってよいか分からないが、少なくとも、彼女に対して借りがある、ぐらいのことはいってやろう。そして自分自身にも同じことがいえる。もはや何事も確実ではない。そう思うと、期待で胸が震えた。リンダともう一度やりなおすかもしれない。いずれパメラと再会するかもしれない。転職するかもしれない。ただ一つ重要なことは、自分に残されている四半世紀ぐらいの年月は、自分の人生であり、自分の思う通りに生き抜くべきものであり、また、自分自身にとって最も為《ため》になるように生きるべきものだ。それ以外を優先させてはならない——仕事も、友情も、女性との関係も。それらはすべて人生の構成要素であって、価値あるものではあるが、人生を限定したり、コントロールしたりすべきものではない。自分の人生は自分の責任であり、自分だけのものだ。

　可能性は無限だと、ジェフは知った。

エピローグ

　ペーター・シェーレンは目覚めた。ショックと激痛の記憶がなまなましく心に残っていた。彼は商用でバンツー共和国にいき、マンデラ市で貿易大臣代理と昼食を取っているところだった——そこで、死んだのだった。彼はテーブルの上にどさりと倒れ、こぼれた飲み物がその政府要人のズボンを汚した——彼は胸が潰《つぶ》れるほどの圧迫感を覚えながらも、それに気付き、当惑し……それから、赤い縁取りのある暗黒が覆いかぶさり、それから何も感じなくなったのだった。

　そして今。ここは故郷オスロのカール・ヨハン通りにある店の中だ。ここで初めて商売の腕を磨《みが》いた。ここで初めて、商業界に職を得たのだった。

この店は二十年前に、アパート街を建てるために跡かたもなく取り壊されてしまったものだ。

ペーターは机上の元帳を開いて日付を見た。自分の手を見た。若くて、滑らかで、結婚指輪をしていない手が見えた。

まだ何も起こっていなかった。息子のエドワルドを奪ったスイスの雪崩《なだれ》も、妻のシーンをアルコール中毒という絶望的な下降螺旋《らせん》に追いやった、あの憂鬱《ゆううつ》に思い悩む夜も。まだ息子も妻もいない。明るく新しい未来があるだけだ。その陥穽《かんせい》も好機もよく知っている。そして状況に応じて避けたり、つかんだりすることができる。

これらの年月、これらの一九八八年から二〇一七年までの、彼にとって馴染《なじ》みの、ずっと昔の年月は、以前に犯した過ちを知っている彼が、再び生きるためにある。今度は――ペーター・シェーレンは誓った――うまくやるぞと。

解説

杉山高之

一九八八年十月十八日、午後一時六分、中年の放送ジャーナリスト、ジェフ・ウィンストンは会社のオフィスで心臓発作を起こし、胸を掻《か》きむしって息絶える。ところが、次の瞬間に母校の学生寮の一室で目覚める。二十五年昔の世界。大学一年生の若い肉体。精神だけは今後二十五年間に起こるはずの物事を覚えている……。こうしてジェフの人生のリプレイ——つまり再生、再演——が始まる。

人生がやり直せたら、というのはあらゆる人間が抱いている夢です。これはあまりにも古く、あまりにもありふれたテーマだから、これを使って広範な読者を満足させる小説を書くことは至難の技です。ところが、ケン・グリムウッドはそれを見事にやってのけたといえるでしょう。ある批評家はこういっています。「これは時間の意味と性質についての興味をそそる検証である。ケン・グリムウッドは優れた筆致で、思いがけない捻《ひね》りを加え、細部について慎重に配慮しながら物語をすすめ、この陳腐な前提に新しい生命を吹き込んだ」（アトランタ・ジャーナル・コンスティテューション）

この種の物語では、どのような解釈と結末をつけるかで、ほとんど成功、不成功がきまってしまいますが、この点について、ニューズデイ紙の批評家は次のようにいっています。「この本の結末は、ほかの部分と同様に驚くべきものであり、全く満足すべきものだ。『リプレイ』は、あなた次第でどのようにでも読み取れる作品だ。爽《さわ》やかで人を夢中にさせる読物ということもできる。しかし、あなたが見たいと思えば、その中にある種の偉大な真理を見出《みいだ》すことも可能だろう」

あと二、三の批評を紹介しておきます。

「『リプレイ』を読むと、あなたは過去二十五年間の自分の生活を、魅惑的な新しい視角から体験するだろう……『リプレイ』を読むと、タイム・トラベルがありうると本当に信じたくなるだろう」（レイヴ・レビュー）

「これはユニークな小説だ。一部はファンタジー、一部はロマンス、そして一部は悪夢……グリムウッドの前提は……きわめて独創的で、ある種の興味をそそる思索の場を提供する」（ALA　ブックリスト）

ケン・グリムウッドの『リプレイ』は一九八八年、第十四回世界幻想文学大賞（The World Fantasy Awards）を受賞しました。この賞は、SFの分野で権威のある「ヒューゴー賞」にならって、ファンタジーのために一九七五年に創設されたものです。候補作の選定は、世界幻想文学大会（World Fantasy Convention）の過去のメンバーと専門家の審査員の手で行われ、実際の受賞作は専門家の審査員（現在はマイク・アシュレイ以下五名）によって決定されます。そして、毎年十月に開催される大会の席上で発表されることになっています。大会は普通はアメリカで行われますが、八八年にはどういうわけか、ロンドンで行われました。この時の長編部門では、七編が候補にのぼり、結局この『リプレイ』が受賞しました。候補作の中には、最近わが国で翻訳された（あるいは、翻訳される）『ウィーヴワールド』クライヴ・バーカー（集英社）と、『ミザリー』スティーヴン・キング（文藝春秋）が含まれています。

参考までに、長編部門でこれまでに最優秀賞を取った作品で、すでにわが国に紹介されているものを挙げると次のようになります。

『妖女《ようじょ》サイベルの呼び声』パトリシア・マキリップ、『闇《やみ》の聖母』フリッツ・ライバー、『冬の狼《おおかみ》』エリザベス・A・リン、『拷問者の影』ジーン・ウルフ、『魔界の盗賊』マイクル・シェイ、『カーリーの歌』ダン・シモンズ（以上、早川書房）。それに『香水』パトリック・ジュースキント（文藝春秋）。

ファンタジーといえば、昨年わが国でも『日本ファンタジーノベル大賞』が創設され、第一回目の応募作は八百編を超す盛況でした。大賞は『後宮小説』酒見賢一、優秀賞は『宇宙のみなもとの滝』山口泉と決まり、新潮社から刊行されました。管理社会からの脱出願望があるせいでしょうか、下は中学生から上は熟年の管理職にいたるまで、ファンタジー・ファンの数は多いようです。

ファンタジーにはヒロイック・ファンタジーとか、SFファンタジーとか、さまざまな種類がありますが、このグリムウッドの『リプレイ』は一体どの分野に属するのでしょうか。私はこの本を訳している時に、これがSFであるとか、ファンタジーであるとかいう意識をほとんど抱きませんでした。だから、世界幻想文学大賞を受賞したと聞いて、これはファンタジーだったのかと、びっくりしたくらいです。「グリムウッドはこの注意深く述べられた、教養ある、独創的な物語によってジャンルを超えた」(パブリッシャーズ・ウィークリー)という批評がうなずけるような気がします。

考えてみると、グリムウッドはむしろポー、ホフマン、ネルヴァル、リラダンなどの由緒正しい、正統派(?)幻想文学の系譜に属する人なのかもしれません。

(一九九〇年六月)

S・キング
山田順子訳
スタンド・バイ・ミー
―恐怖の四季 秋冬編―
死体を探しに森に入った四人の少年たちの、苦難と恐怖に満ちた二日間の体験を描いた感動編「スタンド・バイ・ミー」。他1編収録。

S・キング
浅倉久志訳
ゴールデンボーイ
―恐怖の四季 春夏編―
ナチ戦犯の老人が昔犯した罪に心を奪われた少年は、その詳細を聞くうちに、しだいに明るさを失い、悪夢に悩まされるようになった。

S・キング
永井淳訳
キャリー
狂信的な母を持つ風変りな娘――周囲の残酷な悪意に対抗するキャリーの精神は、やがてバランスを崩して……。超心理学の恐怖小説。

J・アーチャー
戸田裕之訳
追風に帆を上げよ（上・下）
―クリフトン年代記 第4部―
不自然な交通事故、株式操作、政治闘争、突然の死。バリントン・クリフトン両家とマルティネス親子、真っ向勝負のシリーズ第4部。

J・グリシャム
白石朗訳
汚染訴訟（上・下）
ニューヨークの一流法律事務所を解雇され、アパラチア山脈の田舎町に移り住んだエリート女弁護士が石炭会社の不正に立ち向かう！

フリーマントル
稲葉明雄訳
消されかけた男
KGBの大物カレーニン将軍が、西側に亡命を希望しているという情報が英国情報部に入った！ ニュータイプのエスピオナージュ。

新潮文庫最新刊

関裕二著
「始まりの国」淡路と「陰の王国」大阪
—古代史謎解き紀行—
淡路島が国産みの最初の地となったのはなぜ？　ヤマト政権に代わる河内政権は本当にあったのか？　古代史の常識に挑む歴史紀行。

山本周五郎著
周五郎少年文庫
殺人仮装行列
—探偵小説集—
上演中の舞台で主演女優が一瞬の闇のうちに誘拐された。その巧妙なトリックとは。乱麻を断つ名推理が炸裂する本格探偵小説18編。

山本周五郎著
日本婦道記
厳しい武家の定めの中で、愛する人のために生き抜いた女性たちの清々しいまでの強靭さと、凛然たる美しさや哀しさが溢れる31編。

山本周五郎著
さぶ
職人仲間のさぶと栄二。濡れ衣を着せられ捨鉢になる栄二を、さぶは忍耐強く支える。友情を通じて人間のあるべき姿を描く時代長編。

葉室麟著
鬼神の如く
—黒田叛臣伝—
司馬遼太郎賞受賞
「わが主君に謀反の疑いあり」。黒田藩家老・栗山大膳は、藩主の忠之を訴え出た——。まことの忠義と武士の一徹を描く本格歴史長編。

宮本輝著
長流の畔
流転の海　第八部
昭和三十八年、熊吾は横領された金の穴埋めに奔走しつつも、別れたはずの女とよりを戻してしまう。房江はそれを知り深く傷つく。

リプレイ

新潮文庫　　ク - 14 - 1

Published 1990 in Japan
by Shinchosha Company

平成二年七月二十五日　発行
平成二十二年九月十日　三十五刷改版
平成三十年十一月五日　四十刷

訳者　杉《すぎ》山《やま》高《たか》之《ゆき》
発行者　佐藤隆信
発行所　株式会社 新潮社

郵便番号　一六二—八七一一
東京都新宿区矢来町七一
電話　編集部(〇三)三二六六—五四四〇
　　　読者係(〇三)三二六六—五一一一
http://www.shinchosha.co.jp

価格はカバーに表示してあります。

乱丁・落丁本は、ご面倒ですが小社読者係宛ご送付ください。送料小社負担にてお取替えいたします。

印刷・株式会社光邦　製本・株式会社大進堂

ISBN978-4-10-232501-8 C0197